o poder do
QUANDO

Dr. Michael Breus

o poder do
QUANDO

Descubra o ritmo do seu corpo
e o momento certo para almoçar, pedir
um aumento, tomar remédio e muito mais

Tradução
GUILHERME MIRANDA

Copyright © 2017 by Mindworks, Inc.

O selo Fontanar foi licenciado pela Editora Schwarcz S.A.

Grafia atualizada segundo o Acordo Ortográfico da Língua Portuguesa de 1990, que entrou em vigor no Brasil em 2009.

TÍTULO ORIGINAL The Power of When: Discover Your Chronotype — and the Best Time to Eat Lunch, Ask for a Raise, Have Sex, Write a Novel, Take Your Meds, and More

CAPA Claudia Espínola de Carvalho/ Inspirada na capa original de Tom McKeveny

FOTO DE CAPA © violetkaipa/ Shutterstock

PREPARAÇÃO Eloah Pina

ÍNDICE REMISSIVO Probo Poletti

REVISÃO Renata Lopes Del Nero, Clara Diament

Dados Internacionais de Catalogação na Publicação (CIP)
(Câmara Brasileira do Livro, SP, Brasil)

Breus, Michael
　　O poder do quando : descubra o ritmo do seu corpo e o momento certo para almoçar, pedir um aumento, tomar remédio e muito mais / Michael Breus ; tradução Guilherme Miranda. — 1ª ed. — São Paulo : Fontanar, 2017.

　　Título original: The Power of When: Discover Your Chronotype – and the Best Time to Eat Lunch, Ask for a Raise, Have Sex, Write a Novel, Take Your Meds, and More
　　Bibliografia.
　　ISBN 978-85-8439-056-4

　　1. Autorrealização (Psicologia) 2. Conduta de vida 3. Cronobiologia 4. Ritmos biológicos 5. Ritmos circadianos I. Título.

16-09328　　　　　　　　　　　　CDD-612.022

Índices para catálogo sistemático:
1. Cronobiologia : Fisiologia humana　612.022
2. Dissincronia circadiana : Fisiologia humana　612.022

[2017]
Todos os direitos desta edição reservados à
EDITORA SCHWARCZ S.A.
Rua Bandeira Paulista, 702, cj. 32
04532-002 — São Paulo — SP
Telefone: (11) 3707-3500
Fax: (11) 3707-3501
www.facebook.com.br/Fontanar.br

Como já disse a minha filha, este livro "deve ser dedicado à sua esposa e aos seus filhos maravilhosos". Faço minhas as palavras dela.

Este livro é dedicado à minha alcateia: Lauren, Cooper, Carson e meus filhos de quatro patas, Monty, Sparky e Sugar Bear.

Dedico-o também aos pacientes que tive durante esses dezesseis anos de atividade. Adoro aprender com vocês todos sempre que nos encontramos.

Sumário

Prefácio	9
Introdução: Timing é tudo	12

PARTE UM: CRONOTIPOS

1. Qual é seu cronotipo?	23
2. Um dia perfeito na vida de um golfinho	46
3. Um dia perfeito na vida de um leão	64
4. Um dia perfeito na vida de um urso	79
5. Um dia perfeito na vida de um lobo	93

PARTE DOIS: CADA COISA EM SEU TEMPO

6. Relacionamentos	111
7. Atividade física	138
8. Saúde	151
9. Sono	184
10. Comer e beber	212
11. Trabalho	237
12. Criatividade	272
13. Dinheiro	289
14. Lazer	307

PARTE TRÊS: O PODER DO QUANDO PARA A VIDA

15. Cronossazonalidade 337

16. Cronolongevidade 344

Relógios mestres 349

Agradecimentos 353

Notas 357

Índice remissivo 373

Prefácio

O dr. Breus é meu amigo e colega desde o início do meu programa de tv. Seu entusiasmo incansável pelo aprendizado, por ensinar ao público e por estar na dianteira das informações mais atualizadas sobre sono e distúrbios do sono fez dele um dos principais especialistas em muitas das minhas empreitadas.

Fiquei interessado pelo poder de cura dos ritmos circadianos quando estava em uma sala de reunião com o dr. Breus. Estávamos discutindo o futuro da medicina do sono e o porquê de a privação do sono ser um dos problemas de saúde e bem-estar mais subestimados nos Estados Unidos. Eu queria saber qual seria a próxima grande descoberta sobre o sono.

O dr. Breus explicou que o sistema circadiano, também conhecido como relógio biológico, afeta todas as áreas do corpo, controlando desde a multiplicação das células cancerosas à integridade do sistema imunológico. Percebi que havia inúmeras pesquisas sobre o tema, mas que eram pouco divulgadas para o público em geral. Eu sabia que as pessoas precisavam se informar sobre esse assunto de forma descomplicada, então insisti para que o dr. Breus escrevesse *O poder do quando*.

Quanto mais você entende sobre dissincronia circadiana — um conceito apresentado no livro em termos muito acessíveis —, mais sua vida melhora. Por exemplo, o intestino tem um marca-passo circadiano próprio. Quando ele não segue a programação do seu relógio biológico, alterações hormonais aumentam os níveis de inflamação, ineficiência metabólica e podem até reduzir a eficácia de muitos tratamentos médicos.

O teste no início do livro ajuda a descobrir em qual dos quatro diferentes grupos de cronorritmos você se encaixa. Depois, você terá uma noção básica de como é um dia típico de um leão, de um urso, de um lobo ou de um golfinho, além de descobrir *quando* é o melhor momento para realizar diversas tarefas básicas.

Como muitos sabem, sou um grande defensor dos movimentos intestinais regulares e sempre falo sobre o assunto no meu programa de TV. Um dos meus capítulos favoritos deste livro explica *quando* ir ao banheiro — mais mastigado que isso, impossível! Outro capítulo especialmente interessante diz respeito a *quando* tomar remédios de modo que eles melhorem sua vida — da noite para o dia. E quanto aos exercícios físicos? O dr. Breus dedicou toda uma seção deste livro para identificar *quando* você obterá mais benefícios e prazer com a atividade física.

A ciência circadiana aprimora os exames médicos. Hoje, os testes são mais precisos em virtude da marcação temporal da coleta de amostras e da comparação dos resultados com os padrões temporais. Os médicos conseguem receber resultados mais precisos. Se, para ver seus níveis de hormônios da tireoide, seu sangue for retirado de manhã ou no final da tarde, será que os resultados podem tornar o diagnóstico diferente? Tudo indica que sim.

Com base em uma compreensão simples de sua biologia e de seus horários, você vai aprender *quando* poderá tirar o melhor de si e dos seus relacionamentos em áreas como sexo, amor, planejamento de eventos e conversas com os filhos. *Quando* você vir melhorias nessas áreas, conseguirá aprimorar sua saúde e sua vida como nunca imaginou que seria possível.

Claro, não podemos nos esquecer do trabalho, que ocupa uma parte tão grande do nosso tempo. Saber e entender *quando* você funciona melhor e *quando* os outros funcionam melhor possibilita que expresse suas melhores ideias, seja mais criativo e aberto ao aprendizado. Este livro vai permitir que você aprenda *quando* pode ser verdadeiramente melhor em muitos aspectos.

Fiz o teste e descobri que sou um leão. Eu me identifiquei muito com as características desse cronotipo e percebi que, sem saber, havia acertado em cheio em alguns aspectos e desenvolvido horários que funcionavam para mim. Mas decidi mudar o horário dos cochilos no meu dia a dia para ver se conseguia tornar essa área em particular mais eficiente e fiquei surpreso com o impacto que essa simples mudança teve na minha saúde. Por isso, sinto enorme prazer em escrever este prefácio, para dizer a todos o quanto este livro pode ajudar você, sua família, sua carreira e sua saúde.

Dr. Mehmet C. Oz

Introdução: Timing é tudo

Você quer uma dica de vida simples, que exige pouco esforço e leva você para perto da felicidade e do sucesso? É claro que quer! Isso pode parecer uma promessa vazia, mas não é.

Você já deve ter visto muitas dicas e truques sobre *o que* e *como* fazer para ser bem-sucedido.

Como perder peso.

Como agradar seu parceiro na cama.

O que dizer ao chefe para conseguir um aumento.

Como criar seus filhos.

O que comer.

Como se exercitar.

O que pensar.

Como sonhar.

O que e *como* são perguntas excelentes e necessárias. **Mas existe outra pergunta crucial que *deve* ser feita para efetuar melhorias reais, drásticas e decisivas na sua qualidade de vida como um todo.**

Essa pergunta é *quando*.

Quando é a dica definitiva.

Ela é a base do sucesso, a chave para uma versão mais rápida, inteligente, aprimorada e forte de você mesmo.

Saber *quando* possibilita que você eleve *o que* e *como* à máxima potência. Mesmo que você não mude nada sobre *o que* e *como* faz as coisas, realizar ajustes minúsculos em *quando* faz já o torna mais saudável, feliz e produtivo, começando... agora.

O *quando* é de fato assim, simples e poderoso.

Basta fazer pequenos ajustes nos seus horários — como decidir quando tomar sua primeira xícara de café, quando responder e-mails, quando cochilar — para ressincronizar o ritmo do seu dia com o ritmo da sua biologia. Dessa forma, tudo vai começar a parecer mais fácil e fluir naturalmente.

Mas o que significa "ritmo da sua biologia"?

Ao contrário do que você já deve ter ouvido, existe *sim* um horário perfeito para fazer praticamente tudo. O timing perfeito não pode ser escolhido, adivinhado nem descoberto — ele já acontece dentro de você, no seu DNA, do minuto em que acorda até o minuto em que vai dormir, e em todos os minutos nesse meio-tempo. Um relógio interno localizado no seu cérebro que tiquetaqueia e mantém o horário exato desde os seus três meses de idade.

Esse cronometrista projetado de forma precisa é o seu marca-passo circadiano, também conhecido como relógio biológico. Sendo mais específico, é um grupo de nervos chamado núcleo supraquiasmático (NSQ), localizado no hipotálamo, logo acima da hipófise.

De manhã, a luz do sol atravessa seus globos oculares, percorre o nervo óptico e ativa o NSQ para começar o ritmo circadiano (do latim, "por volta de um dia"). O NSQ é o relógio mestre que controla dezenas de outros relógios pelo corpo. No decorrer do dia, temperatura central, pressão arterial, cognição, fluxo hormonal, vigilância, energia, digestão, fome, metabolismo, criatividade, sociabilidade, atletismo e a capacidade de cicatrização, memorização e de dormir, entre muitas outras funções, flutuam e são governados de acordo com seus relógios internos e os comandos dados por deles. Tudo o que você pode ou quer fazer é controlado pelos ritmos fisiológicos, ainda que você não perceba.

Durante 50 mil anos, nossos ancestrais organizaram os horários diários a partir de seus relógios internos. Eles comiam, caçavam, se agrupavam, socializavam, acordavam, descansavam, procriavam e se curavam no tempo biológico (ou biotempo) perfeito. Não que a vida fosse fantástica nos tempos pré-históricos, bíblicos ou medievais, mas, enquanto espécie, vivíamos bem quando nos levantávamos ao nascer do sol, passávamos a maior parte do dia ao ar livre e dormíamos na escuridão absoluta. Criamos a civilização, as sociedades e fizemos avanços incríveis que, de forma irônica e efetiva, colocaram nossos relógios internos aprimorados e evoluídos contra nós.

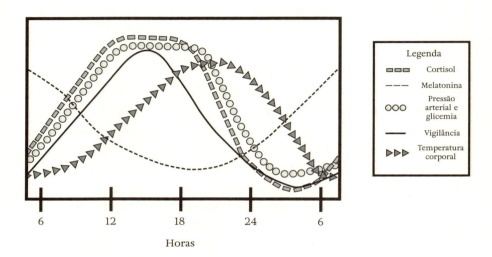

Este é um exemplo dos vários ritmos circadianos que estão funcionando no seu corpo AGORA!

O acontecimento mais problemático na história do biotempo ocorreu no dia 31 de dezembro de 1879. Em seu laboratório de pesquisa em Menlo Park, Nova Jersey, Thomas Edison apresentou ao mundo a lâmpada incandescente de longa duração. Ele enunciou a famosa frase: "Vamos deixar a eletricidade tão barata que só os ricos vão acender velas". Em menos de uma década, a noite, para todos os efeitos, se tornou opcional. Não levantaríamos mais ao amanhecer nem dormiríamos na escuridão absoluta. Antes, trabalhávamos do amanhecer ao cair da tarde e comíamos a última refeição ao pôr do sol. Os horários de trabalho e do jantar foram adiados cada vez mais e passamos mais tempo em ambientes fechados expostos à luz artificial e menos ao ar livre sob o sol.

Em uma entrevista de 1889 para a *Scientific American*, Edison declarou: "Quase nunca durmo mais de quatro horas por dia, e posso continuar assim por um ano".[1] Em 1914, no trigésimo quinto aniversário da luz incandescente, Edison usou a ocasião para definir o sono como um "péssimo hábito". Ele propôs que todos os americanos dormissem menos horas por dia e previu um futuro sem sono. "Tudo aquilo que diminui a soma total do sono do homem aumenta a soma total de suas capacidades", afirmou. "Não há absolutamente nenhum motivo real para que o homem durma, e o homem do futuro vai passar muito menos tempo na cama."[2]

A segunda maior perturbação no nosso relógio biológico foram os avanços nos transportes: carros e aviões permitiram que as pessoas percorressem longas distâncias mais rapidamente. O corpo leva um dia para se adaptar a uma diferença de fuso horário de uma hora, mas de cavalo ou carruagem levaria mais ou menos esse tempo para chegar tão longe. Desde meados do século xx, podemos percorrer diversos fusos horários em poucas horas — um piscar de olhos, em termos de evolução —, deixando o biotempo atrasado.

A tecnologia da informação nos trouxe ao ponto em que estamos hoje: vivemos numa cultura de 24 horas diárias de smartphone, imersos num lusco-fusco contínuo sob o qual trabalhamos, nos divertimos e comemos, a qualquer hora do dia ou da noite.

Bastaram meros 125 anos para desfazer 50 mil anos de cronometragem biológica perfeita. Dizer que nossa fisiologia não evoluiu tão rapidamente quanto nossa tecnologia é o eufemismo do milênio. Como resultado, o nosso *quando* está muito, mas muito atrasado.

Estar fora de sincronia com nosso biotempo é devastador para o bem-estar físico, mental e emocional. Esse fenômeno é chamado de cronodesajuste ("crono" significa tempo). Nos últimos quinze anos, cientistas vêm relacionando as chamadas doenças da civilização (transtornos de humor, cardiopatias, diabetes, câncer e obesidade) ao cronodesajuste. Os sintomas incluem insônia e privação de sono, que causam depressão, ansiedade e acidentes, sem mencionar a maneira como o estresse e a exaustão afetam os relacionamentos, a carreira e a saúde. A menos que você desligue todas as telas e luzes às seis horas da tarde, de um jeito ou de outro é provável que enfrente o cronodesajuste, seja na forma de confusão matinal, excesso de peso, estresse ou rendimento abaixo do ideal. (Claro, é impossível desligar tudo ao anoitecer. Mas você pode desligar as telas um pouco antes do que costuma e ir diminuindo as luzes conforme a noite avança.)

Um pardal não corre para o trabalho às nove horas da manhã, pilhado de café, enquanto enfrenta o trânsito. Um salmão não vai a um show à meia-noite. Um cervo não faz maratona de *House of Cards* durante o fim de semana todo. Imagine um gato doméstico cochilando, brincando e se limpando num horário típico da sociedade. Isso jamais aconteceria. Os animais obedecem aos seus relógios internos. Nós, humanos, com cérebros maiores e superiores, teimamos em ignorar o nosso e encaixamos os ritmos circadianos à força em um "ritmo social", muitas vezes diretamente oposto ao que nossos corpos deveriam fazer naquele horário.

COMO EU DESCOBRI O PODER DO QUANDO

Eu me formei em medicina do sono quinze anos atrás, mais ou menos na mesma época em que a cronobiologia (o estudo dos ritmos circadianos) entrou em voga na minha área. O estudo dos ritmos circadianos de humanos quase não existia antes dos anos 1970 e ainda não é conhecido entre o público geral. Por quê? Para começar, a maioria dos médicos de atendimento básico também nunca ouviu falar de cronobiologia. Ela não é ensinada na faculdade de medicina, exceto quando o assunto são alguns raros distúrbios do sono. Não existe um medicamento oficial a ser prescrito quando se está fora de sincronia com o relógio interno (a não ser a cafeína, a droga mais usada do planeta!), mas há muitos medicamentos e nutracêuticos — alimentos com valor medicinal — que têm efeito prejudicial para o biotempo. (Para uma lista desses medicamentos, vá até a p. 178.)

Depois que vários dos meus pacientes não reagiram à terapia tradicional contra insônia, comecei a me interessar e a me fascinar pela cronobiologia. Como precisei diversificar e encontrar novas maneiras de ajudá-los, comecei usando técnicas de cronoterapia — exposição a caixas luminosas em determinadas horas do dia, substituição de lâmpadas no quarto por "modelos favoráveis ao sono" (consulte o site Lighting Science: <www.lsgc.com>) e ingestão de melatonina, o "hormônio do sono", em horários específicos do ciclo circadiano — com certo grau de sucesso.

Mas então pressupus que meus pacientes conseguiriam resultados ainda melhores se aproximassem seus horários ao seu biotempo natural. Pedi que fizessem pequenas mudanças nos horários em que comiam, se exercitavam, encontravam os amigos, assistiam à TV ou eram expostos à luz artificial. Quando o fizeram, começaram a ver melhoras impressionantes, não apenas em relação ao sono, mas à saúde em geral — humor, memória, concentração, condicionamento físico e peso. Dessa forma, percebi que um bom timing é tão poderoso que pode mudar a vida de *qualquer pessoa* em praticamente todos os aspectos.

Fiquei obcecado. Li tudo o que consegui encontrar em revistas médicas sobre os benefícios profundos de estar em sincronia com o biotempo. Como mencionei, a área está em alta como tema de pesquisa, então tenho gastado um bom tempo me atualizando. Aqui está uma lista não exaustiva das principais descobertas circadianas dos últimos anos:

- **Tratar uma doença como o câncer sob a ótica do biotempo pode salvar vidas.** Em 2009, pesquisadores da Escola de Medicina da Universidade da Carolina do Norte, nos Estados Unidos, fizeram experimentos com camundongos para determinar se o horário da medicação afetava a velocidade do reparo de DNA em células danificadas. Eles tiraram extratos do cérebro dos camundongos em diversos momentos e descobriram que, quando o medicamento era tomado à noite, **o DNA se reparava sete vezes mais rápido**, de acordo com os níveis circadianos crescentes e decrescentes de determinada enzima. Os pesquisadores desenvolveram a teoria de que, para minimizar os efeitos colaterais e maximizar a eficácia, os fármacos deveriam ser ministrados aos pacientes quando suas células estivessem mais capacitadas para se reparar.

- **Pensar de acordo com o biotempo pode deixar você mais inteligente e criativo.** Em 2011, uma equipe de psicólogos da Universidade Estadual de Michigan e do Albion College, nos Estados Unidos, pediu aos participantes do estudo que resolvessem, em diferentes momentos do dia, alguns problemas analíticos e outros que exigiam soluções criativas. **Os participantes resolveram com mais facilidade problemas criativos em seus períodos não ideais, quando estavam cansados e sonolentos. Por outro lado, resolveram os problemas analíticos em seus períodos ideais quando estavam bem acordados e alertas.** Os pesquisadores concluíram que os pensamentos criativo e analítico funcionam de acordo com o biotempo. Certos tipos de problema são resolvidos mais facilmente em certos períodos.

- **Comer em sincronia com o biotempo pode ajudar a controlar o peso.** Em um estudo de 2013 com 420 homens e mulheres com sobrepeso ou obesidade, pesquisadores da Universidade de Múrcia, na Espanha, submeteram os indivíduos a uma dieta de 1400 calorias diárias durante vinte semanas. Metade das pessoas comia "cedo", com a maior refeição antes das três da tarde. A outra metade, que comia "tarde", fazia a maior refeição depois das três da tarde. Os dois grupos ingeriam a mesma quantidade do mesmo alimento, exercitavam-se em intensidade e frequência similares, dormiam o mesmo número de horas e tinham hormônios de apetite e função genética comparáveis. Qual grupo perdeu mais peso? **Os que comiam cedo perderam em média dez quilos; os que comiam tarde perderam em média sete quilos e meio, uma diferença de 25%.** Os que comiam tarde também tinham maior propensão para pular o café da manhã.

- **Viver respeitando o biotempo pode deixar você mais feliz.** Em 2015, pesquisadores no Hospital Universitário de Copenhague, na Dinamarca, trataram 75 pacientes que apresentavam depressão grave com cronoterapia diária (exposição à luz forte e tempo de vigília regular) ou exercício físico. **Sessenta e dois por cento dos pacientes sob cronoterapia entraram em remissão depois de seis meses.** Por outro lado, apenas 38% dos que se exercitaram venceram a depressão.

- **Correr levando em consideração o biotempo pode deixar você mais rápido.** Em 2015, uma equipe da Universidade de Birmingham, na Inglaterra, tentou encontrar uma relação entre o desempenho de atletas e se eles se sentiam mais alertas e ativos de manhã (matutinos) ou à tarde (vespertinos). Essa relação existe. **O número de horas entre o horário em que o atleta acordava e o horário em que corria teve um impacto enorme no desempenho. Se os que levantavam tarde corriam à noite, eles eram muito mais rápidos do que se, por exemplo, corressem de manhã. As diferenças em velocidade foram significativas e chegaram a até 26%.**

Nas páginas a seguir, você lerá mais sobre esses e muitos outros estudos. Eles são prova da importância de manter um bom biotempo e demonstram os perigos de ignorá-lo. O fato científico é que, se você ficar atento aos horários, sua vida vai tiquetaquear regularmente como o mecanismo de um relógio.

Se você estiver fora de sincronia com seu timing interno, vai agir contra sua própria biologia. E desde quando essa é uma boa ideia?

Não odeio Thomas Edison. Não estou dizendo que você deva jogar seu iPhone fora ou morar numa caverna. Se não fosse pela ciência e pela tecnologia, não teríamos a prova de como o biotempo é profundamente interligado à saúde e à produtividade. Podemos usar a pesquisa e a tecnologia para ajudar a manter o biotempo quase perfeito e ainda assim seguir os horários impostos pela vida social. Essa é a beleza do biotempo: você não precisa revisar sua vida para se beneficiar do poder do *quando*. Basta fazer algumas mudanças, programar alguns alarmes no celular, baixar meu aplicativo gratuito e ver sua vida mudar para melhor.

PALAVRAS DE ORDEM

Biotempo: Seu relógio ou horário biológico; os altos e baixos de hormônios e enzimas e as mudanças na atividade circulatória no decorrer das 24 horas do dia. Sinônimo de "ritmo circadiano".

Cronobiologia: Estudo do ritmo circadiano e de seu efeito na saúde e no bem-estar humano.

Cronodesajuste: O impacto negativo em sua saúde, concentração e energia quando o horário social está dessincronizado com o horário biológico.

Cronorritmo: Programação do tempo fisiológico ideal para fazer praticamente todas as atividades diárias no contexto da nossa vida moderna e agitada. É um ritmo diário para o sucesso.

Cronoterapia: Uso de ferramentas como luz e suplementos hormonais para melhorar a saúde e a qualidade de vida de pacientes com insônia e transtornos de humor.

Cronotipo: Classificação da organização geral do seu relógio biológico.

Cronotruques: Estratégias que ajudam você a sincronizar seu horário social com seu horário biológico.

Horário social: Momentos em que você realiza tarefas — acordar, comer, exercitar-se, trabalhar, socializar — ao longo do dia.

Jet lag social: A confusão mental que decorre da dessincronização entre o horário social e o horário biológico.

Ritmo circadiano: Seu relógio ou horário biológico; os altos e baixos de hormônios e enzimas e as mudanças na atividade circulatória no decorrer das 24 horas do dia.

PARTE UM
CRONOTIPOS

1. Qual é seu cronotipo?

Toda pessoa tem um relógio biológico mestre tiquetaqueando no cérebro e dezenas de relógios biológicos menores pelo corpo todo.

Mas nem todos os relógios biológicos marcam a mesma hora. Os relógios internos do seu amigo, cônjuge ou filho podem funcionar num ritmo diferente do seu. Isso você já sabe; já viu que algumas pessoas acordam cedo ou não sentem fome na mesma hora que você, ou estão cheias de energia enquanto você está esgotado. Pessoas diferentes se encaixam em classificações diferentes — os chamados cronotipos —, baseadas em suas preferências gerais pela manhã ou pela noite.

De acordo com a sabedoria popular e a definição clássica, existem três cronotipos:

1. **Cotovias**, os que acordam cedo;

2. **Rouxinóis**, os que não acordam nem cedo nem tarde;

3. **Corujas**, os que acordam tarde.

Psicólogos e especialistas do sono usam há algum tempo um questionário-padrão de "matutinidade-vespertinidade" (MEQ, do inglês Morningness-Eveningness Questionnaire) para determinar o cronotipo de indivíduos. Tendo trabalhado com pacientes e estudado a área há mais de quinze anos, sempre me incomodei com essas três categorias e com o modo como elas eram determinadas. Por avaliar apenas as preferências de sono/ vigília/ atividade do indivíduo, o MEQ me parecia unidimensional, e não funcionava de forma alguma com os pacientes do meu consultório.

Em relação a esse meu primeiro argumento, a avaliação de cronotipos consagrada não inclui as duas medidas do sistema de sono de dois passos. Além da preferência de vigília, existe o "impulso de sono" — seu grau de necessidade de sono. Alguns têm impulsos de sono maiores do que de outros, assim como alguns têm impulsos sexuais maiores em relação a outros.

Seu impulso de sono é genético e determina a quantidade de sono de que você precisa e qual sua profundidade de sono.

Pessoas com **baixo impulso de sono** não precisam dormir muito, então para elas a noite parece longa demais. Despertam facilmente com perturbações de som e luz e acordam se sentindo pouco revigoradas.

Pessoas com **alto impulso de sono** precisam dormir mais horas, por isso a noite parece curta demais para elas. Dormem um sono profundo, mas acordam se sentindo pouco revigoradas independentemente do quanto tenham dormido.

Aqueles com **impulso de sono médio** dormem de maneira relativamente profunda e ficam satisfeitos e revigorados com sete horas de repouso contínuo.

O MEQ também não foi pensado para levar em conta a personalidade do indivíduo, que é um fator de extrema importância na determinação do cronotipo. Tipos matutinos, por exemplo, tendem a ser mais conscientes em relação à saúde; tipos vespertinos costumam ser mais impulsivos. Nenhum dos dois costuma ser flexível. Dezenas de estudos confirmam isso. Em uma avaliação abrangente do cronotipo, a personalidade é um fator grande e relevante demais para ser ignorado.

Minha segunda discordância com o MEQ era que ele não representava o meu grupo de pacientes. Os três tipos consagrados excluem pelo menos 10% da população em geral: os insones. Embora pessoas que dormem mal possam ser encontradas entre os que acordam cedo, tarde ou em horário intermediário, acredito que os verdadeiros insones — aqueles com dificuldades crônicas de pegar no sono e/ ou continuar dormindo, que geralmente não conseguem dormir mais de seis horas por noite — pertencem a outro cronotipo, com preferências de vigília/ sono, impulso de sono e perfil de personalidade distintos das três categorias clássicas.

Decidi redefinir os grupos, elaborar um questionário próprio que levasse em consideração todos os fatores relevantes e também renomear os cronotipos. Os humanos são mamíferos, não aves, e temos comportamento semelhante ao de outros mamíferos. Meus nomes de cronotipos refletem esse fato. Procurei mamíferos que representassem de maneira precisa as quatro categorias como eu as via, e encontrei exatamente o que procurava:

1. **Golfinhos.** Os golfinhos de verdade dormem com apenas uma metade do cérebro de cada vez (por isso, seu sono é denominado uni-hemisférico). A outra metade fica acordada e alerta, concentrada em nadar e atenta a predadores. Esse nome abrange muito bem os insones: pessoas inteligentes e com sono leve e perturbado. Têm baixo impulso de sono.

2. **Leões.** Os leões de verdade são caçadores matutinos que estão no topo da cadeia alimentar. Esse nome abrange pessoas otimistas, matinais, com impulso de sono médio.

3. **Ursos.** Os ursos de verdade dormem bem, seguem o fluxo e caçam a qualquer hora do dia. Esse nome se adéqua a pessoas brincalhonas e extrovertidas que preferem horários baseados no sol e têm alto impulso de sono.

4. **Lobos.** Os lobos de verdade são caçadores noturnos. Esse nome abrange pessoas extrovertidas, criativas, noctívagas e com impulso de sono médio.

Se você não se reconheceu nessas descrições curtas, talvez tenha reconhecido um dos seus pais. Lembre-se: seu cronotipo é genético — determinado especificamente pelo gene PER3. Se você tem um longo gene PER3, precisa de pelo menos sete horas de sono profundo para funcionar e tende a acordar cedo. Se tem um PER3 curto, pode sobreviver com pouco sono ou sono leve e tende a acordar tarde. É provável que pelo menos um dos seus pais tenha o mesmo cronotipo que você.

Por que tantos tipos? Por que existem variações? Desde o início da humanidade, a variação de cronotipos foi necessária para a sobrevivência da espécie. Cada cronotipo teve seu propósito e contribuiu para a segurança do grupo como um todo. O biotempo precisava ser diverso para que o grupo inteiro continuasse seguro no decorrer da noite longa. Embora não fiquemos mais de vigia na entrada das cavernas, nossa estrutura genética não mudou muito desde os tempos pré-históricos. Tampouco mudaram as proporções a seguir:

- **Golfinhos representam 10% da população.** Com sono leve, despertam ao menor barulho para avisar o grupo do perigo.

- **Leões representam de 15% a 20%.** Acordam cedo e cumprem o turno matinal de proteção do grupo, ficando atentos aos predadores ao redor.

- **Ursos representam 50%.** Seu ciclo segue o nascer e o pôr do sol; eles caçam e se reúnem durante o dia.

- **Lobos representam 15% a 20%.** Cumprem o turno da noite de proteção do grupo, dispersando-se quando os leões mais violentos começam a despertar.

Esses quatro tipos obviamente não seguem o mesmo biotempo uns dos outros. Por exemplo, o metabolismo de um leão não é igual ao de um lobo, então não faz sentido que os dois se alimentem no mesmo horário. Para obter a saúde e o desempenho ideais, cada tipo tem seu próprio cronorritmo — ou programação diária. Nos próximos capítulos, detalharei o cronorritmo de cada tipo.

Em termos gerais, golfinhos, leões e lobos são naturalmente dessincronizados com as convenções sociais, e seus cronorritmos refletem isso. O biotempo dos ursos é o mais próximo das normas tradicionais. São também o maior grupo, o que justifica a criação dessas normas. No entanto, a existência dessas normas não necessariamente ajuda os ursos a atingir seus objetivos criativos, profissionais e pessoais — ainda é preciso adequar seu cronorritmo à maneira como vivem agora.

A esta altura, você provavelmente já tem uma boa noção de qual cronotipo tem. Hora de confirmar suas suspeitas fazendo o teste de biotempo (TB) a seguir. Ele incorpora todos os fatores importantes, incluindo personalidade e preferências de sono/ vigília/ atividade, além de levar em conta dicas comportamentais e observações que fiz a partir dos meus pacientes. O TB foi testado e retestado em diversos grupos — meus pacientes, o público em geral, amigos selecionados e colegas — e é a ferramenta mais precisa que consegui imaginar e criar para avaliar um cronotipo.

Ele é dividido em duas partes. A parte um é composta de uma série de dez afirmações a ser respondidas como verdadeiras ou falsas. Na parte dois, há vinte perguntas de múltipla escolha. Não existem respostas certas ou erradas. Tente ser o mais sincero e objetivo possível enquanto responde. (Relaxem, lobos. Vocês não vão ser pontuados por isso. E, não, leões, não existe nota perfeita.)

Se quiser fazer o teste (em inglês) no celular ou no computador, acesse <www.thepowerofwhen.com>.

TESTE DE BIOTEMPO

PARTE UM

Para as dez afirmações a seguir, circule "V" para verdadeiro ou "F" para falso.

1. **Qualquer barulho ou luz me acorda ou me impede de dormir.** V ou F

2. **Comer não é um grande prazer para mim.** V ou F

3. **Costumo acordar antes que meu despertador toque.** V ou F

4. Não consigo dormir em aviões, mesmo com máscara e protetores auriculares. V ou F

5. É muito comum ficar irritadiço por cansaço. V ou F

6. Me preocupo demais com detalhes. V ou F

7. Fui diagnosticado por um médico ou já me autodiagnostiquei como insone. V ou F

8. Na escola, eu ficava ansioso com as minhas notas. V ou F

9. Perco o sono remoendo o que aconteceu no passado e o que pode acontecer no futuro. V ou F

10. Sou perfeccionista. V ou F

Se você marcou "V" para verdadeiro em **sete ou mais** das dez questões acima, **você é um golfinho** e pode pular para a p. 33.

Caso contrário, prossiga para a...

PARTE DOIS

Depois de cada uma das opções de múltipla escolha, você vai encontrar um número entre parênteses. Some esses números para obter sua pontuação final.

1. **Se não tivesse nada para fazer no dia seguinte e se permitisse dormir pelo tempo que quisesse, a que horas você acordaria?**
   a. Antes das 6h30. (1)
   b. Entre 6h30 e 8h45. (2)
   c. Depois das 8h45. (3)

2. **Quando precisa acordar em determinado horário, você usa o despertador?**
   a. Não preciso. Acordo sozinho na hora certa. (1)
   b. Sim, sem soneca ou com apenas uma soneca. (2)
   c. Sim, com um alarme reserva e várias sonecas. (3)

3. **A que horas você acorda nos fins de semana?**
   a. No mesmo horário dos dias de semana. (1)
   b. Em torno de 45 a noventa minutos depois em relação ao horário dos dias de semana. (2)
   c. Noventa minutos ou mais depois do horário dos dias de semana. (3)

4. **Como você lida com o jet lag?**
   a. Sempre sofro com ele. (1)
   b. Me adapto em menos de 48 horas. (2)
   c. Me adapto rapidamente, ainda mais quando viajo para o oeste. (3)

5. **Qual é sua refeição favorita? (Pense mais na hora do dia do que no cardápio.)**
   a. Café da manhã. (1)
   b. Almoço. (2)
   c. Jantar. (3)

6. **Se pudesse voltar no tempo e prestar o vestibular de novo, em que horário preferiria *começar* a prova para ter foco e concentração máxima (e não apenas para acabar logo de uma vez)?**
   a. Manhãzinha. (1)
   b. Começo da tarde. (2)
   c. Meio da tarde. (3)

7. **Se pudesse escolher qualquer horário do dia para praticar um exercício intenso, qual seria?**
   a. Antes das 8h. (1)
   b. Entre 8h e 16h. (2)
   c. Depois das 16h. (3)

8. **Quando você está mais alerta?**
   a. Uma a duas horas depois de acordar. (1)
   b. Duas a quatro horas depois de acordar. (2)
   c. Quatro a seis horas depois de acordar. (3)

9. **Se pudesse escolher uma jornada de trabalho de cinco horas, qual bloco de horas consecutivas você preferiria?**
   a. Das 4h às 9h. (1)
   b. Das 9h às 14h. (2)
   c. Das 16h às 21h. (3)

10. **Você considera que...**
    a. O lado esquerdo de seu cérebro é dominante — ou seja, você tem um pensamento estratégico e analítico. (1)
    b. Ambos os lados são equilibrados. (2)
    c. O lado direito de seu cérebro é dominante — ou seja, você tem um pensamento criativo e perspicaz. (3)

11. **Você cochila?**
    a. Nunca. (1)
    b. Às vezes aos fins de semana. (2)
    c. Se tirasse um cochilo, ficaria acordado a noite toda. (3)

12. **Se tivesse de fazer duas horas de trabalho físico árduo, como mudar móveis de lugar ou cortar lenha, em que horário escolheria fazer isso para ter eficiência e segurança máxima (e não apenas para acabar logo de uma vez)?**
    a. Das 8h às 10h. (1)
    b. Das 11h às 13h. (2)
    c. Das 18h às 20h. (3)

13. **Em relação a sua saúde geral, qual afirmação combina mais com você?**
    a. "Faço escolhas saudáveis quase sempre." (1)
    b. "Faço escolhas saudáveis de vez em quando." (2)
    c. "Tenho dificuldade para fazer escolhas saudáveis."(3)

14. **Qual é seu nível de conforto em correr riscos?**
    a. Baixo. (1)
    b. Médio. (2)
    c. Alto. (3)

15. **Você se considera:**
    a.   Voltado para o futuro, com grandes planos e objetivos claros. (1)
    b.   Moldado pelo passado, esperançoso em relação ao futuro e buscando viver o momento. (2)
    c.   Voltado para o presente. O importante é o que é bom agora. (3)

16. **Como você se caracterizaria enquanto estudante?**
    a.   Excepcional. (1)
    b.   Regular. (2)
    c.   Preguiçoso. (3)

17. **Quando acorda de manhã, você está...**
    a.   Alerta. (1)
    b.   Zonzo, mas não confuso. (2)
    c.   Entorpecido, com os cílios pesados. (3)

18. **Como você definiria seu apetite na primeira meia hora depois que acorda?**
    a.   Muito faminto. (1)
    b.   Com fome. (2)
    c.   Sem fome nenhuma. (3)

19. **Com que frequência você sofre com sintomas de insônia?**
    a.   Raramente, apenas quando estou me adaptando a um fuso horário diferente. (1)
    b.   Às vezes, quando estou passando por um período difícil ou estou estressado. (2)
    c.   De maneira crônica. Eles vêm em ondas. (3)

20. **Como você descreveria sua satisfação geral com a vida?**
    a.   Alta. (0)
    b.   Boa. (2)
    c.   Baixa. (4)

PONTUAÇÃO

19 a 32: **Leão**

33 a 47: **Urso**

48 a 61: **Lobo**

EXISTEM HÍBRIDOS?

Às vezes as pessoas fazem o teste, leem os perfis e continuam em dúvida sobre o tipo em que se encaixam. Dentro de cada tipo predominante (leão, urso e lobo), existem variações. Mas, embora alguns ursos acordem mais cedo do que outros, isso não os torna leões.

Se você estiver indeciso entre leão e urso ou lobo e urso, são grandes as chances de ser um urso, como a maioria da população.

Para aprimorar sua avaliação, experimente este miniteste de duas perguntas desenvolvido por pesquisadores brasileiros,[1] que é tão preciso quanto qualquer outra medição:

1. Avalie seu nível de energia em uma escala de 1 (muito baixo) a 5 (muito alto) de manhã.

2. Avalie seu nível de energia de 1 a 5 ao final da tarde.

Subtraia a segunda pontuação da primeira. Por exemplo, se avaliou a energia matinal como muito alta (5) e a energia vespertina como muito baixa (1), sua pontuação total é 4. Se avaliou sua energia matinal como muito baixa (1) e sua energia vespertina como muito alta (5), sua pontuação total é −4.

PONTUAÇÃO
4, 3, 2: **Leão**
1, 0, −1: **Urso**
−4, −3, −2: **Lobo**

A maior confusão em relação aos cronotipos costuma ser sobre **a questão da insônia.** Todos os insones são golfinhos? Não necessariamente. Todos os grandes tipos incluem pessoas que dormem mal e têm traços de personalidade parecidos com os dos golfinhos. Alguns leões extremos acordam às três da manhã, não conseguem voltar a dormir e ouviram do médico que sofrem de "insônia terminal". Leões, assim como golfinhos, são cuidadosos, voltados aos objetivos e avessos a riscos. Lobos extremos ficam olhando para o teto toda noite até as três da manhã, o que os médicos chamam de "insônia inicial". Lobos, assim como golfinhos, são introvertidos, criativos e ansiosos. E alguns ursos se sentem irritados e fatigados com frequência. Existem algumas semelhanças, mas também diferenças importantes.

Se você desconfia de que possa ser um golfinho, mesmo se tiver marcado seis ou menos respostas verdadeiras na parte um do TB, faça o miniteste a seguir (senão, pule para a p. 37):

VOCÊ É UM LEÃO OU UM GOLFINHO?

Circule "V" ou "F" para as seguintes perguntas:

1. Não tenho muita fome ao acordar. V ou F

2. Meu sono é espasmódico e pouco profundo. V ou F

3. Não tenho interesse em ser o chefe. V ou F

Se você respondeu "V" a pelo menos duas das três perguntas acima, você é um golfinho.

VOCÊ É UM URSO OU UM GOLFINHO?

Circule "V" ou "F" para as seguintes perguntas:

1. Você não liga muito para comida. V ou F

2. Você ficaria feliz se dormisse pelo menos seis horas por noite. V ou F

3. Você não gosta de trabalho em equipe. V ou F

Se você respondeu "V" a pelo menos duas das três perguntas acima, você é um golfinho.

VOCÊ É UM LOBO OU UM GOLFINHO?

Circule "V" ou "F" para as seguintes perguntas:

1. Você costuma ser o último a sair das festas. V ou F

2. Você é espontâneo e toma decisões impulsivas sobre compras importantes e planos de viagem. V ou F

3. Você aperta a soneca pelo menos duas vezes de manhã. V ou F

Se você respondeu "F" a pelo menos duas das três perguntas acima, você é um golfinho.

FATOS SOBRE URSOS

Os ursos podem achar que levam uma vida fácil. Afinal, como seus horários são sincronizados com o sol, eles não sentem necessidade de fazer muitas mudanças em seu cronograma diário para entrar no biotempo perfeito, certo?

Errado.

Deixe-me perguntar uma coisa, urso: você funciona em seu potencial máximo nos horários que são impostos a você atualmente? Transborda de energia e tem um sono de alta qualidade? Está sem barriga? Tem atividade sexual intensa? Manda bem no trabalho? Desfruta de uma comunicação excelente nos relacionamentos? Evita gripes e resfriados? Consegue focar e se concentrar tanto quanto gostaria?

Só porque seu ciclo de sono/ vigília está sincronizado com o biotempo não significa que as dezenas de outros relógios em seu corpo também estejam. Os horários sociais típicos — horário comercial, hora de jantar ou de fazer sexo — não *necessariamente* correspondem à cronobiologia dos ursos.

Na verdade, urso, você tem muitos ajustes a fazer em seu cronograma diário. Mas o esforço vai valer a pena. Não seria bom se sentir mais alerta no trabalho o dia todo, evitar ataques à geladeira no meio da noite, acordar revigorado, não depender do café para despertar e do álcool para pegar no sono, se sentir ativo e saudável todos os dias da semana? Claro que sim!

> Colocando em prática as mudanças que recomendo para seu cronograma diário, vccê vai assumir o controle do seu destino e se tornar a pessoa que nasceu para ser.

A INVEJA DO LEÃO

Um grande amigo meu certa vez fez o teste e disse: "Sou um urso".

Como sei que ele gosta de cochilar aos fins de semana, é doido por comida e tem uma vida social agitada, rodeada de amigos (e com uns quilinhos extras), não fiquei surpreso ao ouvir isso. Mas ele, sim.

"Não quero ser um urso!", protestou. "Quero ser um leão!"

Meu amigo tem algumas características de leão. Ele abriu a própria empresa e se considera um verdadeiro empreendedor, com grande ambição e força de vontade. Os objetivos profissionais são sua maior motivação e, ao me ouvir falar sobre cronotipos, ele se avaliou, com base nesse aspecto da sua personalidade, como um leão.

Se você se enxerga como alguém que está no topo da cadeia alimentar e ficou desapontado por não ser um leão, ou tem vontade de acordar cedo com energia de sobra e uma mente estratégica, saiba que não há por que invejar o leão. Cada cronotipo tem suas vantagens e desvantagens em todos os aspectos, desde carreira a relacionamentos e saúde física. O que talvez pareça um prêmio pode na verdade ser um prejuízo. Os leões tendem a evoluir na carreira e se tornar chefes, mas não costumam ser criativos ou extrovertidos. Os leões podem conseguir fazer mais coisas antes do café da manhã do que a maioria de nós faz em um dia inteiro, mas têm dificuldades na área social por sentir sono e cansaço muito cedo.

A grama é sempre mais verde do outro lado do cronotipo. Em vez de querer ser outro tipo, desenvolva autoconsciência e compreensão dos seus próprios padrões de biotempo.

Uma pergunta que sempre me fazem é: **dá para mudar o cronotipo?** O cronotipo é genético, está no seu DNA. Assim como sua altura ou a cor dos seus olhos, ele não pode ser alterado. Mas é possível fazer mudanças sutis de uma ou duas horas dentro da faixa natural do bio-tempo do seu cronotipo. Se você nasceu leão, nunca será capaz de ficar acordado até tão tarde quanto um lobo nato. Porém, ao ajustar a hora das refeições, dos exercícios, da ingestão de cafeína e da exposição à luz artificial e natural, todo cronotipo consegue fazer avanços significativos na saúde, energia e produtividade. Os ursos terão mais energia, perderão peso e terão todo o sono de que precisam; os leões vão ficar acordados até mais tarde e desfrutar de uma vida social mais intensa. Os lobos vão dormir mais cedo e ficar mais produtivos pela manhã e no começo da tarde, e os golfinhos vão melhorar a qualidade do sono, acalmar a ansiedade e produzir no começo do dia.

Então, a resposta à pergunta "Dá para mudar o cronotipo?" é não.

No entanto, seu cronotipo pode e vai mudar sozinho com a idade. (Ver "Cronolongevidade", na p. 344, para uma explicação detalhada de por que e quando isso acontece.) Os bebês costumam ser leões. Os adolescentes, lobos. Os adultos tendem a ser ursos. Os idosos, leões e golfinhos. Você não vai ter o mesmo cronotipo durante *toda* a vida. Mas, dos 21 (quando os lobos adolescentes transitam, em sua maior parte, para ursos adultos) aos 65 (quando os ursos adultos fazem a transição para golfinhos e leões), os quarenta anos ou mais que são considerados o auge da vida, seu cronotipo será o mesmo — e você deve entrar no bio-tempo certo do cronotipo que tem *agora*, qualquer que seja ele.

PERFIS DOS CRONOTIPOS

Quando os pesquisadores conduzem estudos científicos, suas conclusões se baseiam em porcentagens não absolutas. Por exemplo, em 2014, no departamento de biologia da Universidade de Educação de Heidelberg, na Alemanha, foram coletados dados de 564 estudantes para estudar cronotipos e características de personalidade, e verificou-se que a maioria dos tipos vespertinos tinha alto nível de "impulsividade" e que a maioria dos tipos matutinos tinha alto nível de "atividade". Isso não significa que *todo* lobo seja aventureiro e tenha pouca energia, nem que *todo* leão seja proativo e cauteloso. Claro que não. Mas a maioria é.

Um estudo de 2012 do Instituto Nacional de Saúde e Bem-Estar de Helsinque, na Finlândia, verificou que tipos matutinos comem mais peixe, verduras, legumes e grãos integrais, enquanto os tipos vespertinos consomem mais refrigerante e chocolate. Mas você pode ser um leão que adora Coca Zero ou um urso viciado em sushi. Uma característica ou preferência particular no perfil do seu cronotipo talvez não o descreva ou se encaixe perfeitamente em você, mas, numa visão geral, você vai se reconhecer nele. Já apliquei esse teste em centenas de pessoas e, de acordo com as estimativas das pessoas estudadas, os perfis são de 80% a 100% precisos. Ouço feedbacks como "na mosca" e "é tão verdade que chega a assustar" com muita frequência.

Todo mundo está estudando esse tema. As pesquisas que explorei para criar esses perfis vêm de vários lugares do mundo. A relação entre cronotipo e humor vem da Universidade da Polônia.[2] A ligação entre maior atividade vespertina e impulsividade vem da Faculdade de Medicina da Universidade Yonsei, em Seul, Coreia do Sul.[3] O estudo sobre percepção de saúde e cronotipo foi um trabalho conjunto entre pesquisadores de Londres, Budapeste e Cork, na Irlanda.[4] Incluí dados de Chicago e Bangcoc,[5] Madri[6] e Pádua.[7] Meu objetivo ao observar a enorme abrangência das pesquisas não é me exibir, mas provar que os cronotipos são os mesmos em todos os lugares do mundo. Leões são leões de Nova York a Hong Kong. Ursos são ursos de Scottsdale a Calcutá. Aonde quer que você vá na Terra, vai encontrar tipos iguais a você. Cronotipos, uni-vos!

GOLFINHO

- **Quatro características-chave de personalidade:** cautela, introversão, neurose, inteligência.

- **Quatro comportamentos-chave:** evitar situações arriscadas, almejar a perfeição, tendências obsessivo-compulsivas, fixação por detalhes.

- **Padrão de sono/ vigília:** os golfinhos costumam acordar se sentindo pouco revigorados e ficam cansados até o fim da tarde, quando de repente entram no ritmo. São mais alertas tarde da noite e mais produtivos em momentos esparsos ao longo do dia. Tentam cochilar para compensar a falta de sono, mas nem sempre conseguem.

O sono dos golfinhos na natureza é uni-hemisférico. Metade do cérebro para de funcionar enquanto a outra metade continua alerta para que o animal não se afogue nem seja devorado por predadores. Têm padrão de alimentação flexível e metabolismo rápido.

O equivalente humano desse animal tem um sono leve e é facilmente despertado por ligeiros barulhos e perturbações. Os golfinhos têm baixo impulso de sono e sofrem por acordar diversas vezes ao longo da noite. O sono leve e o baixo impulso de sono podem causar insônia relacionada à ansiedade. Acordados durante a noite, os golfinhos podem remoer erros que cometeram e coisas que disseram, além de conjecturar sobre como corrigiriam seus erros e falas infelizes se pudessem e sobre o que terão de resolver no futuro, sabendo que precisarão dar conta de tudo isso com tão pouco descanso. Quando conseguem dormir, o sono dos golfinhos é bastante superficial, e muitas vezes dizem não saber se realmente dormiram.

Fora da cama, os golfinhos costumam também ser ansiosos. Eles tendem a desenvolver personalidades do tipo A — nervosos, irritadiços e preocupados — e são muito inteligentes. A atenção aos detalhes e o perfeccionismo que demonstram são ideais para trabalhos de precisão — revisão de texto, programação, engenharia, química, composição ou ocupações relacionadas à música. O caráter obsessivo e perfeccionista os torna pouco preparados para o trabalho em equipe: são mais felizes (ou menos enfezados) quando podem trabalhar sozinhos. É comum se fixarem demais nos detalhes — a ponto de ficarem paralisados e realizarem poucas tarefas.

Os golfinhos tendem a ser menos reservados em seus relacionamentos e exibem níveis extraordinários de atenção emocional (ouvir e estar presente), reparo (capacidade de resolver problemas) e clareza (entender o que realmente está acontecendo). Avessos a confrontos, os golfinhos não gostam de discutir, mas, de vez em quando, a privação de sono é tanta que podem ter conflitos conjugais mesmo assim. A tensão emocional permanente é ainda mais perturbadora do que a discussão, e deve ser evitada a todo custo. Na minha observação clínica, a convivência de golfinhos com ursos e leões pode não ser tão fácil, embora sejam parceiros atenciosos, carinhosos e dedicados. Já percebi que golfinhos e lobos dão uma boa combinação.

Em relação à saúde, a maioria dos golfinhos é do tipo que come para viver, com um metabolismo naturalmente rápido. Alguns se tornam obcecados por exercícios, mas, em geral, não se preocupam muito com o condicionamento físico e não precisam se exercitar para perder peso, visto que seu índice de massa corporal (IMC) costuma variar entre baixo e médio. Embora os golfinhos experimentem todo tipo de medicamento de venda livre ou sob prescrição para insônia ou hipocondria, vez ou outra demonstram um cuidado obsessivo com o que comem, bebem e compram. Avaliam a satisfação geral com a própria vida como baixa. Por outro lado, falar sobre essa insatisfação os deixa aliviados. Para saber como é o dia perfeito do golfinho, vá para a p. 46.

LEÃO

- **Quatro características-chave de personalidade:** discernimento, estabilidade, praticidade, otimismo.

- **Quatro comportamentos-chave:** destacar-se, priorizar a saúde e o condicionamento, buscar relações positivas, planejar.

- **Padrão de sono/ vigília:** os leões acordam alertas ao nascer do sol ou até antes, começam a se sentir cansados no fim da tarde e pegam no sono facilmente. São mais alertas ao meio-dia e mais produtivos pela manhã. Os leões quase nunca cochilam, porque preferem fazer algo útil.

Os leões da natureza levantam antes do nascer do sol para caçar. Estão cheios de energia — e fome — ao primeiro raio de sol. É uma adaptação eficaz, visto que são mais enérgicos quando as presas estão vulneráveis e sonolentas. A ambição do leão é ascender para uma posição de poder dentro do seu núcleo familiar. O equivalente humano do leão também se levanta antes do nascer do sol, está faminto ao acordar e, depois de um café da manhã substancioso, sente-se pronto para atingir todos os objetivos que tenha definido para o dia. Os leões transbordam energia objetiva. O entusiasmo empreendedor e alerta talvez seja seu traço mais característico. Eles enfrentam os problemas de cabeça erguida, têm metas claras e planos estratégicos rumo ao sucesso. A vida é uma linha reta, e o que importa é ir do ponto A ao B dando os passos C, D e E. Com uma mentalidade analítica e organizada, não se deixam enganar com facilidade pela tentação; tampouco assumem grandes riscos. Na realidade, os leões evitam situações desnecessariamente perigosas ou perturbadoras.

Esse cronotipo costuma assumir papéis de liderança dentro de um grupo. Introvertidos, acham um pouco solitário estar no topo. Completar um projeto ou tarefa lhes proporciona uma sensação de profunda realização. Quando as coisas dão errado, os leões não hesitam em recuar e, com calma, readaptam a estratégia para retomar o caminho certo. Nos negócios, os riscos são calculados: *nunca* tomam decisões impulsivas e financeiramente irresponsáveis. Antes de começar uma nova empreitada, os leões fazem um plano detalhado de negócios. E, como era de esperar, essa empreitada tem grandes chances de ser um sucesso. A maioria dos presidentes de empresa e empreendedores se encaixa no cronotipo do leão.

Gostam da companhia de outras pessoas, mas, como estão cansados logo ao cair da noite — porque já trabalharam por horas a fio —, é improvável que fiquem até tarde na rua com os amigos. Em geral, são os primeiros a sair de uma festa, dizendo que precisam acordar cedo para uma reunião ou treinar para uma maratona. Nos relacionamentos, os leões tendem a dar ênfase ao positivo e ser práticos — tentam resolver os problemas em vez de guardar mágoas.

Como os leões priorizam sua saúde, eles têm menos chances de exagerar em junk food e álcool, mas podem eventualmente usar essas substâncias para se acalmar. Em geral, os leões têm uma alimentação saudável, com proteínas magras e grãos, frutas, verduras e legumes com alto teor de fibra. Os exercícios os tornam aptos a definir e atingir objetivos, e a maioria deles tira proveito disso. São aficionados por corrida de aventura e crossfit. Os leões costumam ter um IMC baixo e normalmente avaliam sua satisfação geral com a vida como muito alta. Para saber como é o dia perfeito do leão, vá para a p. 64.

URSO

- **Quatro características-chave de personalidade:** cautela, extroversão, simpatia/ descontração, mente aberta.

- **Quatro comportamentos-chave:** evitar conflitos, buscar uma vida saudável, priorizar a felicidade, valorizar a zona de conforto.

- **Padrão de sono/ vigília:** Os ursos acordam zonzos depois de apertar o botão de soneca uma ou duas vezes, começam a se sentir menos cansados do meio até o final da tarde e dormem profundamente, mas não tanto quanto gostariam. São mais alertas entre o meio da manhã e o começo da tarde e mais produtivos no fim da manhã. Os ursos tiram algumas horas de cochilo no fim de semana, no sofá.

Quando não estão hibernando, os ursos da natureza são diurnos — são ativos de dia e descansam à noite. Pescadores, apanham comida o tempo todo e comem independentemente de quando fizeram a última refeição. São brincalhões e afetuosos em seu núcleo familiar e criam amizades próximas nos outros círculos sociais.

O padrão de sono dos ursos humanos corresponde ao ciclo solar, o que é bom para eles. Com seus altos impulsos de sono, os ursos preferem dormir pelo menos oito horas por noite. Levam algumas horas para se sentir completamente despertos de manhã e costumam sentir fome ao acordar — talvez passem o dia todo com fome. Se a comida estiver disponível, é bem provável que comam, mesmo se não for a hora da refeição ou do lanche. A dieta dos ursos não é boa nem má e eles podem ou não praticar exercícios de maneira dedicada. Os ursos definem sua saúde como razoável. Quando, de maneira esporádica, se esforçam para fazer dieta e praticar exercícios, obtêm resultados variáveis. O IMC dos ursos costuma ser de médio a alto.

No campo profissional, trabalham em equipe, são equilibrados e esforçados, ocupam cargos intermediários e sabem lidar com pessoas. Com personalidade afável do tipo B, os ursos não são de fazer drama. É improvável que tramem para roubar o cargo de um colega ou culpem outras pessoas por seus erros. Na escola, eram bons alunos, e essa mesma atitude positiva se aplica ao trabalho. Tudo o que querem é fazer um bom trabalho e depois ir para casa descansar. Avessos a riscos, é pouco provável que se coloquem numa posição vulnerável, seja pessoal ou profissionalmente, a menos que tenham certeza de que valerá a pena ou que isso acontecerá de maneira natural.

Os ursos gostam da companhia de outras pessoas e ficam inquietos e entediados quando ficam sozinhos por tempo demais. Numa festa, aquele rapaz sociável cuidando do bar ou da churrasqueira talvez seja um urso. Em seus relacionamentos pessoais, os ursos podem ser flexíveis até demais. Costumam ter baixos níveis de reparo emocional (capacidade de resolver problemas) e clareza (entender o que realmente está acontecendo). Isso pode ser frustrante para seus companheiros, especialmente lobos sagazes ou golfinhos ansiosos.

Os ursos não têm altos muito altos nem baixos muito baixos. Se perdem o equilíbrio emocional, é uma reação direta a uma crise real. Quando o problema passa, a ansiedade ou depressão deles também passa. A satisfação geral com a vida é boa. Para saber como é o dia perfeito do urso, vá para a p. 79.

LOBO

- **Quatro características-chave de personalidade:** impulsividade, pessimismo, criatividade, mau humor.

- **Quatro comportamentos-chave:** assumir riscos, priorizar o prazer, buscar a novidade, reagir com intensidade emocional.

- **Padrão de sono/ vigília:** os lobos têm dificuldade para acordar antes das nove horas da manhã (até conseguem acordar, mas nem sempre de bom humor), ficam zonzos até o meio-dia e só se sentem cansados depois da meia-noite. São mais alertas às sete horas da noite e mais produtivos no fim da manhã e da tarde. Consideram os cochilos tentadores, mas, se dormirem durante o dia, não conseguirão dormir à noite. Não vale a pena.

Na natureza, os lobos ficam ativos quando o sol se põe. Noturnos, caçam em grupo e são criativos, ferozes e espertos. Enxergam sob todas as perspectivas, mesmo no escuro.

Os cronotipos de lobo costumam se orgulhar da própria coragem. São os mais impulsivos e espontâneos dos cronotipos e lançam-se com boa vontade às situações de risco. Estão sempre à caça de novas experiências e sensações. Por isso, os lobos costumam ter um número acima da média de parceiros sexuais ao longo da vida. Embora não tenham apetite nenhum de manhã, ficam esfomeados depois que anoitece. Os lobos costumam beber refrigerante e álcool e comer alimentos com alto teor de gordura e açúcar, muitas vezes tarde da noite, atacando a geladeira. Não é de surpreender que o IMC dos lobos varie entre médio e alto. Graças aos horários de suas refeições e às más escolhas alimentares, têm mais chances de sofrer de doenças relacionadas à obesidade, como diabetes — um perigo que os ursos também correm.

Os lobos sentem-se totalmente confortáveis em ficar sozinhos e podem parecer um pouco reservados. Mas também são extrovertidos e adoram uma boa festa. Quando estão no clima certo, podem ser o centro das atenções e costumam ser os últimos a abandonar a folia.

No entanto, nem tudo são flores. Os lobos têm sentimentos intensos e em geral não os contêm. Sua reatividade é alta, o que significa que perdem o controle facilmente, uma característica estressante para eles e também para a família e os amigos.

A mente do lobo é perspicaz e intuitiva. Com o lado direito do cérebro dominante, os lobos sempre ligam os pontos de maneira estranha e inventiva. No trabalho, costumam ter sucesso em áreas que demandam criatividade — artes, medicina, editoração e tecnologia. Todavia, a criatividade nem sempre se traduz em sucesso acadêmico. Na escola, é provável que os lobos tenham sido preguiçosos ou encostados. A frase "não atinge todo o potencial" deve ter sido comum nos comentários dos professores.

Os lobos são os iconoclastas do mundo. O cronorritmo deles está em descompasso com 80% da população, e não num bom sentido, como o dos leões. O estresse de ficar fora de sincronia — e a ideia de que são "preguiçosos" — exacerba as emoções já intensas dos lobos. Esses cronotipos tendem a sofrer de transtornos de humor como depressão e ansiedade com mais frequência do que os outros. O uso de drogas e álcool pode ser tanto uma forma de automedicação como uma busca por prazer. Os lobos têm mais chances de desenvolver vícios do que os outros tipos. Pelo que relatam, a satisfação com a vida tende a ser baixa, a menos que estejam casados com outro lobo, caso em que a satisfação pode ser alta. Para saber como é o dia perfeito do lobo, vá para a p. 93.

O TESTE DE TEMPERATURA

Ainda não tem certeza sobre seu cronotipo? Existe uma forma biológica de determinar seu tipo que vai exigir um pouco de comprometimento e um termômetro digital.

O hipotálamo regula a temperatura corporal dentro da pequena faixa de 36°C a 38°C. Uma queda noturna na "temperatura interna" (órgãos vitais) em oposição à "temperatura externa" (pele e músculos) é um sinal de que o corpo está sonolento; um aumento matinal na temperatura sinaliza que é hora de acordar. Seu cronotipo determina quando você vai atingir seus pontos altos e baixos de temperatura.

Para fazer o teste de temperatura, registre sua temperatura de hora em hora a partir das cinco da tarde até o momento em que for se deitar. Quando sua temperatura começa a subir? Quando começa a cair? O aumento de temperatura não vai ser drástico. Pode ser apenas alguns décimos (é aí que entra o termômetro digital). Faça uma tabela para três dias a fim de coletar dados suficientes.

> **Golfinho: esse teste não vai funcionar para você.** Os golfinhos não são como os outros tipos: a temperatura interna deles sobe à noite. É um dos motivos que os faz ter dificuldade para pegar no sono.
> **Leão**: a temperatura começa a cair às **19h**.
> **Urso**: a temperatura começa a cair às **21h**.
> **Lobo**: a temperatura começa a cair às **22h**.

Ainda não sabe qual é o seu cronotipo? Escolha aquele que parece se adequar a você em 80% do tempo, depois pergunte ao seu cônjuge, pai ou um amigo próximo (nem sempre nos vemos como realmente somos), confie na palavra dessa pessoa e vá em frente. Siga o cronograma diário descrito nos próximos capítulos para o seu tipo. Depois de uma semana, se você se adaptar ou não, vai saber a qual cronotipo realmente pertence.

Antes de tratar de horários específicos, quero fazer alguns alertas:

- **Os horários são ideais.** Em alguns casos, o ideal pode não ser nada prático. Se partes do cronograma entrarem em total conflito com a sua vida, não se preocupe. Faça o que puder e já verá benefícios. Toda mudança que aproxime você do seu biotempo perfeito é positiva.

- **Os horários são biológicos.** Eles representam o que seu corpo quer, mas talvez não representem o que sua mente quer. A maioria de nós não gosta sequer da ideia de horários predeterminados. Nossa mente quer liberdade, e nada mais limitador do que um cronograma. Em vez de encarar isso como algo restritivo, pense que é uma forma de você ter possibilidades ilimitadas. Lembre-se de que a verdadeira liberdade significa ter energia para dar e vender (sem o fardo dos quilinhos extras), boa comunicação e um sistema imunológico fortalecido. Se, para alcançar essa liberdade, for necessário adiantar ou atrasar o jantar em uma hora ou fazer exercícios mais tarde ou mais cedo, o preço a pagar se torna pequeno.

2. Um dia perfeito na vida de um golfinho

Stephanie,[1] uma professora de 53 anos natural de Nova York e mãe de um universitário, chegou cedo para a consulta comigo. Por acaso, eu a avistei no saguão do prédio. Em vez de checar o e-mail ou ler um livro, Stephanie andava de um lado para o outro. Embora golfinhos como Stephanie sofram de um cansaço crônico, também são cheios de energia e tensão.

A descrição "cansada e elétrica" combinava bem com ela. Quando se sentou para a consulta, disse que estava exausta. Brincando com uma caneta, ajeitava a postura com frequência. Não conseguia sossegar. Perguntei o quanto ela dormia, em média, por noite.

"Fico feliz quando consigo seis horas de sono contínuo, mas normalmente são só quatro ou cinco", disse. "É difícil saber, porque acordo no meio da noite e não sei quando ou *se* pego no sono de novo." Quantas vezes ela acordava? "Umas cinco ou seis vezes. Mas, enfim, não sei dizer direito. Meu marido saberia dizer melhor."

O marido de Stephanie era o motivo que a tinha feito marcar a consulta. "Sempre tive dificuldade para dormir, desde pequena", revelou. "Mas depois da menopausa piorou muito, e meu marido não aguenta mais o tanto que me reviro na cama. Ele está enlouquecendo." Stephanie descreveu sua intimidade com o marido. "Ele é meu melhor amigo. Deve ser a única pessoa que me conhece de verdade, além do nosso filho." Os golfinhos tendem a ser neuróticos e reservados. Mas, depois que a parede de intimidade é quebrada e todas as suas peculiaridades ficam à mostra, podem ter relacionamentos extremamente próximos e leais.

Stephanie me detalhou um dia típico de sua vida. "Desisto de tentar dormir em torno das seis da manhã, às vezes antes. Fico deitada por um tempo e torço para cair no sono de novo, mas não adianta. Então levanto, tomo um banho e café. Como bastante no café da manhã — uma tigela de leite com cereal e fatias de banana, um bagel com cream cheese e um muffin ou qualquer outra coisa doce para acompanhar o café."

Considerando o quanto ela come no café da manhã — o combo de cereal/ bagel/ muffin resulta em mais de oitocentas calorias quase só de carboidrato —, seria possível supor que Stephanie é gorda. Mas ela é magra, esbelta, um tipo físico comum entre os golfinhos.

Perguntei sobre o almoço e o jantar. "Dou aula de matemática para alunos do ensino fundamental e trabalho na minha sala durante à tarde. É comum perder a noção do tempo e esquecer de comer. Costumo jantar rapidinho em casa com meu marido ou como qualquer coisa vindo da escola." A comida não está entre as prioridades de Stephanie. Tirando o café da manhã, suas refeições vêm em segundo plano. No entanto, os golfinhos vivem lanchando ao longo do dia. Na minha opinião, é uma tentativa de se automedicar (se acalmar) com comidas que lhes dão conforto e uma dose de serotonina (carboidratos).

Os golfinhos tendem a ser lentos, então perguntei sobre seu nível de vigília e concentração. Stephanie disse: "É difícil me concentrar de manhã porque estou muito cansada, mas parece que melhoro à tarde. É como se o dia só começasse de verdade depois da uma ou duas horas da tarde. Mas à noite, quando corrijo provas e organizo as contas da casa, consigo me concentrar de fato. Fico mais alerta quando termino tudo, lá pelas oito ou nove da noite", disse.

Perguntei a Stephanie o que ela faz com sua explosão de tensão à noite. "Dou uma navegada rápida na internet — e-mail, Facebook, compras on-line. Faço um lanchinho. Às vezes um filme ou programa de TV me chama a atenção. Sou do tipo que começa a arrumar os armários ou lavar roupa às onze horas da noite. Se acho que uma tarefa precisa ser feita, tenho de começar imediatamente, ou fico incomodada. Vou para a cama finalmente lá pela meia-noite, talvez mais tarde. Uso um protetor bucal para não ranger os dentes. Também uso tampões de ouvido e máscara", relatou. "Eu deveria desmaiar na hora em que encosto a cabeça no travesseiro, considerando que dormi tão mal na noite anterior, mas minha cabeça e meu coração aceleram. E então começa a batalha noturna. Tento me obrigar a dormir, mas minha mente não desliga."

Stephanie me procurou para ajudá-la a dormir mais e melhor. A insônia estava afetando o relacionamento com o marido e a qualidade de vida deles. Ao contrário do que se acredita, a insônia não é apenas uma queixa noturna, mas sim um problema que dura 24 horas. Os níveis de energia e eficiência de Stephanie são baixos o dia todo. Ela não sente muito prazer em sua rotina e a descreve como bastante dura.

Embora não perceba, Stephanie e outros golfinhos como ela têm padrões bioquímicos invertidos.

O cortisol, hormônio responsável pela reação de lutar ou fugir, é liberado pela glândula ad-renal quando o corpo está sob estresse — e essa certamente não é a resposta bioquímica que você espera desencadear quando está tentando relaxar e dormir. Em todos os outros cronotipos, os níveis de cortisol caem à noite. Mas, no caso dos golfinhos, os níveis de cortisol se *elevam* à noite.

Faria sentido supor que os níveis de cortisol dos insones sobem à noite por causa de seus problemas de sono. Sim, é verdade que os insones ficam nervosos com a perspectiva de uma longa noite sem descanso. Mas, se a ansiedade fosse a única causa, seus níveis de cortisol deveriam cair quando finalmente adormecessem. Só que não caem. Pesquisadores da Universidade de Göttingen, na Alemanha, testaram secreções de cortisol no plasma de sete insones graves no decorrer de uma noite inteira.[2] Os níveis de cortisol continuavam elevados, mesmo depois que eles adormeciam. Quanto maior o nível de cortisol na hora de dormir, maior a frequência com que acordavam durante a noite.

Na hora de despertar, a produção de cortisol em leões, ursos e lobos aumenta para lhes dar energia. Mas e nos golfinhos? De manhã, o cortisol está no nível mais baixo. Pesquisadores da Universidade de Lübeck, também na Alemanha, testaram o cortisol na saliva de catorze insones e quinze pessoas com sono saudável e normal.[3] Os níveis matinais de cortisol dos insones eram significativamente mais baixos do que os do grupo de controle. Quanto menor a quantidade de cortisol na saliva, pior a qualidade de sono declarada.

A temperatura corporal dos golfinhos demora mais para cair à noite, e seus ritmos cardiovasculares são invertidos. Em leões, ursos e lobos, a pressão arterial cai à noite à medida que seus corpos entram em um estado de relaxamento hipoestimulado (pouco ativo). À noite, os golfinhos entram em um estado hiperestimulado (superativo), com pressão arterial elevada. Em um estudo de 2015 da Mayo Clinic, os indicadores de pressão arterial sistólica e diastólica de indivíduos privados de sono subiram na hora de dormir. Os números não caíam quando os indivíduos dormiam, o que, como se pode imaginar, afetou negativamente a qualidade de seu sono.

Stephanie, ao dizer que se sente completamente acordada quando encosta a cabeça no travesseiro, está absolutamente certa. Apesar da exaustão, seu corpo está em alerta máximo. A biologia dos golfinhos torna o relaxamento bastante difícil para eles.

E o cérebro dos golfinhos? No cérebro de uma pessoa com sono normal, as regiões associadas às divagações mentais desfocadas ficam ativas *apenas* durante as horas de vigília, quando a pessoa não está concentrada numa tarefa específica. Por outro lado, as regiões de divagação mental do cérebro *trabalham quando um golfinho dorme*. Os sonhos do golfinho se assemelham mais a devaneios. Quando pacientes como Stephanie me falam que não sabem se chegam a dormir, o motivo é que a mente deles está divagando quando deveria estar descansando e consolidando as memórias.

Durante o dia, o cérebro dos golfinhos fica igualmente hiperativo. Em 2013, pesquisadores da Universidade da Califórnia aplicaram testes de memória em grupos de indivíduos com insônia e com sono saudável enquanto escaneavam seus cérebros em aparelhos de ressonância magnética para medir o desempenho cognitivo.[4] Quando as perguntas ficavam mais difíceis, a atividade nas regiões de divagação mental das pessoas com sono saudável diminuía, ao passo que aumentava nas regiões de memória operacional. O mesmo não acontecia com os insones. A atividade nas regiões de divagação mental continuava intensa mesmo quando precisavam se concentrar mais nos testes de memória. Os insones tiveram o mesmo nível de desempenho cognitivo que os indivíduos com sono saudável, o que significa que esse padrão incomum de atividade cerebral não os impediu de acertar as respostas. Mas os resultados da ressonância magnética elucidam o porquê de os golfinhos se queixarem tanto sobre falta de concentração mesmo demonstrando alto desempenho.

Os golfinhos realmente nadam em águas diferentes do resto da humanidade. Apesar de sua fisiologia invertida e das peculiaridades de sua personalidade, conseguem funcionar e se destacar de forma impressionante em um mundo feito para os ursos. Stephanie, por exemplo, ensina álgebra para adolescentes, uma tarefa que 99,9% da população não conseguiria nem pensar em assumir. Mas imagine o que ela seria capaz de realizar se não se sentisse tão cansada (pela insônia) e elétrica (pelo cérebro hiperativo, pelo cortisol elevado e pela pressão alta)!

A maioria dos meus pacientes se enquadra na categoria dos golfinhos. Trabalhei intimamente com centenas deles e os vi transformarem suas vidas com simples mudanças de horário das suas tarefas cotidianas. Os objetivos que defino para meus pacientes desse cronotipo são muito simples e diretos:

- **Aumentar a energia nas primeiras horas para render mais no período da manhã.**

- **Reduzir a ansiedade ao anoitecer para ter uma noite mais relaxante.**

A fisiologia dos golfinhos apresenta obstáculos, sem dúvida. Para atingir seus objetivos cronorrítmicos, eles também têm de combater fatores fisiológicos:

- **Expectativas pouco realistas.** Os insones precisam perder a ilusão de que as cobiçadas oito horas de sono farão com que todos os seus problemas desapareçam. Simplesmente não faz parte da biologia dos golfinhos conseguir oito horas consecutivas de sono profundo todas as noites. Posso ajudá-los a obter seis horas de sono regularmente, e isso vai lhes proporcionar toda a restauração física e a consolidação cerebral de que precisam.

- **Irregularidade.** O poder do quando chega em força total com a *regularidade*. Os golfinhos podem usar seu caráter neurótico em benefício próprio comprometendo-se de maneira integral com as mudanças que proponho para uma semana inteira. Recomendo fortemente que os pacientes transformem seu cronorritmo em uma nova obsessão e compulsão, colocando alarmes para lembrá-los de realizar cada atividade no mesmo horário — especialmente os horários de acordar e dormir. Se conseguirem isso, notarão melhorias imediatas.

CHOQUE DE REALIDADE

O cronograma a seguir é a forma como você deveria organizar seu dia em um mundo ideal. Mas a vida real não é perfeita. Como as situações profissionais estão fora do seu controle, talvez você não consiga seguir o horário ao pé da letra.

Não desanime.

A pior coisa a se pensar é: "Se não posso fazer X, Y ou Z na hora certa, nada disso vai dar certo, então deixa para lá". Toda mudança vai resultar em melhorias na sua saúde e felicidade. Não encare isso como "oito ou oitenta". O ideal é fazer tudo, mas, na prática, talvez não seja possível. Então faça o que der para fazer agora. Com o tempo, conforme notar mudanças positivas, talvez você descubra que consegue fazer um pouquinho mais.

O CRONORRITMO DO GOLFINHO

6H30

Típico: Nas palavras de Stephanie, "Fico cansada demais para levantar e elétrica demais para voltar a dormir".

Ideal: Levante e se movimente. A pressão arterial, a temperatura corporal e os níveis de cortisol do seu corpo estão baixos, então use o exercício como forma de ativá-los. Talvez essa seja a última coisa que queira fazer quando estiver fraco pela inércia do sono, meio zonzo por ter acabado de acordar. Mas mesmo assim se exercite. Costumo dizer para os pacientes saírem da cama rolando, caírem no chão e fazerem cem abdominais. Depois, devem ficar de bruços e fazer vinte flexões. Em apenas cinco minutos, a frequência cardíaca vai subir. O (bom) estresse muscular aumenta o nível de cortisol. Durante os primeiros cinco minutos do dia, transforme sua fisiologia exausta em uma fisiologia energizada. O ideal seria praticar um treino de 25 minutos, mas mesmo poucos minutos de exercício cardiovascular já ajudam. Se possível, tome de cinco a quinze minutos de luz do sol direta para ativar seu núcleo supraquiasmático (NSQ) durante ou no fim do treino.

7H20 ÀS 9H

Típico: "Vou me arrastando para o banho, depois como cereal e um bagel antes de me obrigar a ir para a primeira aula."

Ideal: Ganhe estímulo com um banho frio e um café da manhã com alto teor de proteína. Se já tiver realizado os movimentos cardiovasculares recomendados, vá tomar uma ducha. Como o banho quente diminui a temperatura interna do corpo (o sangue é enviado para as extremidades), prefira tomar um banho frio, o mais frio que conseguir aguentar, a fim de mandar sangue para seus órgãos vitais, aumentando a temperatura interna e ativando as secreções hormonais de "Pronto, acordei". Aproveite esse momento para meditar um pouco. Deixe a água correr sobre a cabeça e não pense em nada por sessenta segundos. Isso vai trazer você de volta para o "agora", ajudando-o a manter o foco. Uso essa técnica quase todas as manhãs, e é sempre incrível.

Antes de comer qualquer coisa no café da manhã, beba um grande copo de água em temperatura ambiente. Todo mundo fica desidratado depois de uma noite de repouso, especialmente os golfinhos, cujo metabolismo faz hora extra durante a noite. Você precisa repor o líquido e a quantidade ideal de nutrientes das células exauridas. Por mais que sinta vontade de um bagel ou de uma tigela de cereal açucarado para ter energia rápida, *a manhã é o momento errado para ingerir açúcar*. O carboidrato aumenta a produção de serotonina, o hormônio do "conforto". O.k., talvez você precise de um carinho no estômago depois de uma noite ruim, mas, do ponto de vista hormonal, carboidratos são o oposto do que você realmente precisa. Quando os níveis de serotonina sobem, os de cortisol caem, deixando-o relaxado. Um bagel vai atingir seu metabolismo como um dardo tranquilizante. Em vez disso, **coma proteína de manhã** para acelerar a recuperação celular e abastecer os músculos: ovos e bacon, iogurte, um shake de proteína ou uma pequena porção de mingau de aveia com sementes e castanhas.

9H30 ÀS 12H

Típico: "Me sinto confusa. Não consigo me obrigar a ficar mais atenta. Mal consigo me concentrar."

Ideal: Pense. É possível *sim* desfazer a névoa da inércia do sono com exercício, um banho frio e ovos mexidos. Se você toma café, esse seria o período ideal para usar a cafeína com moderação, a fim de desativar as substâncias neuroquímicas de sonolência. Tome apenas uma xícara, porque duas vão deixá-lo elétrico. Se já for viciado em cafeína, não diminua imediatamente para uma xícara. Confira meu vídeo sobre redução de cafeína em <www.thepowerofwhen.com>.

Como você ainda não está alerta, esse não é o melhor período para atividades de foco e concentração. Em vez disso, use a manhã como um ótimo momento para um brainstorming. Deixe sua mente divagar e veja as ideias brilhantes que vêm à tona. Quando está um pouco cansado, sua mente hiperativa e criativa está armada para fazer o que ela faz de melhor: ligar os pontos, por mais desalinhados que possam parecer. Se você escreve um diário ou gosta de anotar grandes ideias, esse é o período ideal para isso. É o que os golfinhos fazem à noite enquanto tentam pegar no sono. Mas é muito melhor para eles fazer isso de manhã — ou em qualquer horário antes do cair da noite, se possível.

12H ÀS 13H

Típico: "Quando estou distraído, posso me esquecer de almoçar."

Ideal: Coma alguma coisa! Os golfinhos tendem a ter tipo físico magro e esbelto. Não são loucos por dieta nem por comida. Comem para sobreviver e, às vezes, não se importam o bastante ou esquecem, especialmente quando caem num buraco negro (aviso: a internet é cheia deles). Programe um alarme diário no celular para se lembrar de comer algo à uma hora da tarde. Reabasteça-se com nutrientes que alimentem seu corpo e seu cérebro — um terço de carboidratos, um terço de proteína, um terço de gordura — e mantenham seu estado de hiperestimulação em um nível equilibrado. Algumas sugestões: um sanduíche, um wrap, uma sopa ou uma salada. Além disso, sempre beba muita água. Se tiver tomado café antes, não beba mais nenhum depois do almoço. Cafeína demais não vai energizá-lo, só vai deixá-lo mais nervoso. Além disso, pode reduzir seu apetite e manter você acordado à noite (sim, mesmo muitas horas depois).

13H ÀS 16H

Típico: "O começo da tarde é uma luta. Eu adoraria fechar os olhos e tirar um cochilo. Às vezes, quando dá tempo, deito a cabeça na mesa e fecho os olhos."

Ideal: Recarregue a energia. Não cochile! Os cochilos reduzem o acúmulo da pressão do sono, tornando mais difícil adormecer no horário certo — o que já é um desafio para você. O objetivo é melhorar a duração e a qualidade do seu sono *à noite*. Tirar um cochilo à tarde é autossabotagem. Não tome café! Nada de cafeína de nenhum tipo para os golfinhos depois da uma da tarde. Se seus níveis de energia caírem no meio do dia, o melhor jeito de recarregar as baterias é se exercitar. Sempre que perder o pique, quero que pense: "Exercício e luz do sol". Aumente a pressão arterial, a frequência cardíaca e os níveis de cortisol trabalhando os principais músculos do corpo. Não precisa derramar uma gota de suor: basta dar uma volta no quarteirão, ao redor do escritório, onde quer que seja, de preferência ao ar livre para tomar um banho de sol.

16h às 18h

Típico: "Café demais! Não sei se a falta de concentração é por estar cansada ou louca de cafeína."

Ideal: Rompa a barreira. Enquanto os ursos e leões ao seu redor estão começando a ficar exaustos, seu nível de cortisol está subindo, deixando você mais alerta do que se sentiu o dia todo, especialmente se tiver ingerido poucos carboidratos e feito sua caminhada vespertina. Deixe seu neurótico interior vir à tona. Fique obcecado por alguma coisa. Faça o trabalho pesado intelectual e mentalmente. Se teve uma ideia mais cedo, fora do pico de energia, durante o brainstorming matinal, agora é a hora de dar corda para ela. Se trabalha em um ambiente de escritório, feche a porta da sua sala ou consiga um pouco de privacidade (como se tivesse cortinas imaginárias ao seu redor, talvez) e use o pico de sua vigília vespertina pensando nos detalhes de um projeto ou tarefa específica.

18h às 19h

Típico: "Estou com fome agora por ter pulado o almoço e quero alguma coisa rápida e pronta para comer. Seria ótimo poder jantar um pedaço de pizza toda noite."

Ideal: Fique sozinho. Não jante ainda. Como você já programou um alarme para se lembrar de almoçar, a fome estará sob controle. Em vez disso, use o tempo pós-trabalho para um relaxamento estratégico, reservando de quinze a trinta minutos para ficar sozinho e aliviar a tensão. Sua mente hiperativa vai ficar cada vez mais ansiosa por causa do cair da noite e do aumento dos níveis de cortisol. Começar a noite com um tempinho a sós e em silêncio pode evitar ou reduzir essas reações hormonais e emocionais.

Alguns golfinhos praticam meditação ou ioga. Outros apenas optam por acalmar os pensamentos ansiosos sentando-se sozinhos em um lugar calmo e se permitindo remoer os cenários mais pessimistas possíveis por algum tempo. O objetivo é ficar habituado à ansiedade "indo até ela" todos os dias, reservando as preocupações dispersas que surgem ao longo do dia para esse período. Com o tempo, se fizer isso de maneira constante, a amplitude da ansiedade — a intensidade da sua preocupação — vai diminuir, assim como o tempo que você gasta ficando preocupado. Essa estratégia é útil principalmente para os insones, desde que eles se comprometam com essa prática no mesmo horário todos os dias. Defina um alerta ou alarme para se lembrar de que é hora de "ir até ela".

Para colher os frutos de um cérebro controlado e restaurar o cronorritmo, é preciso agir com regularidade.

A maioria dos pacientes se surpreende por não conseguir ficar quinze minutos remoendo no escuro todos os dias. Se tiver finalizado essa parte em cinco minutos, passe o resto do tempo sozinho contando respirações até dez, depois de volta até um, e repita.

Acesse <www.thepowerofwhen.com> e veja um vídeo do passo a passo dessa técnica de respiração.

18H30 ÀS 20H

Típico: "Depois do jantar, é hora da ação, já que estou completamente acordada e cheia de energia. Cumpro afazeres ou começo a organizar coisas pela casa ou no computador."

Ideal: Prepare e coma o jantar. *Agora* é a hora dos carboidratos. Os golfinhos, com seu biotipo naturalmente enxuto, não costumam fazer dieta. Cozinhe uma panela grande de espaguete com queijo ou asse uma batata recheada. Seu nível de serotonina vai subir e o cortisol vai cair, acalmando seu corpo hiperestimulado e sua mente hiperativa. Se houver algo que precisa conversar com seu cônjuge ou com sua família que possa causar chateação, converse durante o jantar. O aumento do nível de serotonina vai servir como um para-choque para sentimentos tensos ou ansiosos.

20H ÀS 20H30

Típico: "Risco muitas coisas da minha lista, ou pelo menos tento. Às vezes começo algo e me distraio, principalmente com a internet. Mas sempre tenho o que fazer."

Ideal: Transe ou se masturbe. Pode parecer estranho transar às oito da noite, mas fazer sexo depois do jantar e antes de dormir o ajuda em vários aspectos. Sexo não traz apenas benefícios físicos e emocionais — incluindo uma explosão de oxitocina, o relaxante "hormônio do amor"— como também faz com que você redefina o seu conceito de "cama". Qualquer experiência positiva ou amorosa que você tenha ali — que não preceda imediatamente o pavor e a ansiedade de tentar pegar no sono — vai reforçar as associações positivas com a cama, que passará a ser encarada como um lugar de prazer, não de medo. Se você tiver o hábito de fazer sexo logo antes de dormir para relaxar, saiba que a tentativa sai pela culatra. O esforço físico aumenta sua ansiedade e reforça a associação negativa entre apagar as luzes e superestimular o cérebro.

20H30 ÀS 22H30

Típico: "Como não dormi bem na última noite, vou para a cama mais cedo para recuperar o sono perdido. Mas não funciona. Quando deito, meu cérebro fica fora de controle, pensando nas coisas que preciso ou que gostaria de fazer. Às vezes fico olhando o Facebook ou termino de assistir a um filme no celular para não ficar pensando na insônia."

Ideal: Relaxe. As horas depois do jantar são para relaxar. Direcione seu pico de energia noturna para algo importante, mas que não seja tão envolvente, porque é necessário se tranquilizar e acalmar a mente. Assista à TV com sua família ou vá ao cinema. Dê um passeio até a sorveteria (mais carboidratos!). Vá em frente e arrume as gavetas, ou qualquer que seja a tarefa que esteja na sua cabeça, mas tenha consciência de que precisa parar às 22h30min, aconteça o que acontecer.

Se for sair para beber cerveja ou tomar uma taça de vinho com um amigo, lembre-se de parar às nove horas. O álcool pode atrapalhar seu sono, e você precisa dar ao corpo tempo suficiente para ele ter metabolizado todo o álcool antes da hora de se deitar.

22H30 ÀS 23H30

Típico: "Ainda deitada na cama, acordada. Começo a ficar frustrada e entro num círculo vicioso de ansiedade por não conseguir dormir, o que só dificulta ainda mais pegar no sono. Ou lembro de algo importante e acordo meu marido para conversar — mas isso nunca acaba bem."

Ideal: Desligue tudo. Usar eletroeletrônicos à noite pode dificultar a tarefa de cair no sono. A emissão de luz azul, com pequeno comprimento de onda e grande frequência, suprime a secreção de melatonina. Para evitar as luzes azuis, desligue todas as telas, incluindo o celular, às 22h30min. Chamo isso de "hora de desligar". Se quiser assistir à TV, diminua o brilho da tela e certifique-se de que a imagem esteja a pelo menos três metros dos seus olhos. O melhor é diminuir todas as luzes da casa para estimular a produção e a liberação de melatonina. Recomendo o uso de certas lâmpadas especiais, criadas para filtrar a luz azul à noite. Se estiver interessado, acesse <www.thepowerofwhen.com> e veja o vídeo sobre essa descoberta incrível (são ótimas para crianças também). Nesse horário, concentre a atenção em atividades que não envolvam telas e que reduzam seu nível de cortisol e a pressão arterial. Se limpar ou organizar estimula seu cérebro — e eu sei que estimula —, é melhor parar com isso também. Uma excelente ideia é tomar um banho quente para ajudar a reduzir a temperatura corporal interna. Engate uma conversa calma e descontraída. Fique de conchinha com seu parceiro. Medite. Faça um alongamento leve. O que mata você de tédio? Faça agora. O que libera sua imaginação? Evite! Sua mente pensativa não deve checar e-mails que possam deixá-lo animado ou irritado, nem olhar o Facebook e clicar em links divertidos. Recomendo que os insones não leiam biografias ou memórias à noite. Entre meus pacientes, a não ficção costuma ser mais mentalmente envolvente do que a ficção. Um romance é uma opção mais segura. Melhor ainda: leia algo entediante ou chato, como as instruções de instalação do leitor de Blu-ray. Só não vá ligá-lo, hein!

23H30

Típico: "Ainda acordada na cama."

Ideal: Vá para a cama. Os golfinhos só deveriam ir para a cama depois desse horário. Na verdade, tirando o sexo das oito da noite, não passe *nenhum* tempo na cama antes desse momento. Não fique à toa nem assista à TV nela. Não leia na cama. Você precisa aprender a associar a cama com sexo e inconsciência — e *só*.

Depois de se deitar, experimente um relaxamento muscular progressivo (acesse <www.thepowerofwhen.com> para o vídeo com instruções) ou conte de trezentos a zero descendo três números de cada vez. Se não tiver adormecido em vinte minutos, levante-se e fique sentado numa poltrona no escuro por quinze minutos antes de voltar para a cama e tentar novamente. Repita esses ciclos de vinte minutos na cama e quinze fora dela. Chamo essa estratégia de "controle de estímulo". A ideia é evitar o acúmulo de ansiedade por ficar deitado. No começo você pode ter algumas noites ruins usando essa estratégia, mas com o tempo vai reduzir a ansiedade e a pressão arterial na cama e produzir mais sono contínuo de qualidade.

0H30 ÀS 2H30

Típico: "Viro de um lado para o outro. Minha ansiedade não para de crescer. Olho para o relógio e calculo quantas horas de sono ainda posso ter se conseguir pegar no sono nos próximos dez ou vinte minutos. Meu corpo todo fica tenso."

Ideal: Entre na fase um. Se seguir o cronorritmo que descrevi e praticar as estratégias de maneira fiel, vai conseguir pegar no sono depois de trinta minutos na cama. Vai demorar um pouco no começo (de uma semana a dez dias de regularidade, talvez). As duas primeiras horas são as mais importantes para você. Durante a fase um, seu corpo é restaurado fisicamente. Toda a tensão do dia é liberada dos seus músculos e do seu cérebro para se reparar e reconstruir em um nível celular, dos ossos à pele. Durante a primeira semana seguindo essa programação, os insones nem sempre vão cair no sono nos primeiros trinta minutos, mas não desista. Fique firme. Já ajudei centenas de pacientes a refrear seus corpos dessa forma. Não olhe para o relógio, porque só vai ficar frustrado fazendo cálculos mentais, como os que Stephanie descreveu. Se estiver praticando o controle de estímulo, use o cronômetro do celular, mas não olhe a hora.

2H30 ÀS 4H30

Típico: "Se estiver dormindo, é apenas superficialmente. Acordo várias vezes e não sei se voltei a dormir."

Ideal: Entre na fase dois. Não acontece muita coisa no meio da noite. A fase dois é um sono descomplicado. Se acordar por um momento, não se irrite. **Despertares são completamente normais.** Todos acordam por alguns segundos ao fim de cada ciclo de noventa minutos do sono antes de entrar no ciclo seguinte. Pessoas com sono profundo não se lembram disso, mas acontece. Os golfinhos têm sono leve e são mais propensos a acordar do que a maioria das pessoas. **Mude sua perspectiva sobre esses despertares.** Eles são comuns, uma parte saudável do sono. Se os vir como algo normal, não vai ficar obcecado pela existência deles nem enxergá-los como um fracasso. A ansiedade reduzirá, e os períodos de vigília se tornarão mais curtos.

4H30 ÀS 6H30

Típico: "Quase nunca vejo quatro horas da manhã no relógio. Até eu estou dormindo nesse horário."

Ideal: Entre na fase três. Durante o último trecho da noite, você tem a maior parte do sono REM (em inglês, *rapid eye movement*, ou movimento rápido dos olhos), quando consolida a memória e realmente tira as teias de aranha do seu cérebro. Para os golfinhos, que têm sono curto, duas horas de fase três são uma ótima meta.

6H30 ÀS 7H

Típico: "Acordo cansada e prometo ir para a cama mais cedo na próxima noite, se conseguir atravessar o dia que vem pela frente."

Ideal: Acorde revigorado. Se os golfinhos conseguirem dormir por seis horas consecutivas, respeitando o tempo das três fases do sono, o corpo e o cérebro estarão descansados e prontos para enfrentar os desafios do dia.

Nos fins de semana, levante no seu horário de despertar, mesmo se achar que consegue dormir mais. Dormir até mais tarde é uma cilada por dois motivos:

Um: Não faz bem. Você precisa do sono profundo e fisicamente restaurador da fase um (sono delta), que só é possível obter no começo da noite. Estender o último terço do sono não ajuda em nada.

Dois: Dormir até mais tarde vai desfazer seu cronorritmo construído com tanto cuidado. Lembre-se de que os golfinhos adoram regularidade, o que inclui um horário regular para acordar todos os dias, mesmo aos fins de semana e nas férias. Do contrário, você vai passar o dia todo fora de sincronia e não vai conseguir cair no sono à meia-noite, desencadeando uma reação em cadeia — que você conhece bem até demais — de não dormir e se arrastar o dia todo. Se você se levantar de maneira regular, for ativo durante o dia inteiro e fizer caminhadas periódicas, garanto que a qualidade do seu sono vai melhorar significativamente, estimulando a energia e a atenção diárias muito mais do que uma hora de sono REM a mais no domingo — que, aliás, costuma ser um sono mais leve e não tão revigorante.

VÁ COM CALMA

Parecem muitas mudanças, e de fato são. Mas, ajustando seus horários devagar e fazendo uma ou duas pequenas mudanças por semana, vai conseguir incorporá-las e internalizá-las em sua vida mais naturalmente. Você vai notar melhorias significativas na qualidade de vida em apenas um mês se continuar firme nas mudanças semana após semana.

SEMANA UM

Estabeleça um horário regular para acordar e dormir.

Eleve sua frequência cardíaca com exercícios ao acordar.

Perca o costume de tomar cafeína depois da uma da tarde. Ela não ajuda a acordar e pode afetar sua capacidade de cair no sono à noite. Troque por algum chá de ervas.

Confira os vídeos em <www.thepowerofwhen.com>.

SEMANA DOIS

Continue com as mudanças da semana anterior.

Coma proteína no café da manhã, faça um almoço equilibrado e aumente os carboidratos no jantar para 60%.

Banhos frios de manhã e/ ou banhos quentes à noite.

SEMANA TRÊS

Continue com as mudanças da semana anterior.

Faça uma caminhada à tarde.

Tenha suas conversas importantes, intensas e pesadas no fim da tarde/ começo da noite.

SEMANA QUATRO

Continue com as mudanças da semana anterior.

Pratique atividades de redução de estresse, incluindo meditação antes do jantar e sexo depois do jantar.

Hora de desligar. Desligue todas as telas às dez horas da noite.

Experimente o "controle de estímulo", ou seja, saia da cama se não tiver dormido em vinte minutos, sente-se em silêncio no escuro por quinze minutos, depois volte para a cama para tentar de novo.

CRONOGRAMA DO GOLFINHO

6h30: Acordar — sem apertar a soneca.

6h35: Exercitar-se no chão do quarto ou se vestir para um treino ao ar livre de 25 minutos. Se você se exercitar dentro de casa, procure se expor à luz do sol direta por dez minutos depois da atividade física.

7h10: Banho frio, incluindo a meditação de um minuto.

7h30: Café da manhã com alto teor de proteína.

8h: Vestir-se e se arrumar.

8h30: Sair para trabalhar, ou, para os autônomos, pôr a mão na massa.

9h30 às 9h45: Pausa para o café.

10h às 12h: Hora do pensamento criativo. Fantasie e escreva um diário para ter ideias. Escreva listas de coisas a fazer em um plano geral, pesquise, pense.

12h às 13h: Almoce. Não pule o almoço!

13h às 16h: NÃO COCHILE. Não tome café! Caso se sinta cansado, faça uma caminhada — se possível, ao ar livre. A exposição ao sol vai ajudar.

16h às 18h: Pico de alerta, horário mais produtivo. Tente resolver os problemas mais difíceis.

18h: Quinze minutos de tempo a sós para se livrar da tensão.

18h30: Cozinhe um jantar com alto teor de carboidrato.

19h às 20h: Enquanto come a refeição, tenha todas as conversas intensas, exigentes ou práticas com a família e os amigos. Os carboidratos vão aliviar a ansiedade.

20h: Sexo ou masturbação.

20h30 às 22h30: Pós-sexo. O fluxo de hormônios relaxantes pós-orgasmo vai preparar você para o sono. Faça tarefas de casa, use a internet ou assista à TV.

22h30: Desligue todas as telas e pare qualquer atividade que o deixe mentalmente envolvido. Leia um romance, tenha conversas leves. Tome um banho quente.

23h30: Vá para a cama. Pratique o "controle de estímulo" para combater a ansiedade relativa à insônia. Se não conseguir pegar no sono depois de uma hora ou mais, vá para a cama trinta minutos mais tarde.

3. Um dia perfeito na vida de um leão

Os leões não costumam procurar ajuda sobre seus problemas de ritmo circadiano. Eles ganharam na loteria cronorrítmica, com corpos e cérebros projetados para o sucesso. Benjamin Franklin e as pesquisas científicas concordam: aqueles que acordam cedo tendem a ser saudáveis e, como têm maior propensão a ser chefes e líderes no trabalho, ricos.

E no quesito inteligência? O QI dos leões, em média, não é mais alto que o dos outros cronotipos. Eles apenas utilizam melhor seus talentos. Os leões eram os alunos brilhantes que levantavam a mão para responder mais perguntas e conseguiam notas de participação na sua turma do ensino médio.

Conheci Robert,[1] um executivo de marketing de 28 anos, em Boston, num almoço de negócios. Como sempre, quando as pessoas descobrem que sou psicólogo especializado em sono, elas me contam seus "contos de ninar".

Robert descreveu um horário típico de leão. Ele acorda às cinco da manhã todos os dias. Às dez da noite, não consegue manter os olhos abertos. Outras pistas — o alto nível de energia, o corpo em forma e a escolha de carreira — indicaram para mim que ele era um leão. Ele era um empreendedor, um líder nato, alguém que, à primeira vista, dava a impressão de que um dia viria a ser o chefe de todo mundo.

"Meus horários são uma grande vantagem no trabalho", ele contou. "Consigo fazer muita coisa. Acordo superdisposto para trabalhar. Meus planos e metas de longo prazo nunca saem da minha cabeça."

Pessoas que acordam cedo são dinâmicas, focadas e têm objetivos bem definidos no campo profissional. Antigos e atuais ceos de empresas como Amazon, AOL, Apple, Avon, Cisco, Disney, General Motors, Huffington Post, PayPal, PepsiCo, Starbucks, Unilever, Virgin America e Yahoo! já relataram que o fato de acordarem antes do amanhecer era uma das chaves do sucesso. A diretora de operações do Facebook, Sheryl Sandberg, afirmou que sai do trabalho mais cedo para ficar com os filhos, mas também se levanta muito cedo para enviar e-mails. Mal consigo imaginar como seus colegas que não são leões se sentem quando encontram e-mails enviados de madrugada em sua caixa de entrada. Quase dá para ouvi-los engolindo em seco de tão intimidados. Entre as cinco e as oito da manhã, os leões se exercitam e se atualizam lendo e-mails — quando não fazem os dois ao mesmo tempo. Multifuncionais e organizados, os representantes desse cronotipo nasceram para cumprir tarefas com uma eficiência brutal num horário que chega a ser ridículo (para os outros) de tão cedo.

Acordar cedo é uma função de sua biologia. O nível de cortisol dos leões se eleva e a melatonina diminui muito cedo, tipicamente entre 3h30min e quatro horas da manhã, e é isso que os leva a ficar de olhos abertos antes do amanhecer. Além do mais, não sofrem com a inércia do sono. No cérebro de um leão, a "substância branca" — tecido gorduroso nos lóbulos frontal e temporal do corpo caloso que conecta as áreas de "substância cinzenta" e permite que as células nervosas se comuniquem entre si — geralmente está em excelente condição. Pesquisadores da Escola Superior Técnica de Aachen, na Alemanha, compararam as estruturas cerebrais de dezesseis pessoas que acordavam cedo, 23 que acordavam tarde e vinte tipos intermediários usando tecnologia de imagem avançada e descobriram que a substância branca dos leões era mais saudável que a dos lobos.[2] Quando o ritmo circadiano dos leões sinaliza que é "hora de acordar", o cérebro deles reage e obedece. Seus ciclos são extraordinariamente regulares. Os leões quase nunca precisam de despertador para acordar no mesmo horário todo dia, mesmo nos fins de semana e em fusos horários diferentes. Por isso, sofrem muito com jet lag.

Com a exceção das mudanças de fuso horário, seu sono regular é um dom. Um estudo franco-canadense descobriu que manter as refeições em horários regulares e ir para a cama cedo pode evitar ansiedade e depressão, além de prevenir episódios de bipolaridade e esquizofrenia em pessoas que sofrem desses transtornos.[3] Diversos estudos confirmam que ir dormir cedo é saudável para o coração e tem efeitos positivos sobre o IMC, o que não é tão surpreendente, visto que o consumo de junk food tarde da noite é a principal causa de acúmulo de placa nas artérias e ganho de peso. Enquanto os leões estão no sétimo sono, lobos e ursos atacam a geladeira.

Os leões nascem totalmente munidos de todas essas vantagens biológicas. Eles estão no topo da cadeia alimentar dos cronotipos. Mas, como Robert confidenciou, "De uma perspectiva pessoal, meu cronograma diário não é tão bom assim. Minha vida social está por um triz".

Pedi para que ele continuasse. "Acordo antes dos outros, e isso me dá umas duas ou três horas toda manhã para trabalhar. Acho ótimo, porque estou bastante focado na minha carreira agora. Mas gostaria de começar uma família algum dia. Para mim, é quase impossível namorar ou conhecer gente de maneira natural —numa festa ou num bar, por exemplo —, já que sempre estou na cama quando todo mundo está só começando a noite."

Robert descreveu um encontro recente. A moça precisou adiar o jantar para as nove horas. "A essa hora, eu normalmente estaria me preparando para ir deitar. No jantar, tomamos um pouco de vinho, e pareceu que eu tinha sido atropelado por um caminhão. Tentei prestar atenção e parecer animado por estar lá, mas bocejei umas três vezes na cara dela. Quando mandei uma mensagem no dia seguinte agradecendo pelo jantar, ela nem respondeu. Deve ter pensando que achei o papo dela chato. E talvez fosse mesmo, mas eu não estava em condições de julgar." Ele estava fora do seu biotempo para ter um encontro. (Ver "Apaixonar-se", na p. 111, para conhecer melhor o assunto.)

O humor e os níveis de energia do leão chegam ao ponto máximo de manhã e caem ao longo do dia. Num estudo de 2009, pesquisadores da Universidade de Liège, na Bélgica, testaram a capacidade cognitiva de pessoas que acordavam extremamente cedo e de pessoas que dormiam extremamente tarde escaneando seus cérebros duas vezes ao dia com um aparelho de ressonância magnética.[4] Uma hora e meia depois de acordar, os dois tipos estavam igualmente alertas e hábeis para as tarefas de atenção que recebiam. Mas, dez horas e meia depois, quando aqueles que dormiam tarde recuperavam as forças e mostravam mais atividade nas áreas de concentração do cérebro, aqueles que acordavam cedo haviam atingido seu limite. As regiões pertinentes do cérebro eram basicamente desativadas. É por isso que os leões são tão agilizados. A maior parte de seus sistemas é bastante eficiente, e isso inclui os turnos de sono. Quando o sinal para dormir é dado, eles apagam automaticamente.

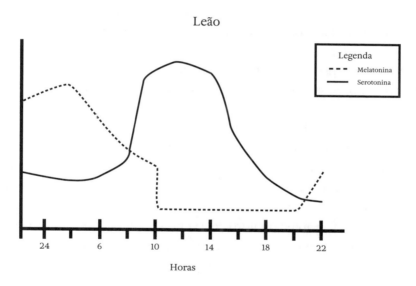

Para os leões, a melatonina (o "hormônio do sono") começa a cair em torno das quatro horas da manhã, fazendo com que eles acordem cedo. Já a serotonina (o "hormônio da felicidade") atinge seu ponto máximo no meio da manhã, deixando os leões de bom humor.

É irônico que a principal queixa de Robert sobre ser leão seja o impacto disso em sua vida social. Ele está bem acordado e ativo quando 80% do mundo está inconsciente. Os leões tendem a ser introvertidos (dominar o mundo não é uma atividade social), mas até mesmo o chefe, ou futuro chefe, tem uma necessidade humana normal de trocar intimidades e interagir com outras pessoas.

"Sei que é um clichê das pessoas da minha geração ter medo de perder oportunidades. Para mim, não é um medo irracional. Eu *sei* que estou perdendo grande parte da diversão que as outras pessoas têm", Robert confessou. "Vejo as fotos no Instagram e ouço as histórias sobre o que aconteceu na festa depois que saí. A vida real está rolando enquanto eu preciso ir para a cama. E, quando acordo, sou o único homem da Terra."

Para que o poder do quando funcione, os leões devem ter um único objetivo simples:

- **Estender a energia excepcional, a positividade e o estado de alerta ao longo do dia para que não percam o ânimo logo no começo da noite.**

Notei dois potenciais obstáculos para os leões se adaptarem a uma nova rotina que os permita atingir sua meta cronorrítmica:

- **Adaptação acidentada**. Os leões ficam à mercê da sua eficiência. Para eles, mudar a rotina não é fácil. O que sugiro no cronograma diário descrito a seguir não é uma revisão geral, mas uma mudança sutil nas mesmas atividades que eles cumprem normalmente. Podem levar uma semana para se adaptar a novos horários de alimentação e exercícios e talvez sintam fome ou impaciência nesse meio-tempo. Mas o desconforto não vai durar muito e as mudanças são necessárias para arranjar mais uma horinha para sair à noite e socializar.

- **Frustração**. Os leões estão acostumados a fazer tudo por pura força de vontade e esperam ver resultados. De um ponto de vista psicológico, podem ficar frustrados se os benefícios não forem imediatos. A biologia não é uma bolsa de valores — ela não muda em um dia nem em uma semana. Lembro aos leões que, sim, eles vão conseguir atingir as metas de biorritmo, mas, assim como na carreira, é preciso subir um degrau de cada vez. Sugiro que aliviem a frustração com determinação.

Vale a pena fazer um esforcinho para conseguir ultrapassar a "barreira" do cair da noite.

CHOQUE DE REALIDADE

O cronograma a seguir é a forma como você deveria organizar seu dia em um mundo ideal. Mas a vida real não é perfeita. Como as situações profissionais estão fora do seu controle, talvez você não consiga seguir o horário ao pé da letra.

Não desanime.

A pior coisa a se pensar é: "Se não posso fazer X, Y ou Z na hora certa, nada disso vai dar certo, então deixa para lá". *Toda* mudança vai resultar em melhorias na sua saúde e felicidade. Não encare isso como "oito ou oitenta". O ideal é fazer tudo, mas, na prática, talvez não seja possível. Então faça o que der para fazer agora. Com o tempo, conforme notar mudanças positivas, talvez você descubra que consegue fazer um pouquinho mais.

O CRONORRITMO DO LEÃO

5H30 ÀS 6H

Típico: "Assim que abro os olhos", comentou Robert, "preciso me mexer. Parece que sou catapultado para fora da cama. Coloco o tênis e corro alguns quilômetros, às vezes no escuro."

Ideal: Acorde, coma e se hidrate. Com o aumento dos níveis de cortisol, é impossível ficar parado e você naturalmente pensa em se mover. Mas o exercício aumenta os níveis de cortisol e a frequência cardíaca, o que deixa você ainda mais alerta. Se, porém, você reservar o exercício para o período da tarde, pode conseguir uma injeção de ânimo muito necessária quando estiver perdendo energia. Em vez de sair para a rua enquanto ainda está escuro lá fora, vá até a cozinha e tome café da manhã, de preferência nos primeiros trinta minutos depois de acordar. Beba dois copos de água depois de comer. De barriga cheia, você não vai passar pela tentação de se exercitar. Os leões costumam fazer escolhas saudáveis quando o assunto é alimentação. Recomendo um café da manhã com bastante proteína e pouco carboidrato para ter combustível no início de uma manhã agitada.

6H ÀS 7H

Típico: "Sinto muita fome depois da corrida. Sinto fome durante a corrida! Corro mais rápido no caminho de volta porque estou pensando em comida. Primeiro como, depois tomo uma ducha."

Ideal: Canalize a energia mental. A primeira hora depois do café da manhã é um horário excelente para os leões pararem e pensarem nas grandes questões da vida, como plano de carreira e a situação dos seus relacionamentos. De manhãzinha, sozinho e sem distrações, seu cérebro está preparado para fazer um panorama da vida. Crie listas de afazeres e planeje o dia, a semana, os meses e os próximos anos. Trace a sua estratégia para dominar o mundo enquanto o resto das pessoas está roncando. Como você tem a casa (o quarteirão, o planeta) só para você, não vai ser incomodado pelos outros durante uma prática de meditação matinal. Tirar alguns minutos para não pensar em nada específico pode canalizar sua energia para começar o dia com força total. Não custa nada tentar.

7H ÀS 7H30

Típico: "Já estou vestido para trabalhar, mas não gosto de ficar à toa em casa, então vou direto para o escritório. Chego pelo menos uma hora antes de todo mundo. Uso esse tempo para arrumar minha mesa e adiantar o que vem pela frente."

Ideal: Transe. Depois do tipo matinal de cortisol e insulina ter se nivelado, os leões devem pular de volta na cama, mas não para uma soneca rápida. A testosterona matinal tanto em homens como em mulheres atinge o nível mais elevado entre a primeira e a segunda hora depois de acordar, e o desejo sexual está ainda mais forte. É o horário ideal para os leões terem atividade sexual, com o parceiro ou sozinhos. Fica o aviso: caso seu parceiro seja um lobo, você pode perder um braço se tocar nele a essa hora. Parceiros ursos podem gostar do despertar carinhoso. Orgasmos matinais também dão uma dose inicial de oxitocina que vai enchê-lo de paz e tranquilidade durante as próximas horas. Se tem de ajudar os filhos a se arrumar para a escola, faça uma rapidinha e guarde as transas épicas para os fins de semana. (Para mais conselhos sobre o momento oportuno para o sexo, consulte "Transar", na p. 125.)

7H30 ÀS 9H

Típico: "De manhã estou a ponto de bala. Consigo trabalhar muito. Se tenho um relatório para escrever ou algo para pesquisar, consigo acabar a tarefa em poucas horas."

Ideal: Relacione-se. Se teve uma manhã tranquila de meditação e atividade sexual, seu pico de energia vai ter baixado. Ainda há muita energia para gastar, e seria bom mostrar um pouco do seu brilho matinal para as outras pessoas. Não saia correndo para o trabalho antes que todos cheguem lá. Em vez disso, estabeleça relações. Se mora com outras pessoas, fique em casa, onde sua energia e sua positividade serão contagiantes e vão melhorar o humor dos membros da sua família. Se mora sozinho, escreva e-mails, fale com os pais pelo Skype ou tome café da manhã fora com seu companheiro.

9H ÀS 10H

Típico: "Trabalhando sem parar. As pessoas chegam aos poucos e levam algum tempo para entrar no ritmo. Enquanto isso, estou na labuta."

Ideal: Impressione os colegas e tome um lanche. Em primeiro lugar, crie oportunidades para interagir com os companheiros de trabalho. Você vai ser a estrela do café da manhã coletivo da empresa. Mesmo que não esteja com muita fome, porque já comeu antes de sair de casa, coma algo pequeno, com cerca de 250 calorias e que seja composto de 25% de proteína e 75% de carboidratos (um iogurte com frutas ou uma tigela pequena de cereal) e tome café (três horas depois de acordar, para ganhar um gás cognitivo). Um lanchinho agora vai ajudá-lo a adiar a próxima refeição para o começo da tarde, estendendo sua energia até o cair da noite.

10H ÀS 12H

Típico: "Fico com fome bem cedo e acabo almoçando. O ideal seria almoçar com meus colegas, mas eles querem comer mais tarde e não aguento esperar."

Ideal: Exiba-se. Se você é o chefe ou tem um cargo de liderança, convoque reuniões para o meio da manhã, porque, do ponto de vista hormonal, esse é o momento em que você está mais preparado para tomar decisões claras e estratégicas. O meio da manhã é o seu ápice, quando sua mente está afiada e analítica. A clareza mental dura até o meio-dia, então aproveite ao máximo esse período para estruturar argumentos, transmitir mensagens, resolver problemas e encontrar soluções. (Aprenda a trabalhar de maneira eficiente com funcionários de outros cronotipos em "Apresentar ideias", na p. 268.)

12H ÀS 13H

Típico: "Enquanto todos os outros estão almoçando, começo a perder o ânimo. Essa sensação chega de repente e com muita força. Depois de ficar a mil por tanto tempo, vou meio que murchando. Mas tomo um café e sigo em frente."

Ideal: Almoce. Uma ou duas horas depois da refeição do meio do dia, os leões (assim como ursos, lobos e golfinhos) sentem uma queda de energia. Se você comeu no seu horário antigo, vai ficar mais lento do que qualquer outro cronotipo, ao passo que os ursos, por exemplo, acabaram de entrar em seu auge de alerta. Isso é inaceitável para os leões, que podem ficar tentados a usar café ou bebidas energéticas para recuperar o vigor. É uma batalha fisiológica que não há como vencer — a menos que você adie sua refeição vespertina em uma hora. Se fez um lanchinho às nove, como sugeri, vai conseguir prorrogar o almoço para o meio-dia e manter a insulina baixa até o começo da tarde, permitindo que aproveite sua energia matinal por mais tempo. Se puder sair para almoçar, a exposição à luz do sol vai ajudar na tentativa de se manter alerta. Evite carboidratos pesados, que vão deixar você sonolento. Procure fazer uma refeição equilibrada, com um terço de proteína, um terço de carboidratos e um terço de gordura: uma grande salada com frango ou salmão grelhado, um sanduíche com uma só fatia de pão ou uma *fajita* com arroz integral.

13H ÀS 17H

Típico: "Trabalho sem energia. Já estou acordado há dez horas e, quando chega a tarde, mal dá para ficar em pé. Às vezes, pego uma bebida energética ou uma barra de proteína para dar conta do recado."

Ideal: Fique tranquilo. Os leões não são conhecidos por sua inventividade e criatividade, mas isso pode ser porque desperdiçam suas horas mais inovadoras forçando-se a trabalhar sem energia na resolução de problemas analíticos e estratégicos. À tarde, seu pico analítico já acabou e o vigor para resolver problemas está esgotado. Estar fora do ápice não é necessariamente algo ruim, ao contrário do que você sempre deve ter pensado. Quando estão cansados e com a mente dispersa, os leões atingem sua potência de criatividade e perspicácia. Pare de tentar ficar alerta. Se tiver liberdade no ambiente de trabalho, esse é o momento para ficar desatento de propósito e pensar de forma criativa. Reuniões de brainstorming podem render ideias inovadoras.

Diários são uma excelente maneira de deixar sua mente criativa assumir o comando. Todas as tardes, quando tiver um intervalo de quinze minutinhos entre as demandas profissionais, pegue um caderno e uma caneta e rabisque, escreva, desenhe ou anote todas as ideias que passarem pela sua cabeça. Direcione sua mente difusa a um assunto específico, como carreira ou relacionamento, mas não restrinja o foco. Permita que seus pensamentos divaguem e se apresentem por conta própria. Quem sabe quais ideias brilhantes podem surgir? Para um vídeo sobre como começar a prática de escrever um diário, acesse <www.thepowerofwhen.com>.

17H ÀS 18H

Típico: "Estou morto. O gás acabou. Fico irritadiço pelo cansaço e geralmente faminto. Claro, como ninguém mais está com fome, acabo comendo sozinho."

Ideal: Exercite-se. Comer a essa hora causa um pico e uma consequente queda de insulina, o que vai deixar você com mais sono ainda. Em vez de comer às cinco horas da tarde, pratique exercícios. Os leões têm o costume de se exercitar ao nascer do sol porque estão acordados e não têm mais nada para fazer. Mas, se conseguir adiar o treino para o fim da tarde, vai ganhar um necessário impulso de energia com a elevação da pressão arterial, da frequência cardíaca e do nível de cortisol. Além disso, a temperatura corporal está mais alta à tarde do que de manhã, e isso reduz o risco de lesão durante o exercício — um ponto importante para os leões, que se preocupam com a saúde. Se o clima permitir, pegue os últimos raios de sol exercitando-se ao ar livre. Se for tomar uma ducha depois, prefira água fria. Quando sua temperatura corporal interna cai, como ocorre todo fim de tarde, você vai começar a se sentir sonolento. O exercício seguido de uma ducha fria vai manter sua temperatura interna elevada.

18H ÀS 19H30

Típico: "Agora os meus amigos estão prontos para sair. Estou longe de ser o centro das atenções, com meu humor e minha energia indo ladeira abaixo. Então tomo uma ou duas doses para mudar meu estado de espírito."

Ideal: Jante e tome um drinque. Um jantar romântico às seis da tarde é totalmente aceitável. Como você já almoçou tarde e treinou depois do trabalho, consegue esperar até agora para encontrar seus amigos ursos para jantar. Evite carboidratos, que vão elevar seu nível de serotonina, o "hormônio do conforto", e diminuir o seu já baixo nível de cortisol. Um prato de massa às 18h30min atingiria você como um dardo tranquilizante bem potente. Para prolongar a energia, coma proteína na última refeição, ou coma algo leve para manter a glicemia baixa e evitar o colapso.

Em sã consciência, eu jamais recomendaria que alguém marcasse o happy hour para as quatro da tarde, mas esse é o melhor horário para o corpo do leão metabolizar o álcool. Se você começar a beber durante o jantar, bastarão dois drinques para ficar imprestável. Não beba depois das 19h30min, porque seu corpo pode não dar conta de metabolizar todo o álcool até a hora de dormir, afetando a qualidade do seu sono.

19H ÀS 22H

Típico: "Chega. Já cheguei ao meu limite. Estou acordado há umas quinze horas e todas as células do meu corpo estão me mandando dormir."

Ideal: Divirta-se. Seu sistema de sono eficiente estaria lhe dizendo que é hora de ir para a cama, mas, como você fez mudanças sutis nos horários de alimentação e exercício para tornar a pressão do seu sono menos intensa, ganhou uma ou duas horas de vigília antes de a insulina, o cortisol e a pressão arterial caírem. Aproveite! Não dependa de café ou álcool para seguir em frente. Não vão fazer efeito e podem acabar estragando o sono dos leões — necessário para dominar o mundo no dia seguinte.

Se tiver uma noite relaxante em casa, ainda assim pode socializar com parentes e amigos pela internet ou pelo telefone. Você ganhou uma hora a mais de vigília para interação humana, então aproveite esse tempo ao máximo para se relacionar e cuidar da alma.

22H

Típico: "Estou acabado."

Ideal: Relaxe. Aconselho que os leões estejam em casa por volta das dez horas da noite. Prepare-se para dormir às 22h30min, desligando todas as luzes azuis de celulares, tablets e monitores ou use as lâmpadas especiais que recomendo em <www.thepowerofwhen.com>. As telas de computador vão suprimir as secreções de melatonina e atrasar o início do sono — sim, até mesmo para os leões. Tudo bem assistir à tv a essa hora, desde que o monitor esteja a pelo menos três metros dos seus globos oculares.

22H30 À 1H30

Típico: "Desmaiado. Não acordaria nem se uma bomba explodisse ao meu lado."

Ideal: Entre na fase um. Como você forçou seus limites para ficar acordado até mais tarde do que de costume, deve cair em um sono fisicamente restaurador na mesma hora. Suas ondas cerebrais estão mais lentas e profundas mais cedo do que as de outros cronotipos. Até para dormir você é mais eficiente!

1H30 ÀS 3H30

Típico: "Morto para o mundo."

Ideal: Entre na fase dois. Na metade da noite, você vai ter um sono sem complicações.

3H30 ÀS 5H30

Típico: "Ainda apagado."

Ideal: Entre na fase três. Durante o último terço da noite, acontecerá para você a maior parte do sono REM, quando ocorre a consolidação da memória. Acorde em seu horário de sempre se sentindo revigorado e pronto para conquistar o mundo novamente.

VÁ COM CALMA

Parecem muitas mudanças, e de fato são. Mas, ajustando seus horários devagar e fazendo uma ou duas pequenas mudanças por semana, vai conseguir incorporá-las e internalizá-las em sua vida mais naturalmente. Você vai notar melhorias significativas na qualidade de vida em apenas um mês se continuar firme nas mudanças semana após semana.

SEMANA UM

Tome café da manhã nos primeiros trinta minutos depois de acordar.

Exercite-se no final da tarde, não de manhãzinha.

Para um vídeo sobre o momento ideal para a exposição ao sol e o exercício, acesse <www.thepowerofwhen.com>.

SEMANA DOIS

Continue com as mudanças da semana anterior.

De manhã, tente estabelecer relações em casa ou em reuniões matinais (nas quais vai comer um lanche) em vez de deixar todas as interações para a noite.

Transfira o almoço para o meio-dia.

SEMANA TRÊS

Continue com as mudanças da semana anterior.

Transfira o jantar para as seis da tarde.

Ingira álcool depois das 19h30min apenas uma ou duas vezes por semana.

SEMANA QUATRO

Continue com as mudanças da semana anterior.

Programe reuniões estratégicas importantes para a manhã.

Programe reuniões de brainstorming para a tarde.

CRONOGRAMA DO LEÃO

5h30: Acordar — sem apertar a soneca.

5h45: Café da manhã: alto teor de proteínas, baixo de carboidratos.

6h15 às 7h: Fazer um panorama das tarefas e organizá-las. Meditação matinal.

7h às 7h30: Sexo — uma rapidinha, se tiver de ajudar os filhos a se arrumar para a escola.

7h30 às 9h: Tomar um banho frio, vestir-se, interagir com os amigos ou a família antes de partir para o trabalho.

9h: Lanchinho: 250 calorias, 25% de proteína, 75% de carboidratos. O ideal seria fazer uma reunião durante um café da manhã coletivo.

10h às 12h: Interações pessoais, reuniões matinais, telefonemas, e-mails, resolução de problemas estratégicos.

12 às 13h: Almoço equilibrado. Tome sol, se possível.

13h às 17h: Hora do pensamento criativo. Ouça música, leia e escreva no diário. No ambiente de trabalho, lidere ou participe de reuniões de brainstorming.

17h às 18h: Exercício, de preferência ao ar livre, seguido de um banho frio.

18h às 19h: Jantar. Faça uma refeição balanceada — partes iguais de proteína, carboidrato e gorduras saudáveis. Uma refeição com muitos carboidratos pode derrubar você.

19h30: Última chamada para o álcool. Um drinque depois desse horário pode ser matador.

19h às 22h: Socialize na rua ou se aproxime dos entes queridos pela internet ou relaxando em casa. Você ganhou uma hora a mais, então aproveite!

22h: Esteja em casa a essa hora. Desligue todas as telas para começar a relaxar antes de ir deitar.

22h30: Vá para a cama.

4. Um dia perfeito na vida de um urso

Ben,[1] um rapaz de 33 anos, casado, pai de três filhos e natural de Los Angeles, foi encaminhado para mim por seu clínico geral. Dez quilos acima do peso apesar de saudável, Ben se queixava de ter uma fadiga leve porém constante. Como supervisor numa grande loja de materiais de construção, ele precisava ficar mais alerta do que estava e desejava ter mais energia aos fins de semana e para brincar com os filhos depois do trabalho. Mesmo quando tinha uma boa noite de sono, acordava zonzo.

"Tenho um trabalho fisicamente exigente", relatou em nossa primeira consulta. "Exige muito mentalmente também. Preciso controlar muita coisa — entregas, remessas e a papelada. Preciso estar na minha capacidade máxima, mas sinto que nunca estou nem perto disso. Quando volto para casa, então, minha única vontade é jantar e relaxar. Queria fazer as coisas que preciso fazer em casa, brincar com meus filhos, mas não consigo me motivar."

Os ursos são criaturas sociais. Pelo bem de sua saúde emocional, precisam passar um tempo com os amigos e a família. Perguntei sobre as amizades de Ben. "Saíamos muito depois do trabalho, mas daí fomos casando e começando nossas famílias. Agora a gente só sai de fim de semana. Estou numa liga de beisebol aos sábados, e é sempre divertido. Eu e minha mulher saímos todo sábado à noite para jantar ou ir ao cinema com outros casais. Domingo é o dia da família e também meu dia de descanso. Quando as crianças não pulam em cima da cama para me acordar, acabo dormindo até tarde."

Perguntei para Ben se ele também cochilava aos fins de semana. "Ah, sim! Pego no sono no sofá e acordo cheio de salgadinhos esparramados em cima de mim. As crianças se matam de dar risada", disse. "Mas de domingo à noite costuma ser difícil. Não consigo pegar no sono de jeito nenhum! Fico lá deitado pensando em tudo que preciso fazer na segunda."

Ben descreveu o fenômeno chamado "insônia de domingo". Para um estudo de 2013, o serviço de pesquisa on-line Toluna Omnibus perguntou a mais de 3 mil adultos norte-americanos: "Em qual noite da semana você tem mais dificuldade para adormecer?". Trinta e nove por cento indicaram o domingo. A maioria disse ficar acordada pelo menos trinta minutos a mais no domingo do que nas outras noites. Sábado veio em segundo lugar, com 19% dizendo que era a noite mais difícil para pegar no sono.

A insônia de domingo é um exemplo clássico de cronodesajuste. Ao seguir um horário social — como ficar acordado até tarde aos sábados e dormir até tarde aos domingos —, você desequilibra seu ritmo circadiano, o que resulta em jet lag social e desencadeia uma série de consequências negativas das quais pode levar dias para se refazer. Ao tentar recuperar o sono nos fins de semana, você passa a semana inteira reajustando seu ritmo circadiano e acaba, de todo modo, com uma perda líquida no sono total da semana.

Os ursos têm um alto impulso de sono e precisam de pelo menos oito horas de sono por noite — ou 56 horas por semana — para se proteger de todos os riscos da privação do sono à saúde, como ganho de peso, diabetes, cardiopatias, transtornos de humor e baixa satisfação geral com a vida. Se você dormir seis horas por noite durante cinco dias seguidos, isso vai lhe render trinta horas. Então, no fim de semana, teria de dormir treze horas por dia. Não é um plano viável e também não lhe dá o tipo de sono de que você necessita!

Ben também cai na cilada do "atleta de fim de semana" por deixar a atividade física e social para os sábados e domingos, outra escolha de estilo de vida que afeta o sono, o metabolismo e o nível de energia.

"Sempre me sinto melhor se consigo me exercitar durante a semana, mas é raro isso acontecer", confessou. "Faltam tempo e motivação. Acho muito chato e solitário ir à academia. Não faz meu estilo. Prefiro praticar esportes com os amigos ou jogar bola com as crianças, e essas coisas só acontecem no fim de semana."

Os ursos são criaturas do sol. A cronobiologia deles segue o ciclo solar, o que significa que, quando o sol nasce, os sistemas hormonais e cardiovasculares reagem, aumentando os níveis de insulina, cortisol, testosterona, a pressão arterial e temperatura corporal bruscamente. Na hora em que costumam acordar, às sete horas, estão completamente funcionais e prontos para começar o dia. Quando o sol se põe, entre seis da tarde e nove da noite, dependendo da estação e do fuso horário, o corpo deles reage à escuridão de novo, e imediatamente os sistemas endócrino e cardiovascular respondem, começando o processo de redução do ritmo que culmina no sono. Como os ursos representam a maioria, os horários da sociedade foram baseados em seu biotempo. Faz todo o sentido. Metade da população mundial tem vontade de jantar às 18h30min, então essa se torna a "hora do jantar" universal. Metade do mundo está pronta para dormir às onze da noite, então essa passa a ser a "hora de dormir". O horário nobre da TV é entre oito e dez da noite, porque, nesses horários, os ursos estão com níveis baixos de vigília e energia, prontos para cair no sofá.

Se os lobos dominassem o mundo, a novela das nove passaria às onze.

Se os leões fossem a maioria, passaria às sete.

E se os golfinhos dominassem o planeta? Bom, já temos a Netflix para eles.

Há quem pense que, por estar em sincronia com o ciclo solar e seguir os horários da sociedade, os ursos já deveriam explorar o máximo do seu potencial. Mas é um pouco mais complicado do que isso. Só porque os horários da sociedade existem *não* quer dizer que correspondam à sua cronobiologia. Por exemplo:

- Os hábitos de exercício do "atleta de fim de semana" são um dos motivos pelos quais as pessoas estão fora de forma e com sobrepeso.

- Dormir até tarde nos fins de semana é uma das grandes causas de jet lag social e privação de sono.

- Comer a refeição maior e mais pesada às 18h30min explica os quilinhos a mais que os ursos exibem na barriga.

- Programar reuniões durante a hora do almoço e à tarde no trabalho é garantia de contribuições abaixo do ideal de todo mundo, *especialmente* dos ursos.

- Sexo às onze da noite? É nesse horário que o seu ritmo circadiano quer que você esteja inconsciente. Tenho certeza de que a maioria dos ursos teria uma vida sexual mais satisfatória se transasse quando seus hormônios e seu sistema circulatório não estivessem os mandando dormir.

A estrutura do ritmo circadiano dos ursos é compatível com os horários da sociedade, e isso lhes dá uma vantagem clara em relação a leões e lobos extremos. No entanto, os ursos são muito suscetíveis ao jet lag social. Se conseguirem fazer microajustes em seus cronogramas, vão sentir — e muito — os benefícios.

Os objetivos para os ursos:

- **Ter um sono adequado e se exercitar *durante a semana*.**

- **Mudar o ritmo de alimentação para acelerar o metabolismo e perder alguns quilinhos.**

- **Aumentar a energia durante a tarde e a noite com cochilos e atividades estratégicas.**

Se um urso tiver problemas ao seguir o cronorritmo descrito na sequência, isso se deve a:

- **Uma sensação de restrição.** Os ursos podem não gostar da ideia de viver segundo o relógio. Mas a verdade é que todos vivemos segundo o relógio do nosso cérebro, queiramos ou não. Em vez de pensar que é um escravo dos seus horários, entenda que a verdadeira liberdade vem do aumento de energia, da perda de peso, de uma melhor comunicação e de um foco mais certeiro. Liberdade é sobressair e progredir na vida. Se isso significa controlar quando você come, dorme, se exercita, conversa e pensa, é um pequeno preço a pagar em troca de possibilidades infinitas.

- **Tirar longos cochilos e dormir até tarde nos fins de semana.** Se acha isso irresistível, recomendo dormir por mais 45 minutos *apenas* no sábado, ou tirar um cochilinho de vinte minutos no domingo. Esses pequenos aumentos não vão atrapalhar seu cronorritmo. Mas, se acordar ao meio-dia no domingo, sua semana inteira vai por água abaixo.

- **A tentação dos lanchinhos noturnos.** Outro hábito que precisa ser superado por dois motivos: (1) é a principal causa de excesso de peso na barriga, o que, por si só, aumenta o risco de diabetes, cardiopatia e determinados cânceres; (2) comer à noite atrapalha ou adia seu sono. Os ursos precisam de repouso. Se não conseguirem oito horas consecutivas, não vão funcionar em seu potencial pleno dos pontos de vista cognitivo, criativo e emocional. Um lanchinho à meia-noite pode atrapalhar sua carreira e seu casamento? Sim, ursos, pode, porque atrapalha seu sono, além de deixar você tonto e irritadiço. Esse hábito precisa ser quebrado.

CHOQUE DE REALIDADE

O cronograma a seguir é a forma como você deveria organizar seu dia em um mundo ideal. Mas a vida real não é perfeita. Como as situações profissionais estão fora do seu controle, talvez você não consiga seguir o horário ao pé da letra.

Não desanime.

A pior coisa a se pensar é: "Se não posso fazer X, Y ou Z na hora certa, nada disso vai dar certo, então deixa para lá". *Toda* mudança vai resultar em melhorias na sua saúde e felicidade. Não encare isso como "oito ou oitenta". O ideal é fazer tudo, mas, na prática, talvez não seja possível. Então faça o que der para fazer agora. Com o tempo, conforme notar mudanças positivas, talvez você descubra que consegue fazer um pouquinho mais.

O CRONORRITMO DO URSO

7H

Típico: "O alarme dispara. Aperto a soneca algumas vezes, depois levanto e começo o dia", diz Ben.

Ideal: Acorde e faça sexo. No começo da manhã, sua testosterona está elevada e você sente bastante desejo. Você pode não estar completamente alerta, mas começar a transar ao acordar é uma maneira excelente de ficar ativo, elevar a frequência cardíaca e aumentar a temperatura interna do seu corpo. Além disso, a liberação de oxitocina de manhã vai fazer você passar o dia todo em nuvens de boas vibrações, paz e prazer.

Como alternativa ao sexo ou à masturbação, eleve sua frequência cardíaca ao acordar colocando uma calça de moletom e uma camiseta e dando uma volta no quarteirão enquanto ainda estiver meio dormindo. Se esperar para se exercitar depois de acordar, vai ter presença de espírito suficiente para criar argumentos e não caminhar. E você sabe exatamente o que isso significa. Se der para se exercitar ao ar livre, a exposição à luz do sol vai ajudar você a se sentir mais alerta. Se tem filhos que precisam de ajuda para se preparar para a escola, faça cinco minutos de abdominais e flexões no chão do quarto. Qualquer coisa já ajuda.

7H30 ÀS 9H

Típico: "Cumpro a rotina matinal. Banho. Café da manhã e duas xícaras de café preto, e dirijo para o trabalho meio zonzo."

Ideal: Tenha um café da manhã saudável. É uma boa ideia comer na primeira meia hora depois de acordar para sincronizar o relógio mestre do seu cérebro com os relógios menores de seu estômago e sistema digestivo. Os ursos normalmente preferem opções com alto teor de carboidrato, como cereais ou rosquinhas. Comer carboidratos de manhã aumenta a serotonina tranquilizante e diminui os níveis de cortisol, de que você vai precisar para levantar e ficar ativo. **Evite carboidratos no**

café da manhã. Em vez disso, tenha uma refeição com alto teor de proteína, como bacon e ovos, iogurte, um shake de proteína. Não tenha medo de tomar um café da manhã substancioso. Pessoas que comem a maior parte de suas calorias no começo do dia têm um IMC mais baixo do que os que deixam para comê-las mais tarde — mesmo se comerem exatamente o mesmo número de calorias. Para perder peso usando o poder do quando, você vai tomar um grande café da manhã, um almoço médio, um lanchinho leve à tarde e um jantar modesto, sem ataques à geladeira no meio da noite. Juro que vai dar certo. Você vai ver só.

Além disso, evite café na primeira refeição. Sei que é um hábito profundamente enraizado, mas o café não deixa você acordado de verdade logo de manhã. Só vai deixar você viciado em cafeína e nervoso. Sua jornada será mais segura se ficar alerta por meio de exercício, luz do sol e proteína.

9H ÀS 10H

Típico: "Chego ao trabalho e me acomodo. Vou de mesa em mesa, converso com todo mundo, falo sobre algum programa de TV ou sobre o que aconteceu no jornal. Não consigo fazer muita coisa."

Ideal: Organize seu dia. Sabe aquele torpor da inércia do sono que paralisa sua produtividade quando você chega ao trabalho? Ele foi erradicado com o exercício matinal ou o sexo, a luz do sol e o café da manhã proteico. Agora você realmente consegue planejar seu dia na primeira hora de trabalho em vez de perder tempo.

10H ÀS 12H

Típico: "Finalmente começo a me sentir acordado. Mas a essa altura já atrasei muitas coisas."

Ideal: Trabalhe. Seu ápice cognitivo chega no meio da manhã. Em vez de desperdiçá-lo socializando, resolva o trabalho burocrático agora para acabar com ele em tempo recorde. Se for possível fechar a porta do escritório ou se isolar durante esse período, você conseguirá enfrentar a papelada com mais facilidade. Tome café agora para deixar você ainda mais alerta. Uma xícara deve bastar.

12H ÀS 13H

Típico: "Meu horário de almoço oficial. Eu adoro o almoço. Para variar as opções, eu teria de caminhar um pouco, mas normalmente vou à lanchonete bem ao lado para pegar um sanduíche."

Ideal: Exercite-se, coma, exercite-se. Se puder se movimentar por trinta minutos antes do almoço fazendo uma caminhada, vai acelerar seu metabolismo para converter o alimento em energia antes mesmo de dar a primeira mordida, reduzindo seu apetite drasticamente. O tamanho das suas refeições deve ser decrescente, então seu almoço deve ter metade do tamanho do seu café da manhã e duas vezes o do seu jantar. Se estiver acostumado com um sanduíche de trinta centímetros do Subway, peça um de quinze. O ideal é também fazer uma caminhada de dez minutos depois de comer.

13H ÀS 14H30

Típico: "Eu me sinto bem nesse horário, em termos de energia."

Ideal: Assuma o controle. Se praticou alguma atividade durante o horário de almoço, consegue adiar a queda de energia vespertina por uma ou duas horas e prolongar o auge de seus poderes analíticos. Faça bom uso deles até a queda inevitável chegar.

14H30 ÀS 14H50

Típico: "Sempre perco o ânimo e sinto muito sono. Mas preciso estar acordado, então tomo uma Coca ou um Red Bull. Ou um doce. Snickers dá bastante energia, não?"

Ideal: Cochilo rápido. O melhor momento para cochilar é cerca de sete horas depois de acordar. Se você acordou às sete, o horário de soneca ideal é às duas. Se trabalha numa empresa inovadora como o Google ou o *Huffington Post*, com cômodos de soneca para os funcionários, ou se trabalha em casa, deite-se e feche os olhos por vinte minutos. O cochilo curto vai restaurar você de volta aos níveis matinais de energia e alerta. Lembre-se de colocar o alarme para não dormir mais de vinte minutos, senão vai acordar zonzo, com uma segunda dose de inércia do sono, e precisará de mais uma hora para se livrar dela. Sei que para muitos não é possível planejar uma soneca, mas, se conseguir, sua pressão arterial vai diminuir, aumentando a produtividade vespertina. No mínimo, relaxe a mente por dez minutos. Encontre um lugar silencioso e faça algumas respirações profundas ou medite.

15H ÀS 18H

Típico: "Começo a ficar de olho no relógio por volta das três da tarde e fico muito ansioso pelo fim do expediente."

Ideal: Interaja — e tome um lanche! Se tiver feito os microajustes recomendados, esse vai ser o melhor horário para ir a reuniões, interagir com clientes, escrever e-mails e fazer telefonemas. Se tiver caminhado ao meio-dia e tirado a sonequinha rápida à tarde, vai estar alerta — capaz de se concentrar nas necessidades e preocupações dos outros. Além disso, como já é o fim do dia, seus colegas de trabalho majoritariamente ursos já estão pensando no happy hour ou na hora do jantar. Se tiver ideias ou estratégias inovadoras para apresentar às pessoas, incluindo seus chefes, é provável que elas estejam abertas a sugestões agora. Aproveite a amabilidade delas e faça seus pensamentos e ideias serem aprovados.

Às quatro, coma um lanchinho de cerca de 250 calorias que seja 25% de proteína e 75% de carboidrato (uma maçã com manteiga de amendoim ou biscoitinhos salgados com queijo) para ter energia rápida para a parte final do dia de trabalho.

18H ÀS 19H

Típico: "Jantar! Assim que chego em casa, meu estômago começa a roncar!".

Ideal: Exercite-se. A essa hora, você está no seu ápice físico, pronto para atingir sua capacidade pulmonar e frequência cardíaca máximas. Sua coordenação motora e visual está mais aguçada. Como um urso amigável e sociável, você pode aproveitar seu ponto alto de coordenação praticando um esporte em equipe com os amigos. Entre para um time de basquete após o trabalho, faça uma aula com algum amigo ou, se prefere não suar em grupo, use essa "hora do corpo" para correr e brincar com seus filhos ou bater perna pela cidade.

Em uma direção completamente diferente, essa também é a melhor hora para um happy hour com os amigos. Sua tolerância ao álcool é alta no comecinho da noite, então você consegue virar alguns copos sem se embriagar. Assim, você também vai ter tempo de sobra para metabolizar o álcool antes que ele interfira no seu sono.

19H30 ÀS 20H

Típico: "Depois de um prato enorme de comida, tudo que quero é colocar o pijama, sentar no sofá e relaxar."

Ideal: Jante e converse. O jantar deve ser sua menor refeição do dia, então coma algo que satisfaça, como uma sopa ou um cozido com salada. Jantar uma hora mais tarde do que de costume pode parecer muito difícil — você está com uma fome de urso às seis! —, mas, se conseguir adiar a refeição para as 19h30min, tem menos chances de comer um monte de besteira às dez. O principal motivo que leva os ursos a ter barriga são os ataques noturnos à geladeira. Se conseguir dar sua última mordida da noite até às oito, vai acelerar seu metabolismo, aumentar a energia e perder gordura abdominal. Comer nas últimas três horas antes de dormir — os lanchinhos noturnos — envia sangue e calor para o centro do seu corpo, o que é um sinal para ele continuar acordado. O aumento dos ácidos digestivos pode causar azia quando você se deitar.

Além disso, se não comer demais, fizer exercício e pegar luz do sol várias vezes ao dia como recomendado, vai permanecer de bom humor. O dia está quase no fim, e você vai estar relaxado. Tenha conversas potencialmente difíceis com a família ou os amigos agora, quando você — e os outros ursos — recebe uma segunda onda de boas vibrações e positividade.

20H ÀS 22H

Típico: "Nos fins de semana, eu e minha mulher vamos ao cinema, a um show ou saímos para beber com os amigos. Mas, nos dias de semana, é mais comum assistir à TV, jogar no computador ou ficar na internet até a hora de dormir — e fazer muitos passeios até a cozinha para pegar lanchinhos!"

Ideal: Faça um brainstorming. Quando os níveis de alerta e concentração estão baixos, a criatividade está no ápice. Ideias brilhantes costumam surgir na nossa mente quando estamos cansados, zonzos ou fazendo qualquer coisa além de sentar e se esforçar para pensar em alguma ideia genial. Sua baixa biológica ocorre durante as duas horas antes da cama. Você não precisa fazer muito para deixar as ideias fluírem. Um ótimo lugar para fazer um brainstorming é na banheira. O calor relaxante não só permite que sua mente divague como também reduz sua temperatura corporal, ajudando-o a sentir sono na hora de dormir. Outros estimuladores da criatividade: leitura, meditação, jogos, conversas casuais.

22H ÀS 23H

Típico: "Ainda assistindo à TV ou na internet. Ainda comendo."

Ideal: Hora de desligar. Às dez horas da noite, desligue todas as telas. Olhar para a luz azul de celulares e tablets a essa hora suprime as secreções de melatonina e mantém você acordado. Em vez disso, leia um livro, alongue-se, medite. Faça mais sexo.

23H À OH

Típico: "Vamos para a cama às onze e às vezes assisto ao jornal da noite. Eu e minha mulher olhamos o Facebook e conversamos sobre as coisas que nossos amigos postaram. Quando tenho energia, viro para ela e começo alguma coisa."

Ideal: Entre na fase um. Os ursos têm um alto impulso de sono e precisam dormir cerca de oito horas consecutivas. Uma barriga cheia de besteirinhas e o influxo de luz azul podem tornar mais difícil pegar no sono. Qualquer atraso para adormecer tem um preço. Mas, como você já transou de manhã e desligou todas as telas, a única coisa que resta para fazer na cama é dormir. Como esteve ativo ao longo do dia e não comeu um monte de salgadinhos tarde da noite, deve conseguir pegar rápido num sono profundo. A primeira parte da noite é quando seu corpo se restaura fisicamente. Suas células se curam, se recuperam e se reconstroem.

1H ÀS 3H

Típico: "Costumo pegar no sono à meia-noite, exceto aos domingos, quando só apago lá pelas duas da manhã."

Ideal: Entre na fase dois. A segunda parte da noite é um repouso sem complicações.

4H ÀS 7H

Típico: "Roncando, de acordo com a minha mulher."

Ideal: Entre na fase três. A terceira parte da noite é quando você tem a maior parte do sono REM. Os músculos estão inativos e estreitam sua garganta, o que causa o ronco. O excesso de peso que você deve ter também não ajuda nesse aspecto. Enquanto ronca, você consolida a memória e limpa as teias de aranha. Se seguir o cronorritmo, vai conseguir umas boas três horas da restauração mental necessária para acordar revigorado e energizado.

VÁ COM CALMA

Parecem muitas mudanças, e de fato são. Mas, ajustando seus horários devagar e fazer do uma ou duas pequenas mudanças por semana, vai conseguir incorporá-las e internalizá-las em sua vida mais naturalmente. Você vai notar melhorias significativas na qualidade de vida em apenas um mês se continuar firme nas mudanças semana após semana.

SEMANA UM

Estabeleça um horário regular para acordar e dormir.

Faça a maior refeição do dia no café da manhã em vez de no jantar.

Acesse <www.thepowerofwhen.com> para assistir a um vídeo sobre como acordar tranquilamente.

SEMANA DOIS

Continue com as mudanças da semana anterior.

Use o começo da manhã para trabalhos práticos e o fim da tarde para brainstormings criativos.

Socialize com colegas à tarde em vez de no período da manhã.

SEMANA TRÊS

Continue com as mudanças da semana anterior.

Tente ser ativo antes e depois de cada refeição, mesmo se forem caminhadas de apenas cinco minutos.

Não coma ou beba álcool depois das dez horas da noite.

Mesmo se ficar numa festa até tarde nos fins de semana, não acorde mais de 45 minutos depois do seu horário regular.

SEMANA QUATRO

Continue com as mudanças da semana anterior.

Transe de manhã em vez de transar no fim da noite.

Tire um cochilo de vinte minutos às 14h30min.

CRONOGRAMA DO URSO

7h: Acordar — sem apertar a soneca.

7h às 7h30: Sexo ou exercício para elevar a pressão arterial e o nível de cortisol. Pratique de preferência ao ar livre (o exercício! Ou o sexo, se tiver coragem). Caso não tenha tempo para um treino de 25 minutos, cinco minutos já são melhores que nada.

7h30: Café da manhã com alto teor de proteína e baixo teor de carboidratos. Nada de beber café por enquanto!

8h às 9h: Vá trabalhar. É mais saudável substituir a cafeína por exercício de manhã. Se trabalha em casa, já pode começar.

9h às 10h: Planeje e organize seu dia.

10h às 12h: Período mais produtivo. Concentre-se, foque nas tarefas e faça seu trabalho. Pausa para o café

12h às 12h30: Atividade não extenuante — caminhar é o ideal.

12h30: Almoço médio. Deve ter metade do tamanho do café da manhã e o dobro do tamanho do jantar. Faça uma caminhada de dez minutos depois de comer.

13h às 14h30: Mais uma hora de alerta antes da queda de energia vespertina.

14h30 às 14h50: Cochilo. Se não for possível, encontre um lugar calmo para fazer alguns exercícios de respiração profunda por alguns minutos.

15h às 16h: Auge de bom humor. Use sua positividade em reuniões, faça telefonemas e mande e-mails.

16h: Pequeno lanche de 250 calorias, com 25% de proteína e 75% de carboidratos.

18h às 19h: Exercício, se não tiver praticado de manhã, atividade informal com os filhos ou cumprir tarefas. Pode também sair para beber com os amigos.

19h30 às 20h: Jantar! Uma pequena refeição que satisfaça, como uma sopa ou um cozido com salada.

20h às 22h: Socialize (sóbrio; não beba depois das oito se quiser ter um sono de alta qualidade). Tenha conversas leves. Tome um banho quente e relaxante e deixe seus pensamentos fluírem. Uma ideia genial pode surgir.

22h: Desligue todas as telas. Medite, alongue-se, relaxe.

23h: Vá para a cama.

5. Um dia perfeito na vida de um lobo

Desde o minuto em que Ann[1] entrou pela porta, soube que ela era um lobo. Com quarenta anos de idade, mãe de dois filhos, ela estava completamente acordada na consulta às cinco da tarde, um horário em que a maioria das pessoas está se arrastando. Seu cérebro estava a mil por hora, uma marca registrada dos lobos. Eles pensam rápido e veem todas as situações de diversos pontos estratégicos. Ann estava quase quinze quilos acima do peso, outra característica dos lobos. Claro, nem todos os lobos têm sobrepeso, mas, em virtude da tendência a dormir tarde e da dificuldade de resistir a tentações, costumam ter um IMC mais alto do que os outros cronotipos.

Sua queixa era a insônia. "Deito na cama à meia-noite e fico acordada por horas, meu cérebro fica maluco de tanto pensar em tudo que tenho para fazer no dia seguinte e em um monte de outras coisas bestas e aleatórias", disse. "Pego no sono finalmente lá pelas duas da madrugada. Quando o despertador toca, às sete, é um susto tão grande que parece que vou ter um ataque cardíaco. Chamo de 'volta turbulenta à realidade'."

Não por acaso, a maioria dos ataques cardíacos e derrames acontece entre quatro da manhã e meio-dia. O horário é um fator crítico em muitos problemas de saúde, incluindo ataques de asma, acessos de artrite, ataques epiléticos, azia, febre, entre outros problemas.

Ann se obriga a sair da cama para acordar as filhas e o marido. Depois de tomar banho e se vestir, ajuda as meninas a se arrumar e faz o café da manhã para a família. "Estou numa névoa total", ela disse. "Faço tudo no piloto automático. Consigo servir o cereal, mas, se alguém me fizer uma pergunta difícil que precise de dois neurônios para responder, fico perdida."

"Não como nada no café da manhã", ela admitiu quando perguntei. "Não tenho apetite. É a única hora do dia em que não consigo comer de jeito nenhum. Bebo duas xícaras de café enquanto minha família come, e outra no caminho." Ann vai de carro para seu trabalho como designer em uma pequena empresa de publicidade em Scottsdale, no Arizona. "Vou meio dormindo na estrada", confessou. "A única coisa que me impede de sofrer um acidente é a cafeína."

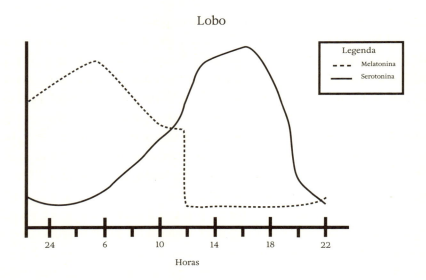

O nível de melatonina dos lobos começa a cair às sete da manhã e só se esgota completamente ao meio-dia. O nível de serotonina atinge o ápice à tardezinha, deixando o lobo de bom humor durante o resto da jornada de trabalho.

Mal-humorada e atordoada, Ann descreve as horas de trabalho matinal como "um desperdício". "Estou ali de corpo presente. Até consigo sentar na frente do computador e fazer algumas coisas, mas, durante horas, não faço nada de forma exemplar", ela disse. "Só consigo ficar ligada lá pelas onze."

No fim da tarde, Ann entra no ritmo. "A hora do chá, em torno das quatro, é meu melhor momento no trabalho", ela disse. "Minha jornada de trabalho funcional dura só duas horas. Estou bem e consigo fazer o suficiente. Mas, se estivesse inspirada e alerta de manhã, penso que seria a chefe do meu departamento, apesar de não ter certeza se gostaria de exercer essa função."

"Saio do escritório por volta das seis e volto para casa na hora do rush. É nessa hora que começo a me sentir bem desperta", continuou. "Quando chego em casa, libero a babá e tento conversar com as crianças sobre o dia delas, mas não consigo me concentrar, em parte porque ainda estou com a cabeça no trabalho. Tenho muitas ideias sobre o que poderia ter feito e preciso fazer no dia seguinte, mas sei que deveria me concentrar mais nas minhas filhas naquele momento, o que faz com que me sinta culpada e negligente como mãe. Meu marido fica exausto depois do trabalho. Quando tento conversar com ele sobre coisas importantes, como as contas e as crianças, ele sempre diz: 'Amanhã'. Quando ele vai para a cama, fico acordada respondendo aos e-mails de amigos e prometo que vou acordar cedo e ir à academia que estou pagando há cinco anos, mas só fui exatamente três vezes. Abro uma garrafa de vinho para o jantar. Depois de algumas taças, não faço nada de útil além de comer junk food das crianças (só mais algumas batatinhas), olhar o Facebook (só mais um link) e assistir a uma maratona na TV (só mais um episódio)."

Ann se queixava de sua incapacidade de fazer coisas e se autodiagnosticou como insone. Chegou a consultar médicos (não especialistas de sono) e tomou vários medicamentos — calmantes, antidepressivos, até um antipsicótico. O diagnóstico que atribuí a ela não foi insônia, porque Ann não apresentava capacidade de dormir disfuncional. Ela conseguia pegar no sono e, quando estava dormindo, relatava um sono de boa qualidade, só não em quantidade suficiente. **O problema dela é ser lobo em um mundo feito para ursos.**

Embora Ann não possa alterar muito seu horário de trabalho, as mudanças simples que proponho representam melhorias drásticas no desempenho profissional, na qualidade dos relacionamentos, no condicionamento físico, na atenção e na saúde em geral.

As metas dos lobos:

- **Melhorar a eficiência durante as horas de trabalho.**
- **Mudar o ritmo de alimentação para acelerar o metabolismo.**
- **Aumentar o número de horas de sono por noite.**
- **Estabilizar as variações de humor para aumentar a satisfação geral com a vida.**

Os lobos são criativos e completamente abertos a experimentar coisas novas. Para eles, seguir o cronorritmo que criei é um experimento científico interessante. Mas os lobos encontram certas dificuldades ao aderir a ele, graças à:

- **Rebeldia.** Sugiro aos lobos que não pensem em seu cronorritmo como uma série de regras contra as quais devem se rebelar, mas como uma lista de constatações absolutas. A gravidade não é uma regra. É uma constatação absoluta. O que acontece quando você se rebela contra a gravidade? Cai de cara no chão. O seu "quando" é uma constatação absoluta. Se obedecer a ele, você vai voar alto.

- **Impaciência.** Os lobos às vezes são sensíveis do ponto de vista emocional e podem reagir de maneira negativa e se culpar quando as coisas não correm bem. É a última coisa que quero que aconteça. O objetivo é organizar a vida deles e torná-los mais felizes, para evitar ansiedade e depressão. Lembre-se de que a mudança vai surgir depois de uma semana de ajuste. Por favor, tenha paciência e dê tempo suficiente para as mudanças positivas ocorrerem e, depois, colha os benefícios.

- **Impulsividade.** Os lobos têm dificuldade em resistir à tentação e costumam tomar decisões espontâneas. Mantenha esse espírito aventureiro dentro dos limites de um cronograma. Por exemplo, uma recomendação é fazer uma caminhada antes e depois das refeições. Seja espontâneo em relação à direção que toma e ao alimento que escolhe, desde que faça a caminhada e coma as refeições no seu biotempo.

CHOQUE DE REALIDADE

O cronograma a seguir é a forma como você deveria organizar seu dia em um mundo ideal. Mas a vida real não é perfeita. Como as situações profissionais estão fora do seu controle, talvez você não consiga seguir o horário ao pé da letra.

Não desanime.

A pior coisa a se pensar é: "Se não posso fazer X, Y ou Z na hora certa, nada disso vai dar certo, então deixa para lá". *Toda* mudança vai resultar em melhorias na sua saúde e felicidade. Não encare isso como "oito ou oitenta". O ideal é fazer tudo, mas, na prática, talvez não seja possível. Então faça o que der para fazer agora. Com o tempo, conforme notar mudanças positivas, talvez você descubra que consegue fazer um pouquinho mais.

O CRONORRITMO DO LOBO

7H ÀS 7H3O

Típico: nas palavras de Ann, "Acordo com o despertador e aperto o botão de soneca duas ou três vezes. Parece que ainda estou sonhando quando saio de baixo das cobertas para começar o dia".

Ideal: Fique à deriva. Programe dois alarmes. O primeiro acorda você. O segundo toca vinte minutos depois. Nesses vinte minutos, fique em um estado semiconsciente e aproveite as últimas ondas de sono REM em que sua mente se consolida e se restaura. Nesse estado de semissonho, você está em seu ápice criativo e pode ter uma ideia brilhante. Quando o segundo alarme tocar, anote ou grave rapidamente tudo que tiver passado pela sua cabeça. Fica a dica: se usar o gravador, fale devagar. Outra vantagem de um relaxamento de vinte minutos: às sete horas, sua temperatura corporal ainda não subiu o suficiente para você se movimentar (lembre-se de que tem um horário ligeiramente diferente do resto do mundo). Esperar na cama vai lhe dar tempo para se esquentar e tornará sua manhã mais suportável. Você pode estar pensando: *não tenho tempo a perder na cama*. Ganhe esses vinte minutos deixando de tomar banho de manhã (mais sobre isso adiante).

7H30 ÀS 8H30

Típico: "Não consigo comer nada de manhã. Só de pensar meu estômago revira."

Ideal: Tome café da manhã. Depois do jejum, seu corpo precisa de energia. Se não lhe der nutrição, ele vai recorrer a outra fonte — seus músculos. Primeiro, beba 350 ml de água para dar partida no seu metabolismo e aquecer sua digestão e seu *core*, ajudando a mantê-lo acordado. Depois coma um pouco de proteína. Um ovo cozido, um shake de proteína ou um copo de iogurte são opções rápidas e práticas. Vários estudos comprovam que um bom café da manhã impede a alimentação excessiva mais tarde.

Não beba café! Seus níveis de cortisol e insulina já estão altos e cumprindo o trabalho deles para fazer você entrar no ritmo. A cafeína só vai deixar você nervoso de manhã, quando seus hormônios de "acordar" fluem. Quer uma prova disso? Ann toma três xícaras e continua zonza por horas, mas diz que tem medo de que, se cortar o café, a confusão mental seja mais longa e forte. Isso de fato pode acontecer por um ou dois dias, mas logo essa sensação passa. A cafeína também suprime o apetite, e os lobos precisam aprender a comer na primeira hora depois de acordar.

8H30 ÀS 9H

Típico: "Meu trajeto de carro é turvo. Parece que estou dirigindo em meio a uma névoa imaginária."

Ideal: Movimente-se. Mesmo se for de carro ou trem para o trabalho, movimente-se um pouco ao ar livre antes. Cinco a quinze minutos de luz solar direta de manhã avisam o cérebro de que é hora de acordar e detêm a produção de melatonina, a causa dessa névoa matinal. O exercício também aquece o corpo e aumenta a circulação de cortisol e adrenalina. Alguns cronotruques para colocar sol e movimento em sua manhã são: estacionar o carro a alguns quarteirões de distância, caminhar até uma estação de metrô mais distante do que a de costume, comprar o jornal na banca, dar uma volta com o cachorro ou simplesmente andar até o fim da rua e voltar. Lembre-se de respirar fundo. Isso ajuda a colocar o corpo em movimento.

9H ÀS 11H

Típico: "Ainda em névoa, mas acordando devagar. Não consigo me concentrar, então só fico bebendo mais café. Leio blogs, respondo e-mails, converso com os amigos e os colegas do trabalho."

Ideal: Consolide. No meio da manhã, as secreções de melatonina cessaram, e sua frequência cardíaca e pressão arterial finalmente subiram. A sonolência se dissipa por volta das dez. Se você comeu no café da manhã e evitou cafeína, deve estar mais produtivo. Como ainda está fora do auge, use o tempo para consolidar e planejar o que vai fazer quando atingir o ápice para botar as mãos na massa. Releia suas anotações e desenvolva algumas ideias. Agora é o momento ideal para organizar seus pensamentos.

Nos fins de semana, quando você tem mais flexibilidade, o meio da manhã é o momento ideal para transar. A testosterona está no ápice diário e a libido é intensa. Como não recomendo dormir até tarde nos fins de semana, uma boa rotina matinal seria acordar às oito, comer às nove, transar às dez, beber café às onze. Não que isso seja possível ou preferível em toda manhã de fim de semana. Pessoas sem filhos ou compromissos não vão querer sair da cama, especialmente se ficaram acordadas até tarde na noite anterior. Mas, embora pareça bom dormir até o meio-dia no domingo, isso vai acabar com seu biotempo nos próximos dias. Faça suas escolhas com total compreensão das consequências.

11H

Típico: "Ainda tentando organizar as ideias."

Ideal: Pausa para o café. Sua liberação matinal de cortisol deslanchou, então a cafeína vai fazer bem agora. Beba café puro. Não há razão para acrescentar açúcar ou leite nem acompanhar com biscoitos ou uma rosquinha. Carboidratos só vão reduzir seu ritmo com um aumento súbito de glicemia e insulina. Uma xícara deve bastar. Se normalmente você já tomou quatro a seis xícaras a essa hora, lembre-se de ver meu vídeo sobre redução de cafeína em <www.thepowerofwhen.com>.

11H15 ÀS 13H

Típico: "Faminta! Sou a primeira a sair para pegar alguma coisa para comer ao meio-dia e escolho qualquer coisa com queijo derretido em cima. Como pulei o café da manhã, pego um cookie de sobremesa."

Ideal: Faça listas e tome um lanche. A vigília mental do lobo está crescendo. Se, a essa hora, você já tiver almoçado, isso vai interferir em sua vigília bioquímica. Cuide das tarefas menores, coisas que não exijam muita concentração ou criatividade, mas que precisam ser feitas. Hidrate-se para adiar um pouco a fome e ser produtivo. Se comer um lanche, que seja de pura proteína, como uma barra de proteína, um mix de nozes ou um iogurte grego. Coma pouco!

13H

Típico: "Muito cheia, porque comi demais e muito rápido."

Ideal: Almoce. Antes de comer, dê uma volta rápida para estimular seu metabolismo. Escolha uma refeição que seja um terço de carboidratos, um terço de proteína e um terço de gordura saudável (uma salada com frango grelhado ou camarão, um sanduíche com apenas uma fatia de pão, uma *fajita*, sushi etc.) para manter seu nível de energia elevado. Um almoço com baixo teor glicêmico prepara você para sua parte mais produtiva do dia, especialmente se trabalha em uma área que exige criatividade. Você vai voltar com tudo e conseguir fazer muita coisa. Se possível, coma com colegas ou amigos. Sua mente está ativa agora, e você vai estar articulado e bem-humorado.

14H ÀS 16H

Típico: "Agora me sinto cansada de novo. Uma queda por causa do açúcar no almoço? Nada que uma quarta xícara de café não resolva."
Ideal: Trabalhe. A jornada de trabalho dos lobos começa de verdade agora. Nas duas primeiras horas depois do almoço você consegue fazer muita coisa, mas ainda não está em seu pico de alerta. Isso só vai acontecer daqui a algumas horas.

16H

Típico: "Agora estou entrando no ritmo."
Ideal: Lanche. Faz três horas desde que você comeu pela última vez e faltam quatro para o jantar. Um lanche vai lhe dar uma forcinha, mas tome cuidado com o tamanho da porção. Comida demais pode causar uma queda de insulina e acabar com sua produtividade vespertina.

16H15 ÀS 18H

Típico: "A essa hora, me sinto alerta e entrando no ritmo, mas o dia está quase no fim. Todo mundo está matando o tempo até a hora de sair, enquanto eu estou só começando. Faço tudo correndo, como se tentasse cumprir um dia inteiro de trabalho em duas horas."

Ideal: Interaja. Seu ritmo de energia está fluindo. Comparado aos seus colegas e amigos leões, golfinhos e ursos que estão diminuindo a marcha, você está com força total no fim do dia e vai sobressair em reuniões e em conversas tête-à-tête. Agora é a hora de os lobos apresentarem ideias aos chefes e colegas.

18H ÀS 19H

Típico: "Estou pulando de um lado para o outro. Será que é um efeito retardado depois de tomar uma garrafa inteira de café? Vou correndo para casa, preparo o jantar e como com as crianças."

Ideal: Exercite-se. Os lobos têm um rompante de energia à tarde. Seu tempo de reação, força muscular, flexibilidade e eficiência cardíaca e pulmonar estão no auge. Use-os. Faça uma longa caminhada. Vá à academia. Passeie com o cachorro ou leve os filhos ao parque.

Entendo que essa é a hora "tradicional" do jantar, mas os lobos precisam vencer essa mentalidade. Não é saudável para eles comer tão cedo. Se você tem filhos, o jantar vai ter que ser em escala. Alimente as crianças primeiro e espere para jantar em um biotempo adequado. Se não tiver filhos, exercite-se em vez de comer. A atividade física é um inibidor de apetite natural. Depois de alguns dias adiando o jantar, seu estômago vai se acostumar, e a fome deixará de ser um problema.

19H ÀS 20H

Típico: "As crianças vão cuidar das coisas delas e meu marido afunda no sofá. Mas eu estou pronta para a diversão. Tento agitar as amigas para beber ou ir ao cinema."

Ideal: Crie laços. Livres, os lobos devem relaxar depois de um treino ao encontrar os amigos, tomar um drinque ou socializar antes do jantar. Lobos com filhos podem ajudá-los com a lição de casa e brincar com eles. Embora possa ser um pouco difícil se concentrar com o fluxo de cortisol, você pode usar sua energia a seu favor, mostrando aos seus entes queridos como gosta deles.

20H ÀS 21H

Típico: "Hora do vinho. Estou ansiosa para esse momento porque me ajuda a acalmar a mente, que começa a ficar a mil à noite."

Ideal: Jante. À noitinha, quando começa a ficar tarde, seus sentidos — especialmente o paladar — estão mais afiados. Jantar mais tarde vai ser mais satisfatório para você e vai evitar lanches noturnos que encham seus pneuzinhos. Tome vinho antes e durante a refeição, mas pare quando terminar de comer, assim você dá ao seu corpo tempo de metabolizar o álcool antes de dormir (beber logo antes de se deitar pode atrapalhar o sono). Ou evite vinho e se hidrate com água.

21H ÀS 23H

Típico: "O vinho me dá fome, então como um ou dois lanchinhos enquanto navego na internet ou converso on-line. Não é atrás de legumes cortadinhos ou frutas que eu vou. Prefiro junk food ou sobras do jantar."

Ideal: Diversão (incluindo sexo). Você vai estar no seu melhor humor do dia, o que torna esse o período ideal para conversas tranquilas e práticas com a família. Sua temperatura corporal está no máximo, deixando você reativo à atividade sexual. O sexo traz benefícios fisiológicos para quase todos os sistemas do corpo e libera hormônios que o aproximam de seu parceiro e deixam você mais feliz por horas. Como é provável que você continue acordado por um tempo depois, vai se beneficiar com esses hormônios em vez de desperdiçá-los durante o sono. A atividade aeróbica vai suprimir a fome, diminuindo suas chances de lanchar de madrugada. Depois do sexo, cuide um pouco da casa. Você vai ter paciência para questões do trabalho, burocracias sociais irritantes e equilíbrio do orçamento.

23H À OH

Típico: "Provavelmente ainda estou na internet, vendo algum programa ou lendo artigos enquanto como. Começo a me preocupar porque deveria ir para a cama logo, mas estou muito ligada."

Ideal: Desconecte-se. O uso de telas envia luz azul para seus globos oculares, suprimindo a liberação de melatonina, e isso mantém você acordado. Então pare de checar o e-mail e desligue todas as telas. Antes de ir para a cama, passe uma hora meditando, lendo e se alongando. Nesse estado meditativo, você terá seu segundo ápice criativo do dia.

Tomar banho à noite não apenas lhe dá vinte minutos de soneca de manhã como também o ajuda a pegar no sono mais rápido. O aquecimento passivo — um banho quente — ajuda a baixar sua temperatura corporal interna e dá o sinal para o cérebro liberar a melatonina, a chave que liga o motorzinho do sono.

OH

Típico: "Deito na cama, ouço meu marido dormir. É estressante não conseguir pegar no sono, e fico preocupada com o dia seguinte."

Ideal: Vá para a cama. Ao ajustar seus horários de alimentação, banho, café, álcool, exercício e uso de aparelhos eletrônicos, você vai conseguir dormir por volta de 0h30min. Pode demorar algumas semanas, mas você consegue.

OH30 ÀS 2H30

Típico: "Olhando para o teto."

Ideal: Entre na fase um, quando ocorre a restauração física. Seu corpo se cura e as células danificadas são reparadas.

2H30 ÀS 5H

Típico: "Provavelmente dormindo, graças ao calmante que tomei uma hora antes."

Ideal: Entre na fase dois. A metade da noite de sono é quando o corpo e o cérebro têm um repouso sem complicações.

5H ÀS 7H

Típico: "Finalmente num sono profundo, logo antes de ter que acordar."

Ideal: Entre na fase três. Durante a última parte da noite, você vai receber a maior parte do sono REM. A restauração do cérebro e a consolidação da memória acontecem agora. Se o sono for adiado no começo da noite, você não vai receber sono REM suficiente no final, limitando seus benefícios criativos e as horas totais de restauração e organização do cérebro.

VÁ COM CALMA

Parecem muitas mudanças, e de fato são. Mas, ajustando seus horários devagar e fazendo uma ou duas pequenas mudanças por semana, vai conseguir incorporá-las e internalizá-las em sua vida mais naturalmente. Você vai notar melhorias significativas na qualidade de vida em apenas um mês se continuar firme nas mudanças semana após semana.

SEMANA UM

Coma no café da manhã.

Tome cinco a quinze minutos de sol diretamente na primeira hora depois de acordar.

Diminua a quantidade de café no período da manhã. Assista a um vídeo explicativo em <www.thepowerofwhen.com>.

SEMANA DOIS

Continue com as mudanças da semana anterior.

> Adie a cafeína para as onze da manhã, no mínimo.
>
> Adie o jantar para as dez da noite.
>
> **SEMANA TRÊS**
>
> Continue com as mudanças da semana anterior.
>
> **Transfira o banho da manhã para o fim da noite.**
>
> **Faça bom uso do seu tempo matinal planejando o dia que vem pela frente.**
>
> **SEMANA QUATRO**
>
> Continue com as mudanças da semana anterior.
>
> **Exercite-se à noite.**
>
> **Desligue todos os aparelhos eletrônicos às onze da noite.**

CRONOGRAMA DO LOBO

7h: Acordar com o primeiro alarme. Fique vinte minutos na cama até o segundo alarme. Quando levantar, anote rápido ou grave todas as ideias.

7h30 às 8h: Vestir-se. Hora da rotina matinal.

8h: Café da manhã com alto teor de proteína. Pegar dez minutos de luz direta do sol. Nada de beber café!

8h30 às 9h: Sair para tomar sol. Uma curta caminhada até o carro ou trem vai ajudar você a acordar.

9h às 11h: Use a manhã para se organizar. Suas horas de ápice ainda estão por vir, então se prepare agora para as horas produtivas que virão mais tarde.

11h: Pausa para o café, nada de lanchinhos. Carboidratos vão reduzir seu ritmo.

11h15 às 13h: Tire do caminho todas as tarefas que não exijam muita concentração ou criatividade.

13h: Almoço equilibrado. Seu cérebro e seu dom da palavra estão afiados a essa altura. No almoço com os colegas, você vai ser expressivo e encantador.

14h às 16h: Enfrente as tarefas difíceis que exijam concentração.

16h: Lanche de 250 calorias com 25% de proteínas e 75% de carboidratos.

16h15 às 18h: Aproxime-se e interaja com os outros. Enquanto a energia deles está caindo, você está bem acordado e alerta. Aproveite e faça reuniões, dê telefonemas e envie e-mails.

18h às 19h: Exercite-se enquanto seu corpo está aquecido, assim terá bom desempenho e se protegerá contra lesões.

19h às 20h: Happy hour depois do trabalho, momento de socialização com os amigos antes do jantar. Hora da lição de casa com os filhos. Você está disposto a tudo agora, então aproveite.

20h às 21h: Jantar. Ao adiar a refeição para esse horário, você só vai atacar a geladeira mais tarde. Os carboidratos vão ajudá-lo a relaxar para dormir.

21h às 23h: Melhor humor do dia e hora da diversão (incluindo sexo!).

23h: Desligue todas as telas. Relaxe, medite, leia, alongue-se, tome um banho quente.

0h: Vá para a cama.

PARTE DOIS
CADA COISA EM SEU TEMPO

Esta seção é um guia para aproveitar o poder do quando a fim de obter o melhor desempenho em diversas categorias — relacionamentos, atividade física, saúde, sono, comes e bebes, trabalho, criatividade, dinheiro e lazer. Em cada capítulo você vai encontrar atividades específicas. Estão todas bem separadinhas, então sinta-se livre para ler tudo ou ir direto ao que mais interessa. Qualquer que seja a forma como leia as informações, elas vão fazê-lo repensar o momento de cada coisa em sua vida.

6. Relacionamentos

APAIXONAR-SE

Fracasso: Não conseguir encontrar, firmar e manter a intimidade romântica.

Sucesso: Procurar, consolidar e sustentar a intimidade romântica.

CIÊNCIA BÁSICA

Vou detonar o romantismo aqui, mas a verdade é que se apaixonar é um processo bioquímico. Vamos dar uma olhada nele:

O **ritmo de atração** se dá quando você sente a emoção repentina de um novo amor. Pode acontecer a qualquer momento. Na verdade, está bem debaixo do nosso nariz. Os feromônios são hormônios inodoros que homens e mulheres exalam. Não conseguimos detectá-los da mesma maneira que inspiramos o aroma de uma rosa ou de uma laranja, mas essas substâncias entram pelo nariz e vão direto para o cérebro. Pode-se chamar de "amor à primeira olfação". Se uma pessoa específica responde ao feromônio característico de outra, isso constitui atração sexual. É possível se apaixonar pela aparência de alguém que está do outro lado da sala, mas, até essa pessoa entrar em seu campo de olfato, não há como saber se existe "química" (atração feromônica) entre vocês.

Essa atração pode ser afetada pelo biotempo. Segundo um estudo da Universidade do Texas, em Austin, os homens conseguem detectar a fertilidade de uma mulher apenas pelo olfato.[1] Pesquisadores pediram que as mulheres dormissem com camisetas por três noites consecutivas durante a ovulação, e com uma camiseta diferente nas três noites fora da ovulação. Depois, pediram que os homens cheirassem as camisetas. Eles descreveram as vestidas pelas mulheres que estavam ovulando como mais "agradáveis" e "sexy" do que as outras. Portanto, mulheres, um aspecto importante do ritmo de atração é não usar perfume ou produtos de banho aromatizados durante a ovulação.

Não estou sugerindo que a aparência não seja importante. Ela importa, mas não da maneira como você pensa. A expressão facial mais sexualmente atraente é a bondade. Em um estudo chinês de 2014, pesquisadores mostraram fotos para 120 participantes (metade homens e metade mulheres) e pediram que avaliassem as imagens em graus de atratividade.[2] As fotos de pessoas com aparência bondosa e positiva foram avaliadas como mais atraentes do que aquelas que não transmitiam essas características. Os pesquisadores batizaram de efeito auréola esse fenômeno de ver "beleza na bondade".

O que isso implica em termos de atratividade e biotempo? **Procure novos parceiros quando estiver de bom humor.**

- **Golfinhos** estão de bom humor à tarde e no começo da noite.

- **Leões** estão de bom humor de manhã e no começo da tarde. (O pior humor de um leão costuma ser melhor do que o bom humor dos outros tipos. Portanto, o mau humor para eles não é tão terrível.)

- **Ursos** ficam de bom humor do meio da tarde até o começo da noite.

- **Lobos** estão de bom humor do fim da tarde até a noite.

Dá para ver por que se encontrar para jantar virou um costume. A maioria dos cronotipos está de bom humor mais perto do fim do dia.

O **ritmo de afeição** se dá quando você se sente mais carinhoso e está mais motivado a tocar e ficar próximo de seu parceiro. Ele envolve diversos hormônios, incluindo dopamina, serotonina, vaso-pressina e, mais importante, oxitocina. Nos primeiros estágios do relacionamento, quando os casais ficam juntinhos, de mãos dadas, se abraçam e se beijam o tempo todo, a oxitocina flui feito um rio. Segundo um estudo israelense de 2012, pesquisadores mediram os níveis de oxitocina em sessenta casais três meses depois do início de seus relacionamentos e os compararam com 43 solteiros.[3] Os níveis de oxitocina dos casais eram muito mais elevados do que os dos sol-teiros. O aumento nos níveis desse hormônio estava correlacionado com o afeto positivo (felicidade geral) dos pombinhos, bem como com sua ansiedade a respeito do relacionamento. O ponto é que, quando você ama muito, também se preocupa muito com seu par-ceiro e com o caminho que o relacionamento está tomando. Por fa-lar nisso...

O **ritmo de comprometimento** se dá quando você tem um laço duradouro com seu parceiro, e isso pode ser medido no sangue. Os pesquisadores israelenses voltaram a testar os casais que estavam jun-tos seis meses depois (cerca de metade deles) e verificaram que seus níveis de oxitocina não haviam reduzido. A chefe da pesquisa, Ruth Feldman, afirmou à *Scientific American* que "a oxitocina pode induzir atos carinhosos, mas praticar e recebê-los também promove a libera-ção de oxitocina, gerando mais carinho". O ritmo de comprometi-mento é um ciclo de respostas positivas que começa com a atração e é reforçado diariamente pelo afeto. Sempre que possível, demonstre afeto físico e expressões bondosas ao seu parceiro para manter a cha-ma do amor acesa.

RESUMO RÍTMICO

Ritmo de atração: Quando você se sente atraído e tem um novo interesse amoroso, graças aos feromônios e ao efeito auréola.

Ritmo de afeição: Quando você sente um desejo intenso de ficar fisicamente próximo ao parceiro novo, graças à elevação dos hormô-nios do amor.

Ritmo de comprometimento: Quando você sente que tem um laço duradouro com um parceiro, graças ao fluxo contínuo dos hormônios do amor.

A PIOR HORA PARA SE APAIXONAR

11h às 14h. Os níveis matinais de oxitocina, testosterona e dopamina já se reduziram a essa altura (mesmo para os lobos). Para todos os cronotipos, o afeto positivo é mais baixo no auge da jornada de trabalho. Encontros no almoço podem ser uma ótima forma de encontrar e conhecer alguém, mas é no jantar que se sentirá atração.

A MELHOR HORA PARA SE APAIXONAR

Golfinho: 20h. Com o prazer que vem depois de um jantar com alto teor de carboidratos, que elevam a serotonina, e depois do sexo, que libera oxitocina.

Leão: 7h. Depois do sexo matinal.

Urso: 16h. Com o prazer que vem depois de um cochilo, ao vibrar de afeto positivo.

Lobo: 23h. Com o prazer que vem depois de um jantar, que eleva a serotonina, e do sexo, que produz oxitocina.

LIGAR PARA UM AMIGO

Fracasso: As ligações caem na caixa postal e não são retornadas e/ou você entra em contato os amigos quando eles não estão no clima ou não têm tempo para conversar.

Sucesso: Entrar em contato com os amigos quando eles estão disponíveis e dispostos a bater papo.

CIÊNCIA BÁSICA

Ligar para um amigo parece simples. Você disca o número ou pede para a Siri fazer isso por você. Seu amigo atende — já que o telefone está na mão dele ou perto — e vocês têm uma linda conversa. Vocês fazem planos ou trocam ideias, novidades e pensamentos e depois desligam se sentindo amados e compreendidos.

Mas nem sempre é assim que funciona. Quantas vezes você já não ligou para alguém e, em vez de ouvir aquela voz amigável, recebeu uma resposta automática do tipo: "Não posso falar agora. Ligo para você depois"? Saber ou desconfiar que foi ignorado pode deixar você se sentindo rejeitado ou negligenciado.

Como criaturas sociais, precisamos estabelecer relações. Somos feitos para buscar e ligar nossa vida à dos outros para sobreviver. Hoje em dia, não nos reunimos mais para caçar comida, mas precisamos fortalecer as amizades para fugir da solidão, que pode ser a causa de depressão, transtornos do sistema imunológico e inflamações causadoras de doenças.[4]

Trocar mensagens, o meio de contato preferido dos jovens, é um péssimo substituto para a interação presencial. A interação por voz é a segunda melhor, com a riqueza de tons e nuances. Nada reafirma mais a amizade do que ouvir o som das risadas sua e de seu amigo juntas.

Então, qual é o melhor momento para ligar e garantir uma boa dose de interação positiva? O primeiro fator a se considerar é o **ritmo de disponibilidade**. Quando seus amigos estão livres para bater papo? De acordo com uma pesquisa de 2013 da Escola de Negócios Marshall da Universidade do Sul da Califórnia, a grande maioria dos 554 profissionais estudados considera inapropriado atender o celular durante uma reunião formal ou informal.[5] Olhar as chamadas recebidas, pedir licença para atender uma ligação e até mesmo levar o celular a uma reunião foram consideradas atitudes desrespeitosas e incômodas. A geração Y ficou três vezes mais propensa a achar que não há mal em olhar o celular ou receber ligações no trabalho em comparação aos profissionais acima de quarenta anos (ou seja, os patrões), uma situação que pode ter graves consequências para as carreiras dos jovens. **Se** quiser ser um bom amigo, não coloque ninguém em uma situação constrangedora ligando durante o horário comercial.

Não ligue para a mãe de um recém-nascido quando ela ou o bebê talvez estejam cochilando. Não ligue para um estudante quando for provável que esteja estudando para uma prova no dia seguinte. Não ligue entre as seis da tarde e as nove da noite, quando a maioria das pessoas está jantando. E não ligue durante os programas ou jogos favoritos do seu amigo. É simplesmente irritante.

Existe também um **ritmo de intimidade** para ligar para as pessoas. Num estudo da Universidade Cornell, pesquisadores examinaram não apenas quando as ligações eram feitas, mas para quem, e concluíram que, quanto mais tarde era feito o telefonema, mais íntima era a relação.[6] Os indivíduos estudados telefonaram tarde da noite para amigos próximos e para aqueles em quem tinham interesses românticos. Na realidade, ligar tarde é uma maneira subconsciente de sinalizar que você considera o relacionamento especial. Se ligar para alguém durante o dia, a percepção inconsciente será de que você tem um objetivo, como planejar alguma coisa ou trocar informações necessárias. Se ligar depois que o sol se põe, a mensagem implícita será de que quer contar alguma história e ter um diálogo mais íntimo e profundo. Uma ligação para bater papo às 14h pode parecer, mesmo que subconscientemente, estranha ou invasiva.

Por fim, tente usar o **ritmo de ligação do biotempo**, que envolve ajustar seus horários de ligação aos cronotipos diferentes. Ligar para um leão às dez da noite seria o mesmo que ligar para um lobo às duas da tarde ou um urso à meia-noite. Você tem de ser *muito íntimo* do seu amigo para esperar que ele converse com você quando está quase dormindo. O mesmo vale para ligar cedo demais. Se você é um leão, pode estar acordado às seis da manhã e ansioso para saber das novidades. Mas e seus amigos ursos e lobos? De jeito nenhum. O estudo da Cornell também deu atenção às preferências de fazer telefonemas de cada cronotipo e confirmaram que **tipos matutinos estão mais motivados para ligar para os amigos e se relacionar socialmente durante o dia, ao passo que tipos vespertinos fazem isso à noite.** Se você pretende falar com uma pessoa quando ela estiver disposta a conversar, pense no cronotipo dela em vez de no seu. Obviamente seu cronorritmo também importa, então pense no que pretende obter com seu telefonema. Se deseja uma conversa leve e divertida, ligue quando estiver um pouco cansado ou mais à noite. Para conversas importantes que exijam concentração, ligue na hora do almoço ou no meio da tarde, quando todos os cronotipos estão mais alertas.

RESUMO RÍTMICO

Ritmo de disponibilidade: Quando é mais provável que a pessoa terá tempo e atenção para atender a uma ligação, com base no cronograma profissional e familiar dela.

Ritmo de intimidade: Quando se deve ligar para alguém, com base na profundidade e intimidade da relação.

Ritmo de ligação do biotempo: Quando se deve entrar em contato, de acordo com o cronotipo da pessoa que recebe a ligação.

A PIOR HORA PARA LIGAR PARA UM AMIGO

9h às 15h; 18h às 21h. Não faça ligações pessoais durante os horários de trabalho ou aula. Se precisa entrar em contato com algum amigo em horário comercial, mande mensagem. Além disso, não ligue na hora do jantar, quando a pessoa talvez esteja passando um tempo com a família ou tenha saído para um encontro.

A MELHOR HORA PARA LIGAR PARA UM AMIGO

Se o seu objetivo é fazer ligações que estreitem os laços pessoais, a pergunta a ser feita é: "Quando seu amigo vai estar mais disposto a ouvir o que você tem a dizer?". Para isso, não se baseie no *seu* cronotipo, e sim no de seu interlocutor. Se seu amigo é um...

Golfinho: 21h às 22h.

Leão: 7h às 10h.

Urso: 20h às 22h.

Lobo: 21h às 23h.

A MELHOR HORA PARA LIGAR PARA PAIS E AVÓS

Para todos os cronotipos, a resposta é: a qualquer hora.

Como pai e psicólogo, aconselho ligar para seus parentes idosos sempre que for conveniente durante suas horas acordado. Não se preocupe com a disponibilidade. O foco é a frequência.

Idosos socialmente isolados estão entre as pessoas mais vulneráveis na sociedade. Tirando o óbvio, como a deterioração cognitiva e a morte, eles correm mais riscos de ter doenças cardiovasculares e infecciosas do que os outros. A solidão entre os idosos aumenta o risco de doença cardíaca, pressão alta e elevados níveis de cortisol, uma reação intensificada pelo estresse e pela depressão. Um estudo da University College of London acompanhou 6500 adultos a partir dos 52 anos de idade no decorrer de sete anos e descobriu que indivíduos isolados e solitários tinham o dobro de chances de morrer do que aqueles que recebiam telefonemas e visitas frequentes de parentes e amigos.[7] Os motivos? Talvez idosos solitários não se cuidem ou sintam consequências físicas desencadeadas pela dor psicológica. Provavelmente os dois. Não quero persuadir você pela culpa, mas ligar para os parentes mais velhos e perguntar a eles como estão pode salvar vidas.

Segundo o estudo sobre o uso de celular da Universidade Cornell já mencionado, as pessoas têm menos chances de ligar para a família à noite, quando preferem conversar com amigos próximos. A teoria é que os relacionamentos familiares não são tão frágeis quanto as amizades. Você pode ligar para seus pais ou avós quando quiser, inclusive durante o dia. Isso é ótimo para os idosos. Aos 65 anos, a maioria da população entra em um biotempo de leão ou golfinho (mais sobre esse tema em "Cronolongevidade", na p. 344) e tende a acordar cedo, jantar cedo e ir para a cama cedo. É melhor também checar cedo como eles estão.

BRIGAR COM O PARCEIRO

Fracasso: Discussões destrutivas que não resolvem conflitos mas enchem você de amargura e ressentimento.

Sucesso: Discussões construtivas que resolvem conflitos e fortalecem a relação.

CIÊNCIA BÁSICA

Casais ou amigos próximos nem sempre concordam — e nem deveriam. Todo par de pessoas diferentes tem opiniões diferentes. Discutir com o parceiro é parte inevitável da vida. Você pode fazer isso de forma saudável, com uma comunicação aberta, honesta, justa e com o compromisso de resolver o conflito e ceder. Ou pode gritar, espernear, jogar acusações na cara e soltar farpas. A hora do dia em que começa uma briga vai influenciar se essa discussão acalorada deixa seu relacionamento mais forte ou se abala a união de vocês.

A primeira e mais importante dica temporal: não comece uma briga a menos que tenha tido uma boa noite de sono. Chame isso de **ritmo de privação de sono** — o ritmo do "você está exagerando". Num estudo da Universidade de Tel Aviv, os pesquisadores observaram o cérebro de indivíduos privados de sono através de ressonâncias magnéticas e eletroencefalogramas durante a realização de tarefas cognitivo-comportamentais.[8] Os resultados mostraram que, quando privados de sono, a capacidade dos indivíduos de controlar sua reatividade emocional era menor. Coisas que deveriam ser registradas em sua mente como "neutras" eram registradas como "negativas". Nada de bom sai de uma discussão entre duas pessoas exaustas. É melhor guardar o assunto até que vocês estejam mais descansados.

E o **ritmo de resolução** — o ritmo de "não vá para a cama brigado"? Esse ditado deveria ser alterado para "não discuta antes de dormir". Durante o sono profundo, o cérebro consolida a memória. Se você tiver uma grande briga aos berros à meia-noite e depois cair no sono, seu cérebro vai consolidar as emoções negativas da briga durante a noite *mesmo se vocês tiverem feito as pazes antes.* Em um estudo da Universidade de Massachusetts foram registradas as reações de 106 homens e mulheres depois que foram expostos a imagens que os incitavam emocionalmente— de perturbadoras a positivas — e, na sequência, testadas a memória e as reações emocionais deles quando viram as mesmas imagens pela segunda vez depois de uma boa noite de sono ou de um dia inteiro acordados.[9] As respostas emocionais negativas às imagens perturbadoras foram mais fortes nos indivíduos que haviam dormido à noite do que naqueles que tinham ficado acordados. Perder uma noite de sono por causa da briga pode ser melhor do que brigar, resolver a questão e só depois mergulhar num sono profundo. Não me entenda mal. Não estou aconselhando a brigar a noite inteira. O ideal é discutir (ou ter uma conversa produtiva) no começo da noite e resolver o conflito três horas antes de ir para a cama, dando a você tempo suficiente para ter outras experiências e memórias antes de dormir.

O **ritmo do humor**, ou o ritmo de "por que isso agora?", pode prever o resultado de uma discussão antes que você solte a primeira bomba. Todos entendemos que o humor, em um sentido não clínico — isto é, como você se sente em determinado momento —, é fluido. O humor muda no decorrer do dia com base no que acontece, mas também com base no seu biotempo. Segundo um estudo de 2014 feito na Universidade de Varsóvia, na Polônia, o crono-humor pode ser medido de maneira precisa usando-se um modelo tridimensional.[10] A primeira dimensão é a "excitação enérgica", ou seja, se você está enérgico ou cansado. A segunda é a "excitação tensa", isto é, se está nervoso ou relaxado. A terceira é o "tom hedônico", ou se seu humor é agradável ou desagradável. Os pesquisadores poloneses olharam para os turnos diurnos dos três marcadores de humor das oito da manhã às oito da noite de quase quinhentos homens adultos.

Os níveis de energia dos indivíduos matutinos começavam altos, atingiam o ápice no meio do dia e então começavam a cair drasticamente até a noite. Eles eram mais relaxados ao longo do dia do que os tipos vespertinos, e sua tensão chegava ao ápice ao cair da noite. A agradabilidade deles também começava mais alta do que a dos tipos noturnos, e mudava apenas ligeiramente com o passar do dia, atingindo o melhor humor por volta das dez da manhã e o pior humor (embora fosse melhor do que o dos tipos vespertinos) às seis da tarde. Em suma, ficavam cansados, tensos e mal-humorados do fim da tarde até o meio da noite. **Não chacoalhe a jaula de um leão entre as três e as seis da tarde.**

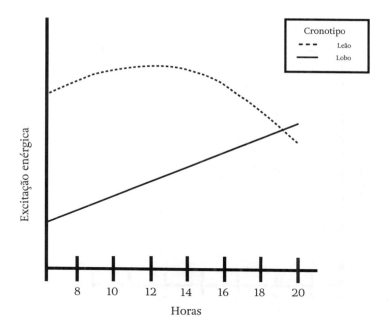

Os níveis de energia dos leões começam altos e caem gradualmente até a hora de dormir. Os níveis de energia dos lobos começam baixos e só atingem seu ápice muito depois que os leões já foram para a cama.

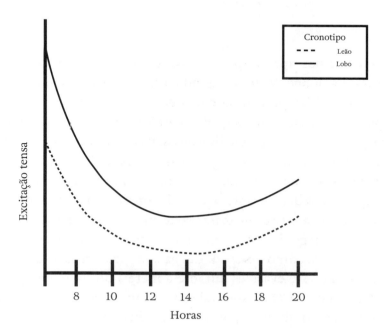

Os níveis de ansiedade ou tensão dos leões começam e continuam mais baixos que os dos lobos durante o dia todo.

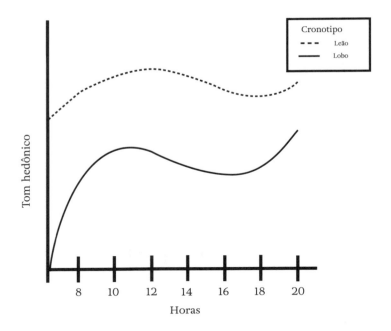

O tom hedônico dos leões — quão agradável está o humor — começa e continua mais alto que o dos lobos durante o dia todo. O humor dos lobos flutua mais do que o dos leões, que são mais estáveis emocionalmente.

A energia dos tipos vespertinos começava baixa e subia de maneira contínua ao longo do dia, atingindo o ápice à tarde. Eles começavam em um nível de tensão mais alto do que os tipos matutinos, atingindo um ápice de relaxamento às quatro da tarde, e voltando a subir até à noitinha. Seu nível de agradabilidade oscilava durante o dia, com uma baixa às oito da manhã e outra queda às seis da tarde, além de picos ao meio-dia e às oito da noite. Em resumo, os lobos ficam cansados, tensos e mal-humorados durante o dia todo, mas o pior humor deles é de manhã. **Não corra o risco de gritar com um lobo de manhã.**

Por sua vez, golfinhos e ursos são avessos a conflitos e tendem a evitar brigas o máximo possível. Chega a ser frustrante o quanto eles parecem distantes e evasivos durante a inércia do sono, que pode seguir manhã adentro. O mesmo vale para os ursos em queda de energia vespertina após o almoço, por volta das duas da tarde. **Não arranje** briga com um golfinho ou com um urso antes das quatro da tarde, ou vai parecer que você está brigando sozinho.

O **ritmo de autocontrole**, ou "não consigo me controlar", gira em torno da capacidade comportamental de pensar a longo prazo e colocar de lado a emoção do momento, ou simplesmente dizer tudo que vem à mente sem pensar nas consequências futuras: "Eu não tenho filtro". Leões, golfinhos e ursos têm níveis mais baixos de impulsividade e são mais voltados para o futuro[11] do que os lobos, mas eles também são vulneráveis a dizer coisas irremediáveis quando estão fora de seu ápice. Os lobos, por outro lado, são sempre menos propensos a morder a língua e dizem o que for preciso para vencer uma discussão *imediatamente*. Quando os lobos estão fora de seu ápice (manhã e meio da tarde), podem estar mais mal-humorados, mas também são menos ácidos e articulados. Quando estão no seu ápice e procurando briga, fuja.

RESUMO RÍTMICO

Ritmo de privação do sono: Quando suas emoções estão confusas pela falta de repouso adequado.

Ritmo de resolução: Quando se deve resolver uma briga para que ela não persista em sua mente.

Ritmo de humor: Quando o humor afeta suas chances de entrar numa briga, bem como a intensidade dela.

Ritmo de autocontrole: Quando os cronotipos conseguem ou não se controlar para não dizer algo de que vão se arrepender.

A PIOR HORA PARA BRIGAR COM O PARCEIRO

23h. Brigar antes de dormir, quando você e seu parceiro estão cansados e, portanto, sensíveis demais — no caso de leões e ursos, em pontos baixos de humor —, não é uma boa ideia. Mesmo se vocês fizerem as pazes antes de apagar a luz, dormir logo depois de uma briga vai consolidar as emoções negativas na sua mente. É melhor ter uma discussão construtiva no fim da manhã ou no começo da tarde.

A MELHOR HORA PARA BRIGAR COM O PARCEIRO

Golfinho: 19h. Os golfinhos são avessos a conflitos e bons ouvintes. Espere até depois do jantar deles, com alto teor de carboidratos, porque vão concordar com tudo o que você disser.

Leão: 9h. Os leões estarão alertas, analíticos e com vontade de resolver as coisas, embora nem sempre sejam bons ouvintes.

Urso: 17h. Os ursos podem não entender o porquê da briga, mas vão estar mais dispostos a ceder quando estiverem de bom humor.

Lobo: 20h. Os lobos estão bem acordados e com uma articulação afiada a essa hora, mas também estão em seu melhor humor do dia. Aja com cautela.

Tabela de compatibilidade da briga com o parceiro

Para uma discussão produtiva que gere resolução positiva:

Você	Parceiro golfinho	Parceiro leão	Parceiro urso	Parceiro lobo
Golfinho	19h	19h	17h	19h
Leão	19h	9h	15h	17h
Urso	17h	15h	17h	17h
Lobo	19h	17h	17h	20h

"A VANTAGEM DE BRIGAR MENOS?"

"Dei muita risada quando o dr. Breus me falou que os lobos falam tudo sem pensar durante uma briga", disse **Ann, a loba.** "Faço exatamente isso! Quando começo, sai cada coisa maluca da minha boca. Sempre me sinto mal depois, com vontade de retirar tudo. Mas, então, quando meu marido — um urso, diga-se de passagem — e eu começamos de novo,

> jogo tudo na cara dele. Fico mais grosseira à noite, quando tenho mais energia, já sabia disso. Meu marido está totalmente relaxado nesse horário, e essa discrepância é uma das coisas que nos faz brigar. Fico brava quando ele não tem energia para conversar, sair ou decidir coisas da casa, e ele fica bravo comigo por ficar enchendo o saco. Assim que ele diz 'encher o saco', é como se ligasse uma sirene na minha cabeça. Então decidimos que ele precisa respeitar o meu biotempo, e eu, o dele. Não vou encher o saco do meu marido para ele fazer coisas enquanto estiver relaxando e ele não vai dizer que eu encho o saco — nunca, jamais. Vamos fazer nossas coisas no nosso próprio biotempo e ter nossas 'discussões produtivas' apenas à tarde. Por enquanto, está dando certo! Como dedico minha energia à noite para escrever (algo que sempre quis fazer), não fico mais brava com ele. A vantagem de brigar menos? Mais sexo."

TRANSAR

Fracasso: Ter uma vida sexual insatisfatória ou inexistente.

Sucesso: Ter sexo satisfatório e frequente, que proporcione enormes benefícios à saúde.

CIÊNCIA BÁSICA

Por que os humanos decidiram adotar a prática de transar na hora de ir para a cama, se é justamente "onde" e "quando" deveríamos estar inconscientes?

Um argumento é que sexo ajuda a dormir. Não existem muitas evidências científicas para apoiar essa ideia. Como especialista em medicina do sono, posso atestar o fato de que deitar na cama à noite e apagar a luz já causa sono por si só. Fazer quinze ou trinta minutos de sexo é indiferente. A melatonina se eleva assim que as luzes se apagam. Transar com as luzes acesas pode adiar o início do sono nas mulheres. Fazer amor quando se está lutando contra o sono não aumenta a intimidade entre os casais. No caso de golfinhos e lobos, a excitação física na hora de dormir provoca a vigília e causa insônia. Você vai ficar olhando para o teto e ouvindo os roncos do seu parceiro.

Em um estudo recente sobre sexualidade, quando se perguntou aos indivíduos por que eles faziam sexo em determinada hora, o **ritmo de conveniência** — eles já estavam na cama, o parceiro estava livre e o sexo não interferia no horário de trabalho — representou 72% das relações sexuais.[12] Apenas 28% das relações aconteciam porque os indivíduos sentiam desejo. E por que alguém sentiria desejo entre as onze da noite e a uma da manhã, quando a vasta maioria dos indivíduos transa? É nesse período que a frequência cardíaca está lenta e a melatonina deixa você com sono. Seu corpo não está preparado para *nenhuma* atividade física nesse momento, muito menos sexo. Recusar seu parceiro noite após noite por exaustão ou falta de desejo pode causar mágoas e distanciamento emocional. Transar por transar também não gera um sentimento amoroso. O sexo sem energia definitivamente não fortalece seu desejo nem faz você querer mais.

Embora estejamos condicionados a associar sexo com a hora de dormir, o **ritmo de desejo** atinge seu ápice de manhã, quando a testosterona tanto em homens como em mulheres está no ponto mais alto (o ponto mais baixo se dá na hora de dormir). As fantasias sexuais ocorrem majoritariamente durante a noite e de manhãzinha, graças ao aumento da testosterona, e esse é o motivo por que a maioria dos homens acorda com ereção.[13] O sexo ao acordar vai impulsionar seu dia, encher você de energia, reduzir o estresse e a ansiedade e inundar seu cérebro de hormônios de amor e felicidade durante horas. Não à toa, a criatividade também está intensificada nesse momento. Você vai ter todo tipo de ideias novas e prazerosas para um desempenho melhor e maior satisfação.

Um bom sexo, quando o desejo está no ápice e você está física e mentalmente alerta, tem enormes benefícios emocionais e à saúde. Um **ritmo de pós-orgasmo** saudável aumenta a circulação, oxigena todo o corpo e dá uma sensação de bem-estar. Os anticorpos liberados durante o sexo fortalecem o sistema imunológico, prevenindo e curando doenças de pouca gravidade. O orgasmo libera oxitocina, que melhora o humor e aumenta a sensação de proximidade com o parceiro durante o dia todo. Quando os níveis de oxitocina se elevam, os de cortisol declinam. Eles ficam em lados opostos da gangorra. Mais sexo, menos estresse — e menos problemas de saúde associados ao estresse, como obesidade, doenças cardíacas e transtornos de humor. O benefício químico do sexo — essa sensação de amor — muitas vezes é dissipado quando se dorme depois de transar. No caso de golfinhos e lobos, porém, que ficarão acordados pelo menos até meia-noite, o sexo noturno pode promover o relaxamento e reduzir o estresse.

E o **ritmo de masturbação**? Afinal, você não precisa de um parceiro para ter sexo. De fato, segundo uma pesquisa norte-americana, 94% dos homens e 85% das mulheres se masturbam, tenham ou não um parceiro.[14] Para mais benefícios hormonais, masturbe-se no biotempo, quando o desejo está no ápice (seis horas da manhã no caso dos leões, oito no caso dos ursos e dez no caso dos lobos) ou quando você precisa reduzir o estresse ou alavancar seu humor (de manhãzinha para os lobos, no começo da tarde para os ursos e no fim da tarde para os leões). E os golfinhos? Para reduzir os níveis de cortisol, masturbe-se uma ou duas horas antes de ir para a cama, por volta das oito horas da noite.

RESUMO RÍTMICO

Ritmo de conveniência: Quando os casais fazem sexo simplesmente por estarem à toa e na cama.

Ritmo do desejo: Quando os níveis de testosterona estão no ponto mais alto, intensificando o desejo.

Ritmo do pós-orgasmo: Quando a oxitocina e outras substâncias químicas estão fluindo pós-sexo e dão sensação de bem-estar.

Ritmo de masturbação: Quando você precisa se virar sozinho.

A PIOR HORA PARA TRANSAR

23h à 1h, quando metade das relações sexuais ocorre.

A MELHOR HORA PARA TRANSAR

Golfinho: 20h.

Leão: 6h às 7h.

Urso: 7h ou 21h.

Lobo: 10h ou 22h30.

CHOQUE DE REALIDADE

O biotempo do sexo nem sempre é compatível com a sua vida. A menos que você tenha um escritório muito recluso, dar uma rapidinha ou se masturbar às dez da manhã não é aconselhável para os lobos. Você pode estar tão acostumado a transar logo antes de dormir que a ideia do sexo matinal talvez pareça desagradável. Ou você pode até adorar a ideia de sexo matinal, mas acha que não consegue encaixá-lo em sua agenda. Tudo bem. Não há por que se preocupar. Saiba apenas que o sexo pode ser mais satisfatório e saudável em determinados horários, o que não significa que não seja satisfatório ou saudável em outros horários. Ninguém deve fazer menos sexo simplesmente por se sentir obrigado a seguir o cronorritmo. A espontaneidade é tão importante quanto a testosterona — se não for mais. Quando estiver a fim, vá em frente.

Tabelas de compatibilidade sexual entre os cronotipos

As três tabelas a seguir — uma para casais heterossexuais, uma para casais de homens homossexuais e outra para casais de mulheres homossexuais — se baseiam em um estudo de pesquisadores da Universidade de Varsóvia com 565 indivíduos entre dezoito e 57 anos de idade.[15] Os horários da tabela são **horários de preferência de sexo com base no desejo, e não na conveniência.** A distinção mais importante é que mulheres de todos os cronotipos sentem um impulso sexual mais forte entre as seis da tarde e a meia-noite, e apenas as leoas relatam forte desejo sexual de manhãzinha. Por outro lado, homens de todos os cronotipos sentem forte desejo sexual de manhã e à noite. Até os homens lobos estavam a fim às nove da manhã. Mesmo exaustos, homens leões fariam sexo à meia-noite.

Na tabela heterossexual, coloquei a noite como opção número um, porque, se é igualmente interessante para os homens fazer sexo de manhã ou à noite, eles bem que podem ceder à preferência da mulher à noite. Como os homens tendem a preferir sexo matinal, a tabela de casais gays inclui horários matinais; o contrário se aplica à tabela de casais lésbicos, com exceção das leoas.

Casal heterossexual	Homem golfinho	Homem leão	Homem urso	Homem lobo
Mulher golfinho	8h/ 20h	7h/ 20h	8h/ 22h	9h/ 20h
Mulher leoa	7h/ 19h	6h/ 18h	7h/ 20h	8h/ 19h
Mulher ursa	7h30/ 20h	7h30/ 21h	7h30/ 22h	8h/ 22h30
Mulher loba	9h/ 21h	9h/ 21h	9h/ 22h	23h

Casal de homens homossexuais	Golfinho	Leão	Urso	Lobo
Golfinho	8h/ 20h	7h/ 20h	8h/ 22h	9h/ 22h
Leão	7h/ 20h	6h/ 18h	7h/ 21h	9h/ 21h
Urso	8h/ 22h	7h/ 21h	7h30/ 22h	10h/ 23h
Lobo	9h/ 22h	9h/ 21h	10h/ 23h	11h/ 23h

Casal de mulheres homossexuais	Golfinho	Leoa	Ursa	Loba
Golfinho	20h	8h/ 20h	21h	22h
Leoa	8h/ 20h	6h/ 18h	7h/ 21h	9h/ 21h
Ursa	21h	7h/ 21h	19h30	22h
Loba	22h	9h/ 21h	22h	23h

PLANEJAR ALGO IMPORTANTE

Fracasso: Ficar estagnado em pesquisas, detalhes ou na ideia geral, ou então tomar uma decisão impulsiva da qual vai se arrepender.

Sucesso: Trabalhar em equipe para conceber, pesquisar e concretizar um grande plano que agrade a todos.

CIÊNCIA BÁSICA

A maioria de nós não concorda inteiramente com a divisão do trabalho ou com os detalhes no planejamento de uma viagem, de um casamento ou de algo vago como "o futuro". Para planejar bem algo importante como parte de um casal, num grupo de amigos ou na família, **siga duas regras temporais:**

1. Defina funções específicas para cronotipos específicos.

2. Execute o planejamento nos horários do dia que correspondem à tarefa específica.

Em relação ao primeiro ponto, planejar exige uma vasta gama de habilidades — vigília, atenção ao longo do tempo, flexibilidade e criatividade. Dificilmente você vai encontrar uma pessoa ou um cronotipo que sobressaia em *todas* essas habilidades. Cada cronotipo contribui com habilidades de planejamento específicas:

- Os **golfinhos** são perfeccionistas e obsessivos. **Pontos positivos:** eles se destacam na pesquisa e vão buscar exaustivamente os melhores hotéis, voos e tarifas. **Negativos:** caso se sintam sobrecarregados com as opções, podem apresentar dificuldades de se comprometer.

- Os **leões** tomam decisões executivas e assumem o controle. **Pontos positivos:** vão pôr um plano em prática e tomar todas as providências. **Negativos:** podem planejar uma viagem meticulosamente *demais* e deixar pouco espaço para passeios espontâneos.

- Os **ursos** ficam contentes com qualquer decisão que os golfinhos e os leões tomem. **Pontos positivos:** seu entusiasmo e flexibilidade são apreciados. **Negativos:** entusiasmo e flexibilidade não completam as tarefas.

- Os **lobos** são espontâneos e criativos. **Pontos positivos:** oferecem ideias diferentes e têm espírito aventureiro, independente do custo ou da logística. **Negativos:** dizer por impulso "Vamos comprar as passagens agora." pode ser algo incrível ou o anúncio de um desastre.

Em relação ao meu segundo ponto, sobre fazer certas tarefas em determinadas horas do dia, tenha em mente:

O **ritmo de ideias.** Quando é o melhor momento para planejar as férias, o casamento ou o futuro — para deixar sua imaginação à solta sobre o lugar aonde gostaria de ir e o que gostaria de fazer?

Em um estudo de 2011, pesquisadores do Albion College pediram que os indivíduos estudados respondessem a determinados tipos de pergunta em horas diferentes do dia e dispuseram sua capacidade de responder corretamente de acordo com sua preferência matutina ou vespertina.[16] Os problemas que eles tinham de resolver eram analíticos (lógica, matemática) ou de raciocínio (ahá! Pegadinhas).

Aqui vai uma pergunta analítica que vai levar você de volta à matemática do ensino fundamental (sinto muito por isso): o trem A sai da cidade A viajando para o leste a treze quilômetros por hora em direção à cidade B, que fica a 320 quilômetros de distância. Na mesma hora, o trem B deixa a cidade B viajando a oeste rumo à cidade A a 95 quilômetros por hora. Quando os dois trens vão se encontrar?[17]

E aqui um exemplo de questão de raciocínio: um menino e seu pai sofrem um acidente de carro. O pai morre. O menino é levado rapidamente ao hospital e direcionado à sala de operação. A pessoa responsável pela cirurgia entra e diz: "Não posso operar esse garoto. Ele é meu filho!". Como isso é possível?[18]

Os dois grupos de cronotipos se deram melhor em problemas analíticos quando estavam em seu ápice de alerta — os tipos matutinos de manhã e os vespertinos à tardezinha. Ambos os cronotipos resolveram melhor os problemas de raciocínio em momentos fora do ápice, quando a mente estava zonza e distraída — os tipos matutinos à tarde e os vespertinos de manhã.

O que isso implica no planejamento de um casamento espetacular ou uma viagem incrível? Imagine e tenha ideias quando estiver cansado e fora do seu ápice.

E quanto a transformar essas perspectivas em realidade? O **ritmo de logística** é necessário quando você faz o trabalho duro de planejar hotéis e voos, contratar o bufê e a floricultura. Faça sua pesquisa e compare preços quando estiver em seu melhor período analítico, nas horas de pico de alerta.

Quando você e seu companheiro, amigo ou parente discutem ideias e logística, o **ritmo de atenção** entra em jogo. Discutir longamente sobre detalhes infinitos exige o que os psicólogos chamam de atenção continuada, ou a capacidade de manter os pensamentos focados na parte chata da logística quando você preferiria estar fazendo outra coisa.

Quando você está mais propenso a prestar atenção e a se manter focado pelo maior tempo possível na tarefa? Em um estudo espanhol de 2014, os indivíduos foram separados pelo cronotipo e, em seguida, testados de acordo com sua capacidade de realizar tarefas em diferentes momentos do dia.[19] Os tipos matutinos renderam bons resultados de manhã e à tarde, apresentando desempenho estável e preciso durante os períodos ideais. Os tipos vespertinos renderam resultados melhores na sessão vespertina do que na matinal e não foram capazes de manter a concentração por tanto tempo quanto os tipos matutinos, que o faziam a qualquer hora do dia. Como era de esperar, os lobos são menos meticulosos — menos inclinados a manter o foco na tarefa — do que os leões.

O estudo também descobriu que a precisão e a receptividade dos dois grupos reduziam com o tempo. Até mesmo os leões se distraíam quando se esforçavam numa tarefa por tempo demais. Em uma situação real (fora do laboratório ou do contexto de estudos), é recomendável limitar as discussões logísticas a 45 minutos. Se você não tiver terminado o planejamento nesse período, deixe o trabalho de lado até o dia seguinte para mais uma sessão de 45 minutos e assim por diante, até que o trabalho seja cumprido. Além disso, tenha em mente que, segundo o estudo espanhol e as minhas observações clínicas, todas as tarefas que você tiver de realizar ficam mais fáceis depois de uma boa noite de sono.

RESUMO RÍTMICO

Ritmo de ideias: Quando seu cérebro está mais bem preparado para fantasiar e ter ideias criativas.

Ritmo de logística: Quando seu cérebro está mais bem preparado para analisar as opções, pesquisar, pensar em orçamentos e fazer reservas.

Ritmo de atenção: Quando seu cronotipo consegue manter a atenção em detalhes.

A PIOR HORA PARA PLANEJAR ALGO IMPORTANTE

Na última hora.

A MELHOR HORA PARA PLANEJAR ALGO IMPORTANTE

Como cada cronotipo sobressai em tarefas diferentes, pode ser inteligente dividir as funções. Em termos gerais, golfinhos e leões devem assumir a pesquisa e o planejamento. Ursos e lobos devem ser responsáveis pelas ideias. Dito isso, aqui estão os melhores horários para cada cronotipo fazer ambas as tarefas:

Golfinho: Falar sobre ideias das **8h ao meio-dia**. Pesquisar e consolidar planos das **20h às 22h.**

Leão: Falar sobre ideias das **20h às 22h**. Pesquisar e consolidar planos das **6h às 9h.**

Urso: Falar sobre ideias das **14h às 15h** ou das **18h às 21h**. Pesquisar e consolidar planos das **10h às 14h.**

Lobo: Falar sobre ideias das **8h ao meio-dia**. Pesquisar e consolidar planos das **18h às 22h.**

CONVERSAR COM OS FILHOS

Fracasso: Falar com as paredes; ser ignorado ou evitado apesar dos seus esforços para fazer os filhos se abrirem.

Sucesso: Conversar com seus filhos quando eles estão abertos a isso, vislumbrar o estado de espírito deles e ajudá-los e fortalecer a relação de vocês.

CIÊNCIA BÁSICA

Quando você deve conversar com seus filhos? Como psicólogo, minha resposta simples é: "Quando eles decidirem falar com você".

É muito comum perguntar ao filho como foi o dia dele e ouvir "nada de mais" ou "sei lá" como resposta. Mas, então, quando você menos espera, ele faz uma revelação fascinante sobre a vida íntima e social dele. Noventa por cento das vezes, esses momentos raros acontecem quando você está ocupado com outra coisa. Os filhos têm um hábito perturbador de procurar a atenção dos pais quando eles estão menos livres para oferecê-la.

Quando você iniciar uma conversa com eles, verifique seu próprio biotempo. Ao sentar para bater papo com os filhos, o "quando" é mais importante do que aquilo que você tem a dizer se quiser que eles lhe deem ouvidos.

O **ritmo de distração**. Seus filhos têm mais chances de estar abertos a conversar quando estão distraídos (e não concentrados em uma tarefa, seja ela lição de casa, um jogo de computador ou o Snapchat) e com baixa energia (fora do ápice e cansados, e não pulando pelas paredes). E quando seria isso? Depende da idade do seu filho.

A população adulta é dividida em quatro cronotipos, mas crianças e adolescentes tendem a se encaixar em uma ou outra categoria, dependendo da idade. Por exemplo:

- **Bebês de até um ano** são, na maioria das vezes, lobos, com sono durante o dia e ativos à noite.

- **Crianças entre um e seis anos** são, na maioria das vezes, leões, acordam antes do amanhecer e adormecem cedo. São muito beneficiadas por cochilos vespertinos que permitem que o corpo se recarregue. Se uma criança dessa idade não dorme nos horários de um leão, é provável que seja porque está habituada ao horário dos pais ou porque tira longos cochilos à tarde.

- **Crianças de sete a doze anos** são, na maioria das vezes, ursos. Acordam e dormem segundo o horário solar e apagam no cochilo vespertino.

- **Adolescentes** são, na maioria das vezes, lobos. São zumbis de manhã e têm um rompante de energia à noite — para o incômodo dos pais, que querem paz e silêncio nesse horário.

Para determinar quando um filho está disposto a conversar, considere a idade antes de qualquer outro fator.

- **Um a seis anos**: Comece conversas importantes logo depois do almoço e do jantar. Os leõezinhos passarão por uma queda de glicemia, conhecida como hipoglicemia pós-prandial, depois de comer. Durante cerca de trinta minutos, o ritmo deles vai baixar, mas eles não vão apagar, dando a você o intervalo perfeito para uma conversa.

- **Sete a doze anos**: Comece conversas entre as três e as cinco horas da tarde, durante a previsível melhora de humor deles ao fim de tarde. Aconselho muitos pais a conversar com os filhos no carro enquanto os levam para cursos ou eventos esportivos. A combinação de biotempo, a dinâmica lado a lado (em vez de frente a frente) e o recinto fechado à força faz maravilhas. Mas, se eles tiverem tido um dia ruim na escola, mude para o assunto deles e não insista no seu.

- **Treze a dezoito anos**: Comece conversas por volta das dez da noite. Lobos adolescentes estão bem falantes tarde da noite. Se conseguir falar com eles na última hora antes de dormir, vai ficar surpreso com o quanto estão dispostos a revelar.

Agora você sabe quando eles estarão dispostos a conversar com você. Mas as conversas têm duas vias. Quando será que **você** está em seu melhor momento para conversar com eles?

O **ritmo de paciência** é quando você consegue manter a calma — pelo seu bem e pelo bem do seu filho. Segundo um estudo de 2014 da Universidade de Pittsburgh, com 976 adolescentes de treze anos de idade, os gritos dos pais tinham efeitos tão devastadores quanto o abuso físico e resultavam em má conduta social e depressão.[20] O carinho dos pais após a discussão não mitigava os efeitos dos gritos. Existe uma relação direta entre seu humor quando conversa com seus filhos e a capacidade deles de conversar com as outras pessoas no mundo como um todo.

Converse com seus filhos quando seus níveis de cortisol estiverem baixos (meio da tarde ou na hora de dormir), o nível de serotonina estiver alto (depois de refeições com alto teor de carboidrato ou após o exercício) e a oxitocina estiver fluindo (depois do sexo ou de algum outro tipo de afeto).

RESUMO RÍTMICO

Ritmo de distração: Quando seu filho está fora do ápice, não consegue se concentrar e está um pouco cansado.

Ritmo de paciência: Quando você está mais apto a manter a calma.

A PIOR HORA PARA CONVERSAR COM SEUS FILHOS

7h e 17h. Às sete da manhã todo mundo está com pressa. Seus filhos estão com fome e superalertas com a elevação matinal do nível de cortisol (a menos que sejam lobos adolescentes — nesse caso, você deve ficar feliz se eles conseguirem pôr a roupa direito). Você sente o mesmo aumento de pressão arterial, além de estar irritadiço com a inércia do sono. Obviamente você deve discutir logística no café da manhã. Guarde os conselhos e broncas para outra hora.

Outra hora do rush é às cinco da tarde. Seus filhos estão com fome e mal-humorados com a lição de casa que vem pela frente.

Você está estressado depois de um dia de trabalho e ainda tem muitas tarefas a fazer. Nesse estado de espírito, tentar ter uma conversa profunda vai ser frustrante e improdutivo.

A MELHOR HORA PARA CONVERSAR COM SEUS FILHOS

A pergunta subjacente é: "Quando é seu pico de paciência?".

Golfinho: 19h, depois de um jantar com alto teor de carboidrato e antes de sua elevação noturna de cortisol.

Leão: 15h. Se não quiser conversar com os filhos no café da manhã, busque-os na escola. Você vai atingir um limite de paciência lá pelas oito ou nove da noite.

Urso: 16h. Seu pico de paciência é às quatro horas da tarde aos domingos, depois de ter transado de manhã, almoçado bem e feito uma boa caminhada. Do contrário, converse com eles depois da aula.

Lobo: 20h. Os lobos são pais noturnos, aqueles que não estão cansados demais para ajudar na lição de casa ou ler à beira da cama. Aproveite seu bom humor à noite.

"DESLIGA LOGO ESSE TROÇO."

Aconselho golfinhos, leões, ursos e lobos adultos a desligar os eletroeletrônicos uma hora antes de dormir para garantir uma boa qualidade de sono. A "hora de desligar" é ainda mais importante para os adolescentes. Eles já têm a tendência a ser lobos, e o uso da internet tarde da noite exacerba isso. A "vespertinidade" nos adolescentes está associada a baixo desempenho escolar,[21] ansiedade, depressão, vício em internet e sensação de falta de apoio familiar.[22] Por mais que possam ter raiva de você por implantar em casa uma regra de desligar as telas em um horário sensato, os adolescentes vão se beneficiar com essa prática em termos acadêmicos e emocionais. Quando forem mais velhos, vão agradecer (quer dizer, provavelmente não, mas não custa sonhar). Veja mais sobre a "hora de desligar" em <www.thepowerofwhen.com>.

7. Atividade física

CORRER

Fracasso: Obrigar-se a correr; odiar cada minuto, sendo vergonhosamente devagar; sofrer o risco de lesão; ou sempre fugir da atividade.

Sucesso: Correr ao sabor do vento, ser fiel ao hábito, perder peso e se sentir bem enquanto corre.

CIÊNCIA BÁSICA

O momento ideal para correr depende dos seus objetivos específicos. Você está correndo para perder peso? Para competir numa corrida ou para superar a si mesmo? Para melhorar a saúde em geral?

Para seguir o **ritmo de queima de gordura**, você pode correr de manhã ou ao cair da tarde. Um treino em jejum na primeira meia hora depois de acordar converte gordura em energia porque você ainda não ingeriu nenhum carboidrato. Se estiver disposto a correr antes do café da manhã, lembre-se de se hidratar bastante. Depois, tome um café da manhã com 50% de carboidratos e 50% de proteína para manter sua chama metabólica bem acesa. Treinos ao cair da noite aumentam a endorfina no corpo, o que reduz o apetite no fim do dia, quando as pessoas estão suscetíveis a comer demais. Mas estudos mostram que o exercício matinal está mais propenso a ser transformado em hábito, já que você não tem o dia todo para arranjar justificativas para fugir dele.

Para o **ritmo de desempenho**, corra segundo seu horário preferido de despertar. Diversos estudos confirmam que as pessoas correm mais rápido, pedalam mais rápido e acertam a bola com mais força à tarde e à noite do que de manhã. No entanto, um estudo britânico de 2015 provou que o fator mais significativo para prever o desempenho esportivo máximo em uma grande variedade de esportes é a hora em que os atletas acordam em relação à hora em que praticam o esporte.[1] Os pesquisadores fizeram atletas treinarem em diversos horários em determinado dia, medindo a velocidade e a agilidade deles. Atletas que acordavam cedo tinham melhor desempenho no fim da manhã. Os que acordavam num horário intermediário tinham melhor desempenho à tarde. Os que acordavam tarde se davam melhor à noite. O desempenho de um atleta individual variava em até 26% do treino matinal para o noturno. Se você é um leão e seu evento esportivo está programado para o começo da manhã, sorte a sua. Senão, você competirá em forte desvantagem. Ou então você pode ajustar seu biotempo como se tivesse viajado para um fuso horário diferente, para que possa ter um desempenho de corrida ideal. (Ver "Viajar", p. 328.)

Por si só, o sono profundo melhora a função imunológica e a saúde cardíaca, reduz a pressão arterial e alivia a ansiedade. Tudo o que aprofunde o sono é um bônus para a saúde como um todo. Para melhorar a qualidade do seu sono a fim de dormir em um **ritmo de repouso** saudável, corra de manhã. Num estudo da Appalachian State University, pesquisadores pediram para grupos de indivíduos caminharem na esteira em três horários diferentes — sete da manhã, uma da tarde e sete horas da noite — e monitoraram sua pressão arterial e seu sono.[2] O grupo das sete horas da manhã teve uma queda de 10% na pressão arterial após o treino e uma queda de 25% mais à noite, além de um aumento de 75% no sono profundo de ondas delta — melhoras significativas em comparação às vivenciadas por aqueles que caminhavam às sete da noite.

RESUMO RÍTMICO

Ritmo de queima de gordura: Quando se deve correr para queimar gordura e acelerar o metabolismo.

Ritmo de desempenho: Quando se deve correr para ter melhores tempos.

Ritmo de repouso: Quando se deve correr para ter mais qualidade de sono.

A PIOR HORA PARA CORRER

6h. Correr ao nascer do sol aumenta o risco de lesão. A temperatura corporal está baixa, e os músculos e articulações ficam suscetíveis a luxações e rompimentos. Se puder esperar noventa minutos depois de acordar, sua temperatura estará mais alta e o risco de lesão diminuirá de maneira significativa. Isso muda de acordo com a estação, especialmente se você mora em uma região seca. (Para mais informações sobre como a mudança de estações afeta os cronorritmos, consulte "Cronossazonalidade", na p. 337.)

A MELHOR HORA PARA CORRER

Leão: 17h30, para conseguir melhores tempos e um aumento de energia.

Golfinho: 7h30. Corridas matinais ajudam você a dormir mais e profundamente, com a vantagem especial das ondas delta restauradoras de que pessoas com sono leve tanto precisam.

Urso: 7h30 ou **meio-dia**, para uma queima de gordura antes do café da manhã ou um supressor de apetite vespertino.

Lobo: 18h, para melhor desempenho e queima de gordura vespertina.

> **"AGORA FAÇO PARTE DE TODA ESSA VIDA E ATIVIDADE."**
>
> "Exercício era a última coisa que eu queria fazer depois do trabalho", disse **Robert, o leão**, que mora em Boston. "Mas me obriguei a tentar. Levei roupas de ginástica para o trabalho e comecei a correr para casa em vez de voltar de carro ou transporte público. A primeira coisa que notei foi que as calçadas estavam cheias de gente correndo, passeando com o cachorro ou empurrando carrinhos de bebê. Era completamente diferente de ficar sozinho na rua de madrugada, vendo só uma ou duas pessoas. Às vezes as multidões são irritantes, mas percebi que gosto da companhia e da sensação de fazer parte de toda essa vida e atividade. Chego em casa, tomo um banho frio e percebo que tenho mais energia para encontrar os amigos para jantar. Eu de fato precisava de alguns ajustes. E valeu a pena. Alguns colegas pegaram o 'vírus da corrida', então corremos juntos. Não sei se é por causa da competição amistosa ou por ter um corpo acostumado, mas estou mais rápido também."

PRATICAR UM ESPORTE EM EQUIPE

Fracasso: Passar vergonha no campo, ser um mau perdedor e/ou ficar contando os minutos para o fim da partida.

Sucesso: Jogar bem, se divertir e se comportar de uma maneira que deixaria sua mãe orgulhosa.

CIÊNCIA BÁSICA

Descobriu-se que pessoas que praticam esportes em equipe possuem "resistência mental", um conjunto de qualidades que inclui resiliência (capacidade de se recuperar após a derrota), perseverança (capacidade de continuar em frente) e otimismo (capacidade de ver um resultado positivo).[3] Estar em uma equipe esportiva ajuda as crianças a desenvolver habilidades essenciais como autoconfiança (acreditar em si mesmo) e inteligência emocional (capacidade de interpretar e reagir adequadamente aos sentimentos do outro). Além disso, encontrar os amigos, praticar uma atividade física ao ar livre e compartilhar a emoção da vitória (e a agonia da derrota) é uma maneira divertida de passar uma tarde de fim de semana. Todo tipo de atividade em grupo (como clubes de leitura, jogos de carta, video games etc.) proporciona benefícios mentais e emocionais parecidos. A beleza do esporte em equipe é que você também tem os benefícios físicos.

Para se divertir mais, reúna-se com os colegas de time e adversários e bote para quebrar. Lembre-se de uma dica temporal: jogue ao anoitecer.

Você está concentrado no jogo? Fica na beira do campo e conta os minutos até o fim do tempo para poder sentar no banco e tomar outra cerveja? Ou realmente se importa em vencer e avançar na competição? Alguns cronotipos tendem a ser mais competitivos do que outros. Em uma partida de futebol entre leões e lobos, os leões venceriam facilmente, já que é provável que os lobos nem aparecessem (a menos que o jogo fosse marcado para as nove horas da noite).

Em relação ao **ritmo de competitividade**:

- O período produtivo e de maior energia dos **golfinhos** vai das quatro às seis horas da tarde, mas praticar esportes em equipe não é um passatempo comum para eles. Os insones estão sempre cansados demais para jogar.

- Os **leões** têm maior propensão a participar de esportes em equipe e a ser agressivos e ambiciosos no campo.[4] Se jogam em uma competição noturna, vão precisar de uma exposição ao sol e um lanche com alto teor de proteína no fim de tarde para continuar motivados.

- Os **ursos** atingem seu ápice para "botar pra quebrar" ao meio-dia e podem jogar intensamente até atingir um limite de estamina na hora do cochilo. Eles se recuperam no começo da noite.

- Já os **lobos**... os únicos esportes que consigo vê-los praticar em grupo são aqueles que envolvem bebida. Os tipos noturnos não curtem muito participar de esportes em equipe e em geral são mais sedentários.[5] Assistir a esportes, por outro lado, pode ser algo olímpico para eles. A maioria dos lobos esportistas no meu consultório prefere esportes individuais, como corrida ou natação. Se um lobo participa de uma equipe, prefere jogar partidas à noite.

O **ritmo de coordenação**, ou quando você tem menos chances de fazer papel de bobo na frente de todos os seus amigos, está relacionado a quantas horas se passaram desde que você acordou, ao seu grau de cansaço e ao grau de dificuldade do jogo.[6] Se você está cansado e faz horas desde que acordou, você pode ficar descoordenado. Mas, se estiver alerta, revigorado e souber o que está fazendo, sua coordenação vai impressionar o público e seus companheiros de equipe. Para a maioria das pessoas (ursos), a coordenação motora atinge o auge entre cinco horas da tarde e oito horas da noite. Leões: três às seis horas da tarde. Lobos: seis horas da tarde às nove horas da noite.

O **ritmo de potência**, ou quando você está mais forte e rápido, pode ser medido pelas flutuações na temperatura corporal. Quando sua temperatura corporal estiver mais elevada, você terá mais capacidade pulmonar, fluxo sanguíneo para os músculos e flexibilidade. Seus reflexos estarão mais rápidos e você terá mais potência bruta nos braços, pernas e costas. A força e a estamina dos ursos atingem seu ápice à noitinha, entre seis horas da tarde e nove horas da noite (altere esse período para duas horas antes no caso dos leões e uma ou duas horas depois para os lobos). Se curte esportes de raquete ou taco — tênis, golfe, beisebol, hóquei —, também terá mais força no punho no fim de tarde/ início da noite.

Já se perguntou por que os jogos esportivos profissionais são agendados à noite? Não é só pela audiência do horário nobre da TV. O motivo é que os atletas têm um melhor desempenho nesse horário. Bom, pelo menos alguns, dependendo do cronotipo. Em 2011, pesquisadores do Martha Jefferson Hospital Sleep Medicine Center, em Charlottesville, nos Estados Unidos, analisaram a média de rebatidas em dois anos de dezesseis jogadores da Major League Baseball de sete equipes. Eles também pediram para cada jogador preencher o questionário de "matutinidade-vespertinidade". Nove jogadores eram do tipo vespertino e sete eram matutinos. No caso dos tipos matutinos, a média de rebatidas mais alta (0,267) foi quando o horário do jogo era às duas horas da tarde, e a mais baixa (0,252) era nos jogos das oito horas da noite. O contrário acontecia com os tipos vespertinos. As médias deles eram mais altas (0,306) quando o horário do jogo era às oito e mais baixa (0,259) nas partidas às duas horas da tarde.

O **ritmo de espírito esportivo** tem tudo a ver com o humor. Quando você está de bom humor, tem menos chances de explodir por causa de uma má decisão do árbitro ou cometer uma falta proposital num oponente. É mais prazeroso jogar com praticantes de esportes em seu ápice de afeto positivo. A maioria das pessoas atinge o ponto de tranquilidade emocional no fim de tarde/ começo da noite.

RESUMO RÍTMICO

Ritmo de competitividade: Quando você está mais motivado a vencer.

Ritmo de coordenação: Quando seus reflexos motores estão mais afiados.

Ritmo de potência: Quando você está mais forte, rápido e flexível.

Ritmo de espírito esportivo: Quando você é um bom companheiro no campo.

A PIOR HORA PARA PRATICAR ESPORTES EM EQUIPE

De manhãzinha. Mesmo os leões não estão aquecidos o bastante no começo da manhã para esportes competitivos ou em equipe e correm alto risco de lesão. Os níveis de cortisol e a concentração de testosterona no sangue são altos nesse período, e os participantes podem estar elétricos demais para conseguir relaxar e se divertir.

A MELHOR HORA PARA PRATICAR ESPORTES EM EQUIPE

Golfinho: 17h às 19h, a hora do dia em que você está menos cansado.

Leão: 14h às 16h, o ponto de conexão entre força, humor e coordenação.

Urso: 18h às 20h, o ponto de conexão entre força, humor e coordenação.

Lobo: 18h às 21h, o ponto de conexão entre força, humor e coordenação.

PRATICAR IOGA

Fracasso: Sofrer com os movimentos, talvez até distender algo.
Sucesso: Fazer os movimentos de maneira profunda para melhorar o condicionamento, o humor e a cognição.

CIÊNCIA BÁSICA

A ioga existe há milhares de anos por um motivo: funciona. Se você a praticar regularmente, vai ficar mais forte e flexível tanto física como mentalmente. A respiração profunda expande a capacidade pulmonar. A introspecção da ioga pode lhe dar uma perspectiva saudável de seus problemas e dos fatores que provocam estresse. As posturas de ioga podem ajudar a acalmar o sistema nervoso parassimpático, fazendo você relaxar. Os alongamentos e flexões vão expandir sua amplitude de movimento, bem como seu tônus muscular.

Qual é a melhor hora do dia para fazer a posição do cachorro, da cobra e o alongamento do gato-vaca?

Se seu objetivo ao fazer ioga é melhorar a amplitude de movimento e o tônus muscular, siga o **ritmo de flexibilidade**, quando seu corpo está maleável e no ápice ou próximo dele. Lembre o seguinte: um corpo aquecido está relaxado e pronto para agir. O aquecimento vem de um aumento na temperatura. Entusiastas de Bikram ou Prana Power ioga sabem que são mais flexíveis em um ambiente quente. Esse é o motivo por que existem cada vez mais estúdios de *hot yoga*. O mesmo princípio de aquecimento se aplica ao ambiente interno do seu corpo. Sua temperatura estará suficientemente quente para a ioga três horas depois de acordar e, mais uma vez, no início da noite. Então, matricule-se numa aula antes do almoço ou depois do trabalho.

Um corpo frio fica rígido. Quando sua temperatura corporal está baixa, você estará duro, e esse é o horário em que você corre mais riscos de sofrer lesões ao fazer qualquer tipo de atividade física. A temperatura está baixa nos primeiros trinta minutos depois de acordar, no meio da tarde e nas três horas da noite antes de dormir. Então, evite aulas ao nascer do sol e após o almoço, bem como o último horário da noite.

Ou, se você não curte contorcionismos e pratica ioga apenas para relaxar, faça suas posturas no **ritmo de relaxamento**. Existem inúmeras provas científicas de que a respiração profunda e os alongamentos de ioga reduzem o nível de cortisol e a pressão arterial.[7] É interessante praticar ioga para combater o estresse conforme necessário ao longo do dia. Incentivo todos a incorporar alongamentos de baixa intensidade na "hora de desligar" e usar técnicas de respiração profunda sempre que a ansiedade bater. Acesse <www.thepowerofwhen.com> para instruções por vídeo.

Além dos benefícios físicos, a ioga também melhora as capacidades mentais como consciência plena, alerta, concentração e memória. Um estudo de 2014 realizado na Universidade de Chieti-Pescara, na Itália, investigou o **ritmo de conexão mente-corpo** da ioga.[8] Sabemos que certos traços de personalidade e formas de aprendizado correspondem a diferentes cronotipos. Os pesquisadores observaram que os iogues tendem a ter certas características de personalidade e preferências de aprendizado. Eles testaram 184 instrutores de ioga nos aspectos de personalidade, preferência matutina-vespertina e estilo de pensamento. Havia relativamente poucos lobos iogues no estudo (8% entre os indivíduos estudados, comparados com 15% na população geral) e uma preponderância de ursos (71% dos indivíduos, ao passo que a população geral tem 50%). Os leões compunham 20% dos indivíduos estudados — o que corresponde à proporção de leões na população geral. Naturalmente, os iogues leões tiveram pontuações mais altas do que ursos e lobos em consciência plena, atenção e estabilidade emocional. Os lobos tiveram pontuações mais altas em impulsividade e eram mais neuróticos e sociáveis. Até aí, nenhuma surpresa. O que me espantou foi que a vasta maioria dos professores de ioga de cada cronotipo — incluindo os leões — teve altas pontuações em abertura e pensamento criativo (hemisfério direito do cérebro). Praticar muita ioga torna qualquer cronotipo mais aberto e criativo? A pesquisa sugere que sim!

A ioga deixa as pessoas (incluindo os lobos) mais otimistas. Um estudo de 2014 da Universidade Estadual de Chicago se dispôs a acompanhar as mudanças de humor nos diferentes cronotipos depois que os participantes fizeram uma única sessão de Hatha ioga.[9] Todos os grupos relataram uma visão mais positiva em comparação com o grupo controle, cujos membros tinham assistido a uma palestra. No entanto, o grupo vespertino foi o que relatou mudanças positivas mais significativas. Como os lobos costumam ser pessimistas, o resultado sugere que uma prática de ioga pode mudar a vida daqueles que necessitam levantar o ânimo de forma saudável.

RESUMO RÍTMICO

Ritmo de flexibilidade: Quando seu corpo está mais flexível.

Ritmo de relaxamento: Quando você consegue usar o exercício, especialmente a ioga, para reduzir o nível de cortisol e baixar a pressão arterial.

Ritmo de mente-corpo: Quando o exercício, especialmente a ioga, pode mudar seu modo de ver a vida e aumentar a consciência plena e o otimismo.

A PIOR HORA PARA PRATICAR IOGA

Nascer do sol. Sei que ioga ao nascer do sol é muito comum, mas, mesmo se você for um leão, eu não recomendo. Seu corpo não está aquecido o suficiente para o alongamento intenso, e você pode sofrer lesões. Só pratique de manhãzinha se estiver em nível intermediário.

A MELHOR HORA PARA PRATICAR IOGA

Golfinho: 22h, para reduzir o nível de cortisol e a pressão arterial à noite.

Leão: 8h ou **17h**, logo antes ou depois do trabalho.

Urso: 12h ou **18h**, antes do almoço ou ao pôr do sol.

Lobo: 18h ou **22h**, antes do jantar ou para relaxar durante a "hora de desligar".

FAZER MUSCULAÇÃO

Fracasso: Treino de musculação esporádico que não aumenta a massa muscular, não melhora o tônus muscular nem acelera o metabolismo.

Sucesso: Treino de musculação regular que aumenta a massa muscular, melhora o tônus muscular e acelera o metabolismo.

CIÊNCIA BÁSICA

Criar massa muscular não apenas aumenta sua força como também acelera seu metabolismo. Quanto mais massa muscular você carrega, mais fácil é queimar gordura para ter energia. Todo regime de condicionamento para queimar gordura, acelerar o metabolismo e melhorar o tônus muscular deve incluir alguma forma de treinamento de força — levantamento de peso ou exercícios isométricos — que trabalhe os grandes grupos musculares para que se contraiam contra uma força externa, como pesos ou o chão (flexões e prancha são métodos de treinamento de força).

Qual é o **ritmo de crescimento muscular**? Em um estudo de 2009 da Universidade de Jyväskylä, na Finlândia, pesquisadores tentaram determinar o impacto da hora do dia na hipertrofia (ganho de massa muscular) em homens.[10] Um grupo praticou sessões de treinamento aleatórias diariamente por vinte semanas, de manhã (entre sete e nove horas) ou à tarde (entre cinco e sete horas da noite). A massa muscular deles era medida com aparelhos de ressonância magnética a cada dez semanas em horários aleatórios. Tanto o grupo matutino quanto o vespertino exibiram um aumento de volume muscular de cerca de 3%, levando os pesquisadores a concluir que a hora do dia não importa tanto para o crescimento. Independentemente de você se exercitar mais cedo ou mais tarde, vai ter resultados semelhantes de hipertrofia em um período de três meses — se treinar *todos os dias*. O grupo de controle, que não se exercitou regularmente, não teve aumento em volume.

Os instrutores que definem metas de evolução devem seguir o **ritmo de força muscular** — isto é, saber quando seus alunos estão mais fortes. Segundo inúmeros estudos, incluindo uma pesquisa da University of the West Scotland, a força ideal do treino de musculação acontece ao fim de tarde, quando a temperatura interna do corpo está alta e a concentração de testosterona e cortisol está baixa.[11] Você pode pensar que a força muscular está mais alta quando a testosterona está elevada (de manhã). Na verdade, não é a concentração de testosterona que importa, mas sim a relação entre cortisol e testosterona, ou relação C/T.[12] A relação de C por T mais favorável para o desempenho de força é **à tarde para leões, no começo da noite para ursos e no fim da noite para golfinhos e lobos.** Como sua temperatura corporal também está mais elevada à noite — com o aumento da frequência cardíaca, do fluxo de sangue muscular, da flexibilidade e do metabolismo de glicose —, seu corpo estará preparado para agir e você estará mais capacitado para levantar mais quilos ou manter a posição de prancha por mais tempo.

Pessoalmente, não sou muito fã de musculação, mas, pelo que pude notar observando levantadores de peso na academia, especialmente as expressões faciais de esforço deles, parece ser muito doloroso. Isso levanta a questão sobre o ritmo circadiano e a dor. Qual é o seu **ritmo de tolerância à dor**? Um estudo da Universidade de Varsóvia testou dezesseis tipos matutinos saudáveis e quinze tipos vespertinos saudáveis aplicando estímulos de calor ao punho deles nove vezes ao dia.[13] A tolerância à dor dos dois grupos mudou significativamente da manhã para a noite, mas, durante o dia todo, os tipos matutinos conseguiam suportar mais calor do que os noturnos — 50°C contra 47°C.

Esses dados corroboram com a abundância de pesquisas sobre a aversão dos lobos ao exercício. Eles simplesmente não conseguem tolerar a dor.

RESUMO RÍTMICO

Ritmo de crescimento muscular: Quando o exercício aumenta o volume muscular.

Ritmo de força muscular: Quando sua relação entre cortisol e testosterona está mais favorável para levantar peso.

Ritmo de tolerância à dor: Quando diferentes cronotipos conseguem suportar a dor.

A PIOR HORA PARA FAZER MUSCULAÇÃO

6h. A temperatura corporal está no ponto mais baixo no começo da manhã. Se você treina quando está com o corpo frio, corre risco de lesão. O fluxo de sangue muscular, a flexibilidade articular e as relações hormonais são desfavoráveis aos exercícios de força e ao levantamento de peso.

A MELHOR HORA PARA FAZER MUSCULAÇÃO

Golfinho: 20h, sua temperatura aumenta e seu nível de cortisol e frequência cardíaca caem à noite, o que é ideal para o crescimento muscular e a força.

Leão: 14h30 às 17h, seu intervalo de força muscular.

Urso: 16h às 19h, seu corpo está preparado, mas, se você não se exercitar todo dia, não vai aumentar o volume muscular, que é responsável por acelerar o metabolismo.

Lobo: 18h ou **19h**, a rotina importa para aumentar o volume muscular e acelerar o metabolismo. Embora seu pico de força venha mais tarde, é improvável que você realmente se exercite às dez da noite. Além disso, exercitar-se três horas antes da cama pode adiar o sono.

---

8. Saúde

COMBATER DOENÇAS

Fracasso: Comprometer seu sistema imunológico, tornando mais fácil ficar doente e mais difícil se recuperar.

Sucesso: Fortalecer seu sistema imunológico para prevenir doenças e se recuperar delas mais rapidamente.

CIÊNCIA BÁSICA

A ciência da imunidade não é nada simples. Complexa, ela envolve proteínas, glóbulos, anticorpos, hormônios e células receptoras. Os fatos básicos que todo mundo precisa saber:

- Seu sistema imunológico é composto de exércitos de glóbulos brancos e anticorpos que patrulham seu corpo em busca de bactérias, infecções, inflamações e enfermidades.

- Seu sistema imunológico — como todos os outros sistemas do corpo — é afetado pelos ritmos circadianos. Tratar doenças em seu biotempo é mais eficaz.

Nos últimos anos, cientistas exploraram o biotempo das defesas do nosso corpo. A função imunológica é mais ativa à noite, quando estamos descansando, e menos ativa durante o dia, quando estamos fora de casa. A maior parte da cura ocorre no primeiro terço de uma noite de sono, quando o corpo se recupera de um dia agitado, passando por uma restauração física graças a um aumento do sono profundo de ondas lentas.

No entanto, seus glóbulos brancos — a linha de frente de defesa — têm seu próprio biotempo, que não necessariamente segue esse cronograma. Se os glóbulos brancos detectam uma bactéria, infecção ou inflamação em algum lugar do corpo, podem desrespeitar seu biotempo usual e atacar as células malignas a qualquer momento do dia. O **ritmo de acionamento da imunidade** foi identificado por cientistas do Trinity College, em Dublin, e da Universidade da Pensilvânia.[1] Eles provaram que **temos um alarme dentro de cada célula imunitária que diz "Seja dia ou seja noite, é hora de lutar"**. Os pesquisadores estão especialmente interessados em usar essa revelação para desenvolver e melhorar a nova classe de medicamentos "imunoterápicos" — anticorpos e proteínas produzidos sob medida para agir e ativar de maneira mais agressiva as defesas naturais do corpo, a fim de atacar o invasor, seja ele uma bactéria ou um tumor.

Embora esteja comprovado que nosso sistema imunológico se ativa quando o sol se põe, também é fato que os tumores cancerígenos crescem de maneira mais agressiva à noite. O **ritmo de crescimento** foi identificado por pesquisadores do Instituto Weizmann de Ciência de Israel, em 2014. Os pesquisadores examinaram a relação entre crescimento celular e uma classe de hormônios chamados glicocorticoides (GCS).[2] Os GCS controlam o metabolismo, a energia e o nível de alerta. Atingem o ápice durante o dia, declinam à noite e interagem com as moléculas do receptor do fator de crescimento epidérmico (EGFR, do inglês *epidermal growth factor receptor*). Um EGFR é exatamente o que o nome sugere — um receptor na superfície da célula que, quando aberto, permite que a célula cresça e se divida em células normais e saudáveis. Os EGFRS também fazem com que células malignas (cancerosas) cresçam e se dividam.

Em camundongos, quando os níveis de GC estavam baixos, o entorno do EGFR se elevava em tumores, fazendo com que eles crescessem e se espalhassem mais rapidamente. Na sequência, os pesquisadores administraram medicamentos inibidores do EGFR em momentos diferentes do dia para ver se o biotempo poderia reduzir a velocidade do crescimento do tumor em combinação com o tratamento medicamentoso. **O horário fez uma *enorme* diferença. Os tumores nos camundongos tratados na hora de dormir eram menores do que naqueles tratados durante o dia.** No futuro, é provável que cânceres relacionados ao EGFR sejam tratados quando os hormônios GCs estiverem baixos — a fim de aumentar sua eficácia.

Comprovou-se que o **ritmo de duração do sono**, ou seja, conseguir horas de sono suficientes por noite, reduz a suscetibilidade a doenças de menor gravidade, como o resfriado comum.[3] Em um estudo de 2015, realizado por pesquisadores da Universidade da Califórnia, em San Francisco, e da Universidade Carnegie Mellon, 164 adultos receberam monitores de pulso para acompanhar a duração do sono por uma semana. Na sequência, os indivíduos foram transferidos para um laboratório, receberam via nasal gotas com o vírus do resfriado e foram acompanhados por mais cinco dias. Os indivíduos que dormiam menos de seis horas tinham muito mais chance de desenvolver o resfriado do que aqueles que dormiam sete horas por noite. Todas as outras variáveis — gênero, hábitos de saúde, IMC, questões psicológicas — foram descartadas. Uma hora por noite fazia toda a diferença.

O **ritmo de perturbação do sono** — ter o sono fragmentado ou dormir fora dos ritmos circadianos — pode ser ainda mais prejudicial do que a baixa duração do sono em termos de suscetibilidade a doenças. Em um estudo de 2014, pesquisadores da Universidade de Chicago dividiram camundongos em dois grupos.[4] As cobaias do primeiro grupo tiveram uma semana de sono fragmentado da pior forma: uma escova motorizada corria por sua gaiola, acordando-os periodicamente. O outro grupo não foi perturbado e dormiu tranquilamente. Células cancerosas foram injetadas nos dois grupos. Quatro semanas depois, os camundongos foram examinados. Os tumores do grupo com sono fragmentado estavam com o dobro do tamanho e eram muito mais invasivos do que os dos camundongos descansados. O efeito multiplicador não foi causado pelas células cancerosas em si, mas pela imunidade comprometida dos camundongos com sono perturbado. Em vez de atacar as células malignas no centro do tumor (como ocorreu no caso dos camundongos descansados), o sistema imunológico dos camundongos sonolentos direcionou os glóbulos brancos erroneamente para os vasos sanguíneos em volta das bordas dos tumores, fazendo com que crescessem mais rápido. A boa notícia: quando certa proteína que impulsiona o crescimento do tumor — TLR4, ou receptor do tipo Toll 4 — era bloqueada, o crescimento do tumor se mantinha sob controle, mesmo nos camundongos privados de sono. Portanto, existe esperança de que novos tratamentos bloqueiem essa proteína. Além disso, é importante atentar para a divulgação da informação de que o sono de qualidade faz muito mais do que deixar você revigorado. Ele pode salvar sua vida.

RESUMO RÍTMICO

Ritmo de acionamento imunológico: Quando as células ativam suas capacidades de combater doenças, seja dia ou seja noite.

Ritmo de crescimento: Quando as células são mais capazes de combater a expansão dos tumores.

Ritmo de duração do sono: Quando você não tem sono suficiente para combater doenças.

Ritmo de perturbação do sono: Quando você não tem sono suficiente de alta qualidade para combater doenças.

A PIOR HORA PARA COMBATER DOENÇAS

2h. A imunidade melhora à noite, mas só se você estiver dormindo de verdade! Se estiver acordado a essa hora, não terá sono suficiente de alta qualidade, o que pode comprometer seu sistema imunológico.

A MELHOR HORA PARA COMBATER DOENÇAS

Ter sono suficiente de qualidade vai fazer tão bem para combater e prevenir doenças quanto abandonar hábitos de alto risco como fumar, beber e comer junk food. Procure ter sete horas de sono por noite. Uma hora a mais pode fazer toda a diferença.

Golfinho: 23h30 às 6h30.

Leão: 22h30 às 5h30.

Urso: 23h30 às 7h.

Lobo: 0h30 às 7h30.

AJUDE OS MÉDICOS A AJUDAR VOCÊ

Algumas dicas temporais para interagir com médicos e farmacêuticos:

- **Agende check-ups de manhã.** Sua espera será mais curta, poupando-o de ficar incomodado, irritado e com fome se for tirar uma amostra de sangue em jejum, por exemplo. A rigidez e a função pulmonar também estão mal de manhã, de forma que a artrite e a asma estão no pior estado. Assim, seu médico consegue avaliar melhor suas necessidades de atendimento.

- **Agende cirurgias de manhã.** Os efeitos da anestesia seguem o biotempo. Você corre mais riscos de sofrer efeitos colaterais da anestesia à tarde, segundo um estudo do Centro Médico da Universidade Duke, que examinou 90 mil cirurgias realizadas no hospital da Universidade Duke de 2000 a 2004. Os pacientes do estudo também relataram mais contratempos administrativos à tarde — maior tempo de espera, atrasos na burocracia, o tipo de coisa que faz a pressão alta disparar. Além disso, os cirurgiões cometiam menos erros de manhã. Incidentes adversos ocorriam com menos frequência durante as horas de ápice de alerta, entre nove horas da manhã e meio-dia. Os erros aconteciam com mais frequência fora do horário de ápice de alerta, entre três e quatro horas da tarde. Os pacientes também tinham maior propensão a sofrer de dor pós-operatória e náusea à tarde.

TOMAR VACINA CONTRA A GRIPE

Fracasso: Tomar a vacina quando ela é menos eficaz e dolorosa.
Sucesso: Tomar a vacina quando ela é mais eficaz e indolor.

CIÊNCIA BÁSICA

Parece que todo ano a vacina contra a gripe sofre golpes da mídia. Matérias afirmam que a vacina bloqueia o vírus apenas metade das vezes ou que só reduz a gravidade da doença. A potência de uma vacina depende da capacidade dela de criar anticorpos — a proteína específica do sangue que ataca o antígeno específico, como o vírus H1N1. Em 50% a 70% das pessoas que a tomam, a vacina contra a gripe — uma dose minúscula do vírus em si — faz o corpo produzir anticorpos suficientes para combater a doença totalmente desenvolvida. O restante das pessoas não produz anticorpos suficientes para tanto. Ao ouvir as estatísticas, muitos decidem nem se dar ao trabalho de tomar a vacina.

Se existe uma chance de 10% de não pegar gripe e deixar de passar duas semanas sofrendo na cama, a vacina vale o tempo e o dinheiro. Recomendo que todos acima de seis meses de idade tomem uma vacina anual. É um mal necessário para sua rotina de cuidados com a saúde geral. E, se for tomar, pode muito bem fazer isso no seu biotempo para maximizar a eficiência e minimizar a dor.

Este livro fala sobre pequenos ajustes nos horários diários, mas, nesse caso, a época do ano também importa. O **ritmo sazonal** do vírus da gripe — segundo o Centro de Controle e Prevenção de Doenças, a agência governamental norte-americana que traçou a sazonalidade do vírus influenza de 1982 a 2014 — vai do início do inverno até o fim da primavera, atingindo seu ápice no meio de cada uma dessas estações. Como a vacina contra a gripe leva duas semanas para fazer efeito, tomar a vacina no início da primavera seria como fechar a porta do estábulo depois que o cavalo já fugiu. **A melhor hora é tomar a vacina no comecinho do inverno**, assim que a vacina ficar disponível em grande escala. Quando noto que está começando a esfriar muito, penso: *Hora de uma vacina contra a gripe.*

O **ritmo de sensibilidade à dor** não é uma grande preocupação para a maioria das pessoas. A vacina em si causa pouquíssima dor, além de uma sensibilidade no braço por um dia ou dois. Nada de mais. (É fato, porém, que basta ver a agulha para que algumas crianças gritem de agonia.) E estudos descobriram que a dor segue o biotempo. Dessa forma, é possível reduzir todo incômodo que possa ser associado às vacinas. Em 2014, cientistas da Universidade de Haifa, em Israel, infligiram diferentes intensidades e tipos de dor — mecânica, calor e frio — em 48 indivíduos para testar sua tolerância de manhã, à tarde e à noite.[5] **Os indivíduos conseguiam suportar dor por períodos mais longos e com maior intensidade de manhã.**

Existe um **ritmo de imunidade** que sugere quando tomar a vacina para que ela tenha a maior chance de proteger você da doença? Como já mencionamos, se a vacina faz você produzir anticorpos suficientes, ela vai protegê-lo de doenças. Mas quando o corpo produz naturalmente anticorpos em uma velocidade maior? Quinze minutos antes de exercícios.

Em 2011, pesquisadores da Universidade Estadual de Iowa, entre eles a professora de cinesiologia Marian Kohut, deram a um grupo de estudantes a vacina contra a gripe H1N1 e os instruíram a correr ou pedalar em uma bicicleta ergométrica logo em seguida por noventa minutos. O grupo de controle não se exercitou. Um mês depois, os indivíduos foram testados para contar quantos anticorpos produziram. O grupo que fez os exercícios havia duplicado o número de anticorpos em relação ao grupo sedentário. Marian deu sequência a esse estudo em camundongos e descobriu que a duração do exercício também fazia diferença. Tempo demais (três horas) ou de menos (45 minutos) não gerava resultados tão impressionantes quanto os vivenciados pelas cobaias que se exercitaram por noventa minutos. Por que o exercício cardiovascular ajuda a produzir mais anticorpos? O exercício aumenta a circulação. Por isso, fazer o sangue se mover logo após receber a vacina ajuda a espalhá-la por todo o corpo, dispersando a produção de anticorpos.

Um estudo inglês testou o impacto do levantamento de peso *antes* de receber uma vacina.[6] Pesquisadores da Universidade de Birmingham pediram a 29 homens e 31 mulheres para fazer roscas bíceps com o braço não dominante a 85% de sua capacidade máxima; então, seis horas depois, os participantes recebiam a vacina contra a gripe no mesmo braço. Oito semanas depois, os indivíduos foram testados. O interessante é que as mulheres tiveram um aumento de anticorpos em comparação com o grupo de controle, mas não tão grande quanto o aumento dos participantes homens. A causa pode ser a inflamação no músculo do braço, que impediu que a vacina chegasse ao resto do corpo rapidamente. Qualquer que seja o caso, para ambos os gêneros, se você puxar ferro seis horas antes da vacina e, em seguida, pedalar em uma bicicleta ergométrica ou fazer uma caminhada vigorosa durante noventa minutos, vai estar em ótima forma para a temporada de gripe.

RESUMO RÍTMICO

Ritmo sazonal: Quando ou em quais meses se deve tomar uma vacina contra a gripe.

Ritmo de sensibilidade à dor: Quando você está mais sensível à dor.

Ritmo de imunidade: Quando seu corpo produz anticorpos mais rapidamente.

A PIOR HORA PARA TOMAR A VACINA CONTRA A GRIPE

Um fim de tarde preguiçoso de primavera. Porque é simplesmente tarde demais.

A MELHOR HORA PARA TOMAR A VACINA CONTRA A GRIPE

Todos os cronotipos devem tomar a vacina contra a gripe no início do inverno.

Golfinho: 13h. Tome a vacina e depois faça uma longa caminhada para melhorar a imunidade e ter uma injeção de ânimo quando mais precisa.

Leão: 16h45, logo antes de um treino mais longo do que de costume.

Urso: 11h30, antes de uma longa caminhada para comprar o almoço e ir de volta para o trabalho.

Lobo: 17h45. Use roupas de academia para ir até a farmácia ou consultório médico e depois volte andando, correndo ou de bicicleta pelo caminho mais longo.

FAZER UMA MAMOGRAFIA

Fracasso: Não conseguir uma avaliação precisa apesar da dor e do incômodo do exame.

Sucesso: Fazer um exame preciso sem dor ou incômodo excessivo.

CIÊNCIA BÁSICA

Mamografias salvam vidas. Todos conhecemos alguma mulher que fez a mamografia anual e está viva hoje por causa dela. O diagnóstico precoce de câncer de mama tem um papel importantíssimo e ajuda as pacientes a sobreviver à doença. Cinco ou dez minutos de desconforto valem a pena para proteger sua saúde. O ideal é que se tenha uma avaliação precisa e clara sem incômodo excessivo, e que você saia aliviada por não ter de repetir o exame até o próximo ano. Mas há alguns "quandos" importantes a considerar.

O **ritmo do conforto**. Muitas mulheres não sabem que a cafeína aumenta a sensibilidade do seio e exacerba a dor dos fibroides. Num estudo da Universidade Duke com 113 mulheres com doença fibrocística da mama, os dois terços que reduziram substancialmente a cafeína por um ano relataram redução ou eliminação da dor nos seios.[7] Antes de uma mamografia, corte o café, os chás e refrigerantes cafeinados por um ou dois dias a fim de tornar o processo mais suportável. Se for viciada em café, agende a mamografia antes da primeira xícara. As mudanças hormonais no decorrer do mês também afetam sua resposta à dor: as mulheres ficam mais sensíveis na semana *anterior* à menstruação, quando a produção de hormônios analgésicos naturais como serotonina e endorfina cai.

E quanto ao **ritmo de conveniência**, isto é, quando agendar sua mamografia para entrar e sair dela rapidamente? Se for possível, marque a primeira ou segunda avaliação do dia. Como é o caso de todos os consultórios médicos e laboratórios de exame, as agendas ficam mais cheias e atrasadas com o passar do dia. Quanto antes você entrar, menos espera terá de suportar.

Embora a dor e a logística sejam importantes, o objetivo principal de fazer uma mamografia é identificar um tumor. O **ritmo de precisão** está todo relacionado ao período do mês. Segundo um grande estudo realizado por cientistas do Group Health Research Institute, em Seattle, sua melhor opção é agendar o exame durante a primeira semana do ciclo (em que o dia um é o primeiro dia de sua menstruação).[8] A análise de 380 mil mamografias de mulheres entre 35 e 54 anos de idade ao longo de um período de onze anos mostrou que, durante a primeira semana do ciclo, houve leituras positivas (em que foram encontrados nódulos) 80% das vezes. O tecido dos seios é menos denso nesse período do mês — menos inchado, sem a retenção de líquido sintomática da tensão pré-menstrual, ou TPM —, então os nódulos são mais facilmente identificados. As últimas semanas do ciclo deram leituras positivas em cerca de 70% das vezes.

RESUMO RÍTMICO

Ritmo de conforto: Quando uma mamografia será menos dolorosa.

Rimo de conveniência: Quando agendar uma mamografia para não ter de ficar esperando tempo demais.

Ritmo de precisão: Quando a leitura dará resultados mais claros e precisos.

A PIOR HORA PARA FAZER UMA MAMOGRAFIA

No fim do dia, depois de beber um bule de café e durante a última semana do seu ciclo menstrual.

A MELHOR HORA PARA FAZER UMA MAMOGRAFIA

Procure marcar no primeiro horário do dia, durante a primeira semana do seu ciclo menstrual.

IR AO BANHEIRO

Fracasso: Não ir o suficiente, ir demais, sofrer para ir, ir em horários imprevisíveis.

Sucesso: Ir em horários regulares e com facilidade.

CIÊNCIA BÁSICA

O trato gastrintestinal (GI) é referido por muitos como nosso segundo cérebro. Todos nós já ficamos "enfezados" — uma sensação que de fato é gerada nos nossos intestinos. Assim como o cérebro, o trato GI é um sistema nervoso — especificamente, o sistema nervoso entérico (SNE). O SNE é composto por 100 milhões de neurônios no revestimento do canal alimentar — o longo tubo que começa no esôfago e termina no ânus. Todas essas células nervosas permitem que você "sinta" o processo digestivo e o relacione a emoções e pensamentos. Por exemplo, quando está ansioso e sente frio na barriga, na verdade está registrando uma digestão acelerada causada pelo aumento dos hormônios do estresse e das enzimas intestinais. O SNE controla os processos de digestão e eliminação sem nenhuma ajuda do cérebro. O trato GI tem seu próprio biotempo, que os cientistas chamam de "relógio intestinal".

Assim como o cérebro, seu "segundo cérebro" produz neurotransmissores e hormônios, as substâncias químicas que ordenam que as células realizem as funções corporais. Certos hormônios que associamos ao cérebro são produzidos em massa no trato GI, incluindo 95% de sua serotonina e 80% de sua melatonina. Não surpreende, portanto, que medicamentos que inibem ou estimulam os hormônios do cérebro primário afetem a saúde do segundo cérebro. Por exemplo, os inibidores de recaptação de serotonina (IRSS), usados para tratar depressão, podem causar síndrome do intestino irritável. Por outro lado, os suplementos de melatonina usados erroneamente para tratar insônia podem melhorar os sintomas dessa síndrome. É tudo muito complexo e inter-relacionado. No fim das contas, basta dizer que seu intestino é tão inteligente quanto seu cérebro, se não mais, e sabe exatamente o que você precisa fazer (incluindo cocô) e quando.

Fazer uma checagem em seus ritmos intestinais é uma excelente maneira de avaliar sua saúde em geral.

Como uma fábrica de hormônios, o intestino tem um grande inventário, e muitas das substâncias bioquímicas que ele produz funcionam no biotempo.[9]

- A **motilina** e a **grelina** impulsionam o processo digestivo de contrações musculares em cascata, que se inicia no estômago.

- A **gastrina**, a **grelina**, a **colecistoquinina** e a **serotonina** fazem a motilidade (o movimento do alimento e das fezes) continuar pelo intestino delgado e pelo cólon.

- Você pode pensar que a **melatonina** serve apenas para fazer dormir, mas ela tem grandes implicações no intestino. Está relacionada à fome, à saciedade e controla o tempo do processo digestivo.

O impacto da melatonina e do complexo motor migratório — o ciclo digestivo de noventa a 120 minutos — dá início ao **ritmo hormonal**. Quando fica escuro e a melatonina começa a ser secretada pela glândula pineal, o trato GI e a função intestinal são suprimidos. Quando o sol nasce e a melatonina deixa de ser secretada — por volta das oito horas da manhã no caso dos ursos —, o cólon também acorda. A maioria dos ursos tem seu primeiro movimento intestinal do dia nos primeiros noventa minutos depois de acordar.

A regularidade é um indício claro da saúde do cólon e, considerando a interconexão, do equilíbrio do sistema endócrino também. Se você vai ao banheiro em horários previsíveis, o intestino e os hormônios estão funcionando em harmonia. No entanto, o **ritmo de regularidade** não se deve apenas aos hormônios. Horários regulares de refeição — absolutamente necessários para manter seu biotempo sincronizado — aliados a uma dieta com alto teor de fibras e ao hábito de beber pelo menos seis copos de água diariamente vão manter seus movimentos intestinais previsíveis. Você pode se planejar de acordo com ele para, por exemplo, não marcar uma entrevista de emprego importante na hora errada.

Quase 30% dos que bebem café notam o **ritmo estimulante** infalível e de ação rápida. Uma xícara de café pode estimular a mobilidade intestinal em apenas quatro minutos e fazer você ir ao banheiro em trinta, de acordo com um estudo britânico com 99 adultos saudáveis viciados em cafeína.[10] No entanto, a cafeína não é a responsável pelo efeito laxante. Se fosse, chocolates e refrigerantes também causariam essa vontade. Os segredos são as características e os compostos ácidos exclusivos do café, que fazem o estômago acelerar o processo digestivo e aumentar a produção corporal de dois hormônios do trato GI, a gastrina e a colecistoquinina. A gastrina estimula as contrações musculares do intestino, que move as fezes pelo canal alimentar. A colecistoquinina dá o aviso à vesícula biliar e ao pâncreas para liberar enzimas e bile a fim de decompor a gordura e a proteína do alimento no intestino.

Para alguns, o biotempo do movimento intestinal é sincronizado com a alimentação. O **ritmo de reflexo**, ou reflexo gastrocólico, é a resposta do seu corpo à ingestão de comida. Depois de uma refeição, o estômago se distende, e isso deflagra uma reação hormonal em cadeia que provoca os movimentos peristálticos, as contrações musculares que movem as fezes ao longo do intestino. A comida entra, portanto as fezes devem sair. A maioria dos pais nota o reflexo gastrocólico em ação quando um bebê suja as fraldas enquanto mama. Para os adultos, basta sair da mesa por alguns minutos.

RESUMO RÍTMICO

Ritmo hormonal: Quando o relógio intestinal libera certos hormônios e desencadeia o processo digestivo.

Ritmo de regularidade: Quando uma combinação de fatores — fibras, água e hormônios — faz os movimentos intestinais ocorrerem em horários previsíveis.

Ritmo estimulante: Quando a vontade de ir ao banheiro coincide com tomar café.

Ritmo de reflexo: Quando a vontade de ir ao banheiro coincide com comer.

A PIOR HORA PARA IR AO BANHEIRO

1h às 5h. A melatonina está fluindo de madrugada e deve suprimir a atividade intestinal. Se tiver de levantar e ir ao banheiro nesse período, pode haver algo errado com seu sistema digestivo ou endócrino.

A MELHOR HORA PARA IR AO BANHEIRO

Golfinho: Sempre que surgir a vontade, porque a constipação intestinal é um efeito colateral terrível da insônia.[11] Meu conselho aos pacientes com insônia é incluir frutas, verduras e legumes em toda refeição, comer regularmente três vezes ao dia e não deixar de ir ao banheiro por questões de conveniência ou privacidade — isso pode causar constipação intestinal.

Leão: 7h, uma hora depois de acordar.

Urso: 9h, noventa minutos depois de acordar. Lembre-se de ter uma dieta com alto teor de proteína, comer em horários regulares e beber bastante água.

Lobo: 11h. Quando o assunto é cólon, o dos lobos é mais lento, e pode ficar sem se mover por duas ou três horas depois de acordar. Os lobos que se empenharem em comer no café da manhã vão começar a ir ao banheiro antes.

FAZER TERAPIA

Fracasso: Não consultar um terapeuta quando precisa de ajuda ou ir quando você tem menos propensão de se abrir.

Sucesso: Consultar um terapeuta quando você precisa de ajuda e ir quando consegue se abrir.

CIÊNCIA BÁSICA

Sou psicólogo especializado em medicina do sono. A maior parte do meu trabalho é ajudar meus pacientes a mudar seus hábitos de sono para conseguir mais repouso; porém, outra grande parte é conversar sobre os problemas emocionais que eles apresentam. A psicoterapia funciona. Não importa se você está passando por uma crise temporária ou um problema duradouro, considerar "quando" você deve ir a um terapeuta pode melhorar a qualidade das sessões.

Certos cronotipos tendem a precisar mais de ajuda terapêutica do que outros. O **ritmo de satisfação com a vida** — se você se sente feliz com sua vida e seus relacionamentos e se demonstra uma visão positiva do futuro — definitivamente aponta a favor de um cronotipo. Diversos estudos internacionais provaram a relação entre "matutinidade" e alta satisfação com a vida, e, por consequência, "vespertinidade" e baixa satisfação com a vida.[12]

- **Os leões têm as personalidades mais estáveis e são felizes com sua vida, saúde e visão de futuro.**

- **Os lobos são suscetíveis a variações de humor e vícios e são menos felizes com sua vida, saúde e visão de futuro do que os demais cronotipos.**

Não estou querendo sugerir que todos os leões consigam seguir a vida tranquilamente sem nunca consultar um terapeuta nem que todos os lobos precisem marcar uma consulta *agora*. Mas existem condições tratáveis que os lobos têm maior chance de sofrer, como vícios, depressão e problemas de personalidade. A terapia pode ajudar.

No meu consultório, todos os dias vejo exemplos do **ritmo de insônia/ depressão**. As duas andam lado a lado. A insônia aguda dos golfinhos pode ser aliviada com uma técnica chamada terapia cognitivo-comportamental para insônia (TCC-I). E, se você tratar a insônia, já terá meio caminho andado para aliviar a depressão também. Em um estudo australiano, 419 pacientes ambulatoriais de uma clínica de distúrbios do sono avaliaram sua depressão e, em seguida, participaram de uma série de sessões de terapia individual ou em grupo de acordo com a TCC para insônia.[13] **Ao fim da série de sessões, os insones exibiram melhoras significativas em seus hábitos de sono e sintomas de depressão.** Os golfinhos não são avessos a terapia. Pelo contrário, com a tendência neurótica, eu diria que os golfinhos são o cronotipo mais propenso a procurar ajuda para os problemas. Para todos os golfinhos que estão em dúvida se devem ou não ir consultar um especialista do sono, meu conselho é ir a uma sessão. Apenas uma. Não precisa se comprometer com nada.

Os ursos são os mais afáveis e flexíveis de todos os cronotipos, mas, em termos de **ritmo de inteligência emocional**, podem precisar de ajuda. Em um estudo espanhol com mais de mil pacientes de ambos os sexos, entre dezoito e cinquenta anos, os pesquisadores primeiro determinaram os cronotipos dos indivíduos e, na sequência, lhes passaram um teste psicológico que media três dimensões de inteligência emocional: atenção emocional (ouvir os outros), clareza emocional (saber o que está acontecendo) e reparo emocional (ser capaz de resolver problemas).[14] Como um todo, as mulheres estudadas eram melhores ouvintes (nenhuma grande surpresa) e os homens eram mais aptos a resolver problemas (naturalmente). Quanto às diferenças de cronotipo, ursos e lobos eram melhores ouvintes do que os leões. Mas, fora isso, os ursos tinham os níveis mais baixos de clareza e reparo. Os ursos gostam de manter as coisas estáveis, por isso não têm muita inclinação a olhar com atenção para as próprias emoções ou resolver algo que pode ou não ser um problema. Em minha experiência, os ursos tendem a resistir à terapia, então mesmo quando são levados a fazer acabam tendo um progresso mais lento.

Se você decidir dar uma chance à terapia, o próximo passo é escolher um terapeuta. Qual é o **ritmo de compatibilidade** para escolher o profissional certo? Eu aconselharia perguntar a um potencial terapeuta sobre as flutuações de energia e o nível de alerta dele, para escolher alguém que tenha os mesmos ritmos que você. Golfinhos e lobos devem consultar terapeutas que estejam mais alertas à noite; leões e ursos podem consultar alguém que esteja mais alerta de manhã ou à tarde. Claro, a compatibilidade com o terapeuta é multidimensional. Mas, para início de conversa, você não vai querer sentar diante de um profissional de saúde psicológica que esteja com a energia baixa enquanto você está acordado e vice-versa.

No que concerne ao **ritmo de agendamento**, faça terapia quando você (e seu terapeuta) estiver alerta. Lembre-se de que seus horários de pico de alerta são quando seu cérebro está mais bem preparado para lidar com problemas estratégicos e analíticos. Na terapia, você precisa ser analítico, em parte para garantir o que chamamos de "contenção", ou seja, não deixar que uma sessão se torne emocional a ponto de deter o processo terapêutico ou de levar as emoções afloradas consigo ao sair. Sei que, em cenas de filme, os grandes avanços na terapia ocorrem quando o paciente tem uma revelação súbita na sessão e então começa a chorar, expressar as emoções em ações e assim por diante. Na vida real, a terapia é mais produtiva quando é um processo intelectual. ("Inteligência emocional" tem esse nome por um motivo.) Mais tarde, durante as horas fora do ápice, você pode refletir sobre a conversa e estabelecer relações sagazes, sendo tão emocional quanto quiser em relação ao que descobriu. Compartilhe as revelações que teve em seus períodos fora do ápice com seu terapeuta em suas horas de pico.

RESUMO RÍTMICO

Ritmo de satisfação com a vida: Quando você está feliz com a vida e o futuro.

Ritmo de insônia/ depressão: Quando não dormir bem vem de mãos dadas com não se sentir bem e vice-versa.

Ritmo de inteligência emocional: Quando os cronotipos conseguem e estão dispostos a ouvir, saber o que está acontecendo e resolver problemas emocionais.

Ritmo de compatibilidade: Quando você pergunta ao terapeuta sobre o cronotipo dele e escolhe alguém cujo tipo combina com o seu.

Ritmo de agendamento: Quando se deve programar sessões durante seus horários de ápice.

A PIOR HORA PARA FAZER TERAPIA

Horas do dia fora de seu ápice de alerta. Para não dormir durante a sessão e garantir que consiga se concentrar nos problemas, evite consultar um terapeuta de manhãzinha (com exceção dos leões) ou no meio da tarde. E ninguém, exceto os lobos, deve consultar um terapeuta à noite.

A MELHOR HORA PARA FAZER TERAPIA

Recomendo fortemente que você procure ajuda profissional para seus problemas emocionais, sejam eles de curta ou longa duração, ou o acompanhamento de especialistas para curar sua insônia.

Golfinho: 16h às 18h.

Leão: 7h às 12h.

Urso: 10h às 14h.

Lobo: 17h às 20h.

MEDITAÇÃO

A meditação é uma prática psicológica que todos podem fazer a qualquer hora, em qualquer lugar. Eu mesmo faço toda manhã durante o banho — para focar minha mente no aqui e agora e me concentrar para o dia que vem pela frente. Diferentes cronotipos podem tentar meditação ou exercícios de respiração profunda (acesse <www.thepowerofwhen.com> para vídeos explicativos) em diferentes horários para acalmar os nervos, reduzir o estresse, promover a criatividade ou esvaziar a mente durante adversidades cotidianas.

- **Leões:** A meditação matinal vai definir o tom do dia que vem pela frente.

- **Golfinhos:** Minimeditações de dois ou três minutos podem reduzir o estresse quando necessário. A meditação antes de dormir pode reduzir os níveis de cortisol e baixar a pressão arterial e a frequência cardíaca.

- **Ursos:** A meditação na hora do almoço pode ajudar a promover a criatividade à tarde. A meditação ao fim da tarde pode facilitar a transição do trabalho para casa.

- **Lobo:** Minimed tações de dois ou três minutos podem reduzir o estresse quando necessário. A meditação antes de dormir ajuda você a fazer a transição do seu ápice para o sono.

TOMAR BANHO

Fracasso: Tomar banho na hora errada e acidentalmente ficar com sono quando deveria estar alerta, e alerta quando deveria estar com sono.

Sucesso: Tomar banho para acordar ou relaxar em horários adequados e proporcionar momentos de inspiração súbita.

CIÊNCIA BÁSICA

Tomar banho de manhã ou à noite? Muitos pacientes me fizeram essa pergunta, sentindo intuitivamente que tomar banho tinha alguma relação com acordar e/ ou induzir a sonolência.

Imagine uma mulher recostada em uma banheira. Essa imagem é um clichê visual para "relaxante"! Imagine um homem tomando uma ducha enquanto cheira um sabonete verde. É um clichê visual para "revigorante"! Esses benefícios secundários de tomar banho de banheira e chuveiro — relaxar ou revigorar — parecem mais importantes do que o objetivo primário de limpar o corpo da sujeira e do suor. De fato, **a hora em que você imerge ou se enxágua afeta o seu biotempo e pode ser relaxante ou revigorante como os publicitários querem que acreditemos.**

Sua temperatura interna muda ao longo do dia, caindo ao ponto mais baixo por volta das quatro horas da manhã e chegando ao ponto mais alto em torno das dez horas da noite (no caso dos ursos). As mudanças de temperatura afetam seu grau de alerta, força muscular e flexibilidade, bem como seu ciclo de sono/ vigília. Nos mamíferos, a flutuação de dois ou três graus influencia as dezenas de relógios internos em todo o corpo, segundo pesquisadores da Universidade Northwestern.[15] O banho pode ser uma ferramenta que serve a um propósito específico: dar um gás na flutuação da temperatura circadiana. Chame isso de **ritmo da temperatura.**

Quando você acorda, sua temperatura corporal interna está subindo. Para ajudá-la a subir, tome um banho frio (não gelado). A água em temperatura baixa na superfície da sua pele faz o sangue fluir para o centro do corpo, a fim de manter os órgãos vitais aquecidos. Portanto, um banho frio na verdade faz a temperatura subir, deixando-o mais acordado.

Quando a temperatura interna cai à noite provoca a liberação de melatonina, avisando ao cérebro que é hora de ficar sonolento. Uma imersão em água quente faz com que o sangue corra para as extremidades (já notou como sua pele fica corada depois de usar o ofurô ou a sauna?) e para longe dos seus órgãos vitais, o que reduz a temperatura corporal e induz à sonolência.

E o pós-treino? O exercício aumenta "a temperatura corporal externa", ou a temperatura da pele e dos músculos, mas não a temperatura corporal interna. Uma típica ducha rápida após o treino resfria a temperatura externa, mas não tem muito impacto em seus órgãos.

Quando tomar banho? A resposta é: Sempre que tomar banho, ajuste a temperatura da água de acordo com a hora do dia.

- De manhã, tome um banho morno ou frio. Um banho quente de manhã vai prolongar a inércia do sono.

- Antes da cama, um banho quente vai estimular o sono. Uma ducha morna ou fria à noite pode diminuí-lo.

Quando tomar banho traz lampejos de genialidade? Todos já passamos por isto: você não consegue encontrar uma solução para um problema espinhoso, por mais que se esforce. Mas então entra no chuveiro e a resposta surge na sua cabeça quando menos espera. Ter momentos de inspiração súbita no banho é quase um clichê, mas realmente acontece. O **ritmo de iluminação**, quando você de repente é acometido por um insight, é um fenômeno cientificamente comprovado.

Em 1926, o psicólogo britânico Graham Wallas dividiu o processo criativo em quatro estágios distintos:

- **Preparação**. A base da criatividade, quando você pesquisa ou define conceitos ou ideias mais amplos.

- **Incubação**. O estranho e misterioso período em que você conscientemente *não* pensa na ideia, e deixa seu subconsciente encontrá-la para você.

- **Iluminação**. O estalo súbito de criatividade, quando você tem um lampejo genial — o momento da lâmpada.

- **Verificação**. O período de refinamento, quando você confirma que sua ideia genial faz sentido.

O período de incubação pode ser longo — uma noite de sono, um dia, uma semana, um ano — ou curto. Mesmo intervalos de cinco minutos — o intervalo de entrar no banho e... "heureca!" — podem trazer a iluminação que você busca, segundo inúmeros estudos sobre o tema.[16]

Por que o insight acontece com tanta frequência durante o banho? Você (provavelmente) está sozinho, fisicamente distraído e mentalmente desconcentrado. Não está conversando com ninguém e sua atenção não está cativada pela TV, pelo computador, pela família, pelo trabalho, por um livro, pelo jantar, pelas calhas para limpar nem pelo cachorro querendo ração. Se você tivesse uma TV à prova d'água no banho, esses momentos de "heureca" deixariam de acontecer.

Como a incubação se trata de *não* pensar em algo propositalmente, planejar um banho com o objetivo da iluminação pode acabar com a motivação. Mas, se você tomar um banho quando sua mente estiver preparada para divagar — durante períodos fora do pico de alerta —, você estará mais propenso a aumentar seu ritmo de iluminação.

Uma última observação pessoal: uso o banho para meu **ritmo de meditação** diário antes de começar o dia. Concentro-me na respiração e esvazio a mente enquanto a água cai sobre a minha cabeça. É difícil fazer isso, mas funciona *muito* para trazer o foco para o aqui e agora. É o meu truquezinho particular de biotempo. Você pode tentar por sessenta segundos sempre que estiver no banho.

RESUMO RÍTMICO

Ritmo de temperatura: Quando tomar banho ajuda você a ficar acordado ou sonolento.

Ritmo de iluminação: Quando tomar banho oferece momentos de criatividade repentina.

Ritmo de meditação: Quando se deve usar o banho como uma ferramenta meditativa para esvaziar a mente e trazer você de volta ao presente.

A PIOR HORA PARA TOMAR BANHO

11h. Um banho quente no meio da manhã vai deixar você com sono quando deveria se sentir acordado — e isso vale para todos os cronotipos. É improvável que tomar banho durante os horários de pico de alerta mental gere ideias criativas. Seu cérebro está concentrado demais para ter momentos "lâmpada" nesse horário.

A MELHOR HORA PARA TOMAR BANHO

Golfinho: 7h30, um banho frio para ajudar você a acordar; 21h, um banho quente para acalmá-lo antes de dormir.

Leão: 6h, se precisar de um banho de manhã; 18h, uma ducha fria após o treino para combater a sonolência vespertina.

Urso: 7h30, um banho frio para ajudar você a acordar; 22h, um banho quente para acalmá-lo antes de dormir.

Lobo: 23h, um banho quente para acalmar você antes de dormir. Nada de banho de manhã. É melhor usar esse período para conseguir dormir o máximo possível.

"AGORA ME SINTO ESTRANHA SE *NÃO* TOMAR BANHO."

Quando sugeri para **Stephanie, a golfinho**, que tomasse um banho frio de manhã e um banho quente à noite, ela disse: "É tempo demais embaixo d'água Não sou um golfinho de verdade!". Depois de algumas semanas, porém, ela afirmou: "Agora eu entendo. O banho é o centro do meu novo ritual matinal — exercício, banho, comida — para esvaziar a mente. E é o centro do meu novo ritual noturno — sexo, banho, leitura — para relaxar. Achei que não tivesse tempo para os dois, mas eles agora são úteis, e *adoro* essa sensação. Agora me sinto estranha se *não* tomar banho". Estranha como? "Confusa de manhã e elétrica à noite. Era como vivia todos os dias. Meu velho normal é o meu novo estranho."

TOMAR REMÉDIO

Fracasso: Tomar um medicamento quando ele é menos eficaz.

Sucesso: Tomar um medicamento quando ele faz mais efeito em você.

CIÊNCIA BÁSICA

O pai da cronobiologia foi o dr. Franz Halberg, um cidadão romeno que passou a maior parte da carreira na Universidade de Minnesota, onde fundou o Halberg Chronobiology Center. Halberg é creditado por cunhar a expressão "ritmo circadiano". Enquanto tratava soldados em um hospital militar durante a Segunda Guerra Mundial, estudou os ritmos diários de infecção e cura. Anos depois, na Escola de Medicina de Harvard, começou a realizar experimentos em camundongos e descobriu as flutuações diárias de temperatura corporal, função imunológica e capacidade de metabolizar toxinas. Em um experimento de 1959, dividiu os camundongos em grupos e injetou-lhes uma solução de etanol venenosa em intervalos de quatro horas, ao longo de um período de 24 horas.[17] Em um grupo, metade dos camundongos morreu. Em outro, que foi injetado doze horas depois, apenas 30% morreram. A diferença de 20% na taxa de sobrevivência dependeu apenas do horário da injeção. Se os camundongos morressem de acordo com o período do dia em que eram envenenados, faria sentido que outros camundongos (e humanos) pudessem sobreviver de acordo com a hora do dia em que eram tratados com os medicamentos curativos. Em sua longa carreira (Halberg morreu em 2013, aos 93 anos), escreveu mais de 3 mil ensaios sobre cronobiologia, conduziu experimentos em pacientes na Índia e estudou pressão arterial em pacientes no Japão. Supervisionou o planejamento da quimioterapia da própria esposa, que viveu mais do que o esperado graças ao cronograma revisado por ele.

O homem era um gênio, muito à frente de seu tempo. Já se passaram mais de cinquenta anos desde seu experimento com camundongos/ etanol, e a maior parte dos médicos ainda usa o antigo modelo de prescrição de "tomar o comprimido uma vez ao dia". Em alguns recôncavos das comunidades médica e científica, o horário das medicações está sendo repensado e reavaliado. Sabemos que certos medicamentos são mais eficazes se tomados em determinados horários, incluindo comprimidos tomados diariamente por milhões de pessoas.

- **Aspirina.** Em um estudo holandês de 2014, pesquisadores do Centro Médico da Universidade de Leiden dividiram trezentos sobreviventes de ataques cardíacos em dois grupos.[18] O primeiro tomou cem miligramas de aspirina às oito horas da manhã e o segundo ingeriu a mesma dose às onze horas da noite. As plaquetas sanguíneas — que causam coagulação e consequentemente ataques cardíacos e derrames — ficam mais ativas de manhã, e a aspirina é muito conhecida por reduzir a atividade das plaquetas. Será que o grupo da dosagem matutina estaria em melhor forma do que o grupo noturno depois de dois períodos de testagem de dois meses cada? Surpreendentemente, **o grupo da dose noturna exibiu maior redução na atividade plaquetária e tolerou melhor o incômodo estomacal causado pela aspirina do que o grupo matutino.** Por quê? A dosagem noturna impedia que as plaquetas se formassem, e os pacientes dormiam e ficavam inconscientes durante a dor de estômago.

- **Estatinas.** Um estudo britânico realizado por pesquisadores da Universidade de Sunderland procurou determinar se tomar estatinas de manhã ou à noite fazia melhor efeito na redução do colesterol no sangue.[19] Ao longo de um período de oito semanas, 56 indivíduos tomaram a dose prescrita em horários definidos aleatoriamente e tiveram seus lipídios sanguíneos testados. O grupo matutino exibiu um aumento significativo no colesterol total e no LDL (colesterol ruim), levando os pesquisadores a concluir que, como o colesterol é produzido em maior quantidade durante a noite, **as estatinas serão mais efetivas se forem tomadas antes de dormir, quando podem combater os lipídios (gorduras no sangue) ativamente.**

- **Medicamentos de pressão arterial.** Como você já sabe, a pressão arterial varia de acordo com o biotempo, subindo de manhã e caindo de 10% a 20% à noite. No entanto, pessoas com pressão alta não têm a queda noturna: sua pressão continua alta. Pesquisadores da Universidade de Vigo, na Espanha, buscaram determinar o impacto dessa ausência de queda no risco de ataque cardíaco e derrame. O estudo se estendeu por mais de cinco anos e envolveu mais de 3 mil homens e mulheres com pressão arterial elevada.[20] **Os pacientes que** se medicaram à noite tiveram um risco 33% mais baixo de ataque cardíaco e derrame em comparação com os que tomaram o medicamento de manhã.

O **ritmo de dosagem** é a hora do dia em que o medicamento é mais eficaz. É uma grande incógnita para a maioria dos pacientes — e para os médicos também. Sempre pergunto aos pacientes: "Quando você toma seu remédio?". A resposta costuma ser "Uma vez ao dia" ou "Duas vezes ao dia", sem nenhuma consideração ao horário específico (manhã, tarde ou noite). Já notei que, se for mais conveniente para eles tomarem todos os medicamentos na mesma hora do dia — normalmente de manhã —, é nesse horário que tomam. E a grande maioria dos médicos que prescrevem os medicamentos não vê mal nisso.

Cabe aos médicos e farmacêuticos prestar mais atenção ao repertório crescente de pesquisas científicas que comprovam que o horário em que se toma o medicamento é importante. Recomendo que peça mais informações aos seus médicos sobre o horário da medicação. Com isso, talvez você consiga compartilhar um pouco desse conhecimento e abrir a mente deles para novas estratégias e métodos de tratamento com eficácia comprovada.

Aqui estão alguns estudos para você comentar com seu médico (facilmente encontrados no Google) para iniciar a conversa:

- "Effect of Aspirin Intake at Bedtime versus on Awakening on Circadian Rhythm of Platelet Reactivity: A Randomized Cross-Over Trial" [Efeito da ingestão de aspirina à hora de dormir versus hora de acordar de acordo com o ritmo circadiano e a reatividade de plaquetas], de Tobias Bonten et al.

- "Taking Simvastatin in the Morning Compared with in the Evening: Randomised Controlled Trial" [Tomar sinvastatina de manhã ou à noite: testes aleatórios de controle], de Alan Wallace, David Chinn e Greg Rubin.

- "Sleep-Time Blood Pressure: Prognostic Value and Relevance as a Therapeutic Target for Cardiovascular Risk Reduction" [Pressão arterial na hora de dormir: valor prognóstico e relevância para tratamentos de redução de risco cardiovascular], de R. C. Hermida, D. E. Ayala, et al.

RESUMO RÍTMICO

Ritmo de dosagem: Quando se deve tomar um comprimido para ter maior eficácia.

A PIOR HORA PARA TOMAR REMÉDIO

A qualquer hora. É fundamental que os pacientes tomem seus medicamentos de maneira consciente e não apenas quando lembrarem ou for conveniente. O horário importa. Antes de mudar sua rotina, converse com seu médico sobre a melhor hora para tomar a medicação.

A MELHOR HORA PARA TOMAR REMÉDIO

As pessoas tomam seus medicamentos em horários variados, com base no hábito "junto com as refeições para evitar dor de estômago", na hora de dormir ou logo que acordam para não esquecer, e assim por diante. Às vezes, essas rotinas de dosagem habituais ou lógicas coincidem com um biotempo positivo. Outras, porém, fazer o que você sempre fez não ajuda em nada.

No quadro a seguir, especifiquei horários gerais — "antes do café da manhã" ou "antes de dormir" — para tomar diversos medicamentos em vez de dividir o horário de dosagem para cada cronotipo e medicamento. A essa altura, você já deve saber de cor seus horários de dormir e comer. Faça um planejamento de acordo com eles. **Como sempre, consulte seu médico antes de realizar qualquer mudança na sua rotina atual de medicação. Esta não é uma recomendação médica, mas sim um tema de discussão para sua próxima consulta.**

Medicamento	Biotempo de dosagem
AINE (anti-inflamatórios não esteroides)	quatro horas antes do pico de dor
Anti-histamínicos	noite
Aspirina	antes de dormir
Betabloqueadores	antes de dormir
Corticosteroides	à tarde, para reduzir a inflamação noturna
Estatinas	antes de dormir
IECA (inibidores da enzima conversora da angiotensina) e ARA II (antagonistas do receptor da angiotensina II)	antes de dormir
Medicamentos para artrite reumatoide	antes de dormir
Medicamentos para osteoporose	uma hora antes do café da manhã
Medicamentos para refluxo ácido	antes do café da manhã
Multivitamínicos	depois do café da manhã
Probióticos	junto com o café da manhã
Remédios para azia	depois do jantar

HORÁRIOS DE RISCO

O motivo que faz com que medicamentos sejam mais ou menos eficazes em determinados horários é o fato de as doenças e os estados de saúde variarem em ritmos circadianos próprios.

- **Alergias** são piores de manhã, graças ao acúmulo noturno de pólen. Os alérgicos acordam espirrando até não poder mais.

- **Artrite.** As articulações ficam mais rígidas entre oito e onze horas da manhã porque o sistema imunológico entra em sobremarcha à noite, intensificando a inflamação.

- **Ataques cardíacos** são mais comuns entre seis horas da manhã e meio-dia, em virtude da hiperatividade das plaquetas e das proteínas de coagulação.

- **Ataques de asma** acontecem com mais frequência entre quatro e seis horas da manhã, quando a função pulmonar está no pior estado.

- **Azia** ataca depois do jantar, quando os ácidos estomacais chegam a seu ponto máximo e são exacerbados por se deitar no sofá ou na cama.

- **Calores** em mulheres menopáusicas são mais intensos e frequentes por volta cas nove horas da noite e continuam adiante.

- **Cefaleias de tensão** têm mais chances de atacar ao fim da tarde.

- **Convulsões** são mais comuns entre três e cinco horas da tarde.

- **Depressão** chega a seu pior estado às oito horas da manhã, junto com o despertar.

- **Pressão alta** estará no ponto mais alto às nove horas da noite.

- **Derrames** têm mais chances de ocorrer entre seis horas da manhã e meio-dia.

- **Enxaquecas** começam a se formar no cérebro às quatro horas da manhã e são sentidas com mais frequência ao despertar.

- **Glicemia alta** estará particularmente elevada quando o fígado descarregar glicose no seu sistema, das quatro às seis horas da manhã, para fazer com que você desperte.

- **Síndrome das pernas inquietas** chega ao ponto mais incômodo à meia-noite.

PESAR-SE

Fracasso: Não usar a balança ou usá-la de maneira incorreta.

Sucesso: Usar a balança como uma ferramenta para ajudar você a perder peso e manter um peso saudável.

CIÊNCIA BÁSICA

Para aqueles que estão tentando perder peso, a balança é um monstro assustador à espreita no banheiro ou na farmácia. Você tem medo de pisar nela. Quando sobe, se vê um número mais alto do que o esperado, entra em pânico e passa a comer de maneira compulsiva e autodestrutiva.

Mas, se você se pesar no biotempo, poderá transformar o monstro assustador em uma ferramenta simples a ser vista de maneira imparcial, como um termômetro, para desenvolver uma atitude saudável em relação a seu peso.

O **ritmo de ponto baixo**, quando seu peso está no ponto mais baixo do dia, pode ser calculado facilmente para qualquer cronotipo — logo depois de acordar, após ter esvaziado a bexiga e antes de comer ou beber qualquer coisa. O peso pode variar de um a dois quilos em um único dia, dependendo do que você consome (alimentos com muito sal podem fazer o corpo reter água; o álcool também deixa você inchado), se você teve movimento intestinal e se tiver se exercitado. Um treino que o fez suar pode ter significado perda de peso líquido. Você pode até ficar tentado a se pesar depois, mas resista. Esse número é artificialmente baixo. Assim que se reidratar, vai recuperar a água perdida. Especialistas em perda de peso sugerem que você se pese no mesmo horário todos os dias por três dias consecutivos, some os três números e divida por três para ter seu peso médio da semana. A regularidade é fundamental para manter o biotempo perfeito em relação a todo o resto, e isso inclui a análise do peso. Mas discordo dos especialistas em perda de peso sobre subir na balança apenas três vezes por semana. Pesar-se diariamente é melhor, e aqui vai o porquê.

Para muitos, pesar-se causa um mar de sentimentos negativos. O número na balança se torna a medida do mérito de cada um. Racionalmente, essas pessoas sabem que isso não é verdade, mas o peso pode acabar se tornando um barril de pólvora emocional. No entanto, se você usar o **ritmo de habituação**, ou seja, pesar-se diariamente para se acostumar a ver o número, passará a encará-lo apenas como um dado, e não como uma medida do seu mérito. A repetição permitirá um distanciamento emocional, de modo que você possa usar a balança como uma ferramenta para entender como suas rotinas de alimentação e exercício afetam seu peso.

O **ritmo de perda de peso** significa subir na balança toda manhã com o estômago vazio, sem roupa, e marcar o número em um caderno, aplicativo de celular ou tabela. Um estudo de dois anos feito em conjunto entre a Universidade de Minnesota e a Universidade Cornell com 162 adultos com sobrepeso testou a suposição de que pesar-se diariamente e fazer o acompanhamento sozinho pode resultar em perda de peso.[21] As pessoas que se autopesavam de fato perderam peso — cerca de 5% de seu peso corporal — no primeiro ano. Mais importante: elas mantiveram o peso durante o segundo ano. O chefe da pesquisa, dr. David Levitsky, contou ao *Cornell Chronicle* que seu método "obriga a pessoa a ficar consciente da relação entre a alimentação e o próprio peso. Antigamente, ensinava-se que não era necessário se pesar diariamente, mas o contrário provou-se verdadeiro. Acreditamos que a balança também age como um mecanismo de preparação, tornando as pessoas mais conscientes e capacitadas a tomar decisões coerentes com o seu peso".

E o **ritmo de manutenção**? Um estudo de especialistas da Universidade Brown dividiu 314 indivíduos que haviam perdido até 20% do peso no último ano em três grupos: o grupo de controle, o grupo de apoio virtual e o grupo de apoio presencial.[22] Reuniões de apoio virtuais e presenciais foram conduzidas com os dois últimos grupos algumas vezes ao longo de um ano e meio. Do grupo de controle, 72% dos indivíduos recuperaram pelo menos dois quilogramas. Entre o grupo de apoio virtual, 55% dos participantes também recuperaram o peso. Mas apenas 46% das pessoas do grupo de apoio presencial recobraram o peso. Os indivíduos que se pesavam diariamente e que contavam ao grupo de apoio (virtual ou pessoalmente) como estavam indo tiveram um risco 82% menor de recuperação. A líder da pesquisa, Rena Wing, escreveu: "A autopesagem diária teve forte relação com a manutenção de peso bem-sucedida e foi especialmente efetiva quando combinada à intervenção humana, para manter os indivíduos sinceros consigo mesmos".

RESUMO RÍTMICO

Ritmo de ponto baixo: Quando seu peso está mais baixo (assim que acordar, depois de urinar e antes de comer ou beber).

Ritmo de habituação: Quando você deve se pesar para que se acostume a ver aquele número, a ponto de não ser mais afetado negativamente por ele.

Ritmo de perda de peso: Quando você deve medir e acompanhar o próprio peso a fim de perder parte dele.

Ritmo de manutenção: Quando você deve se pesar e procurar intervenção pessoal para prevenir a recuperação de peso após a perda.

A PIOR HORA PARA SE PESAR

22h. Seu peso vai estar maior se você estiver de barriga cheia e tiver tomado uma ou duas taças de vinho. A água acumulada depois de passar horas sentado (à mesa do escritório, no carro, à mesa de jantar) pode ser responsável por mais de um quilo ao longo do dia.

A MELHOR HORA PARA SE PESAR

Para todos os cronotipos, deve-se subir na balança assim que acordar de manhã, após urinar e antes de comer. Se está tentando perder alguns quilinhos, pese-se no mesmo horário *todos os dias* para obter uma medida precisa e acompanhe o número em um caderno ou aplicativo de celular.

Golfinho: diariamente às 6h30.

Leão: diariamente às 5h30.

Urso: diariamente às 7h.

Lobo: diariamente às 7h30.

OS QUILINHOS DOS CALOUROS

Adivinhe qual cronotipo ganha mais peso quando vai para a faculdade? Dica: Não são os leões.

A inveja dos leões ataca novamente. Em um estudo de 2013 da Universidade Drexel, na Filadélfia, pesquisadores mediram o peso de 159 calouros da faculdade (79 mulheres e oitenta homens) e, na sequência, separaram os estudantes em três grupos: tipos matutinos, tipos neutros e tipos vespertinos.[23] Os indivíduos foram entrevistados sobre seus hábitos de alimentação, sono e exercício. O IMC de todos era basicamente o mesmo no início do estudo, assim como as outras variáveis — carga de trabalho, consumo de junk food e álcool, atividade física e qualidade do sono.

Oito semanas depois, os indivíduos foram pesados novamente. Os estudantes lobos ganharam em média um quilograma. Os leões e ursos? O IMC e o peso deles se mantiveram estáveis. Você pode pensar que os lobos estavam enchendo a cara ou exagerando no delivery de pizza, mas não. Eles não estavam bebendo ou se exercitando de maneira diferente em relação aos outros grupos. Qual foi o único fator que parece ter feito diferença no peso deles? Cronotipo. Quase dá para ouvir os estudantes notívagos marchando em protesto com placas dizendo: "Injustiça biológica com os lobos!".

Desconfio que o principal fator em jogo aqui seja o cronodesajuste, ou jet lag social. Os calouros com nova autonomia em relação a seu horário de sono podiam ficar acordados até tarde, dormir até mais tarde em alguns dias e, em outros, se obrigar a acordar cedo para ir à aula. As perturbações extremas nesse cronograma de sono deixaram os hormônios metabólicos malucos e prepararam o corpo para ganhar peso. Os leões, que acordaram e repousaram de maneira regular, conseguiram consumir a mesma quantidade de pizza e cerveja que seus colegas lobos, mas sem ganhar peso.

9. Sono

ACORDAR

Fracasso: Acordar zonzo, sem conseguir se livrar da confusão mental por horas.

Sucesso: Acordar revigorado e alerta.

CIÊNCIA BÁSICA

Um lembrete sobre o que é a inércia do sono: aquela sensação de tontura quando você acorda, que pode ser comparada a entorpecimento ou ressaca. No universo da medicina do sono, nós a chamamos de "embriaguez do sono". Muitos dos meus pacientes descrevem o seu torpor matinal como "acordar burro", como se tivessem perdido alguns pontos de QI ao longo da noite. E você de fato *está* cognitivamente debilitado quando sente inércia do sono. Em um estudo de 2006, pesquisadores da Universidade do Colorado, nos Estados Unidos, monitoraram nove indivíduos em um laboratório do sono e testaram sua capacidade cognitiva assim que acordavam — sem lhes dar a chance de sair aos poucos da inércia matinal com um banho, um café da manhã ou exercício.[1] Os indivíduos testados respondiam a cálculos de soma de dois dígitos. Sua pontuação matinal era significativamente mais baixa do que a atingida em testes semelhantes feitos mais tarde, no mesmo dia. Além disso, os indivíduos recebiam o mesmo tipo de teste depois de ficar acordados por 26 horas seguidas. Até mesmo os resultados dos que ficaram acordados a noite toda eram melhores do que os atingidos logo após oito horas de sono contínuo.

A inércia do sono derruba o córtex pré-frontal — a parte da memória operacional do cérebro. Assim como um computador, ele precisa de um tempo de inicialização. Até que inicialize, a memória, a concentração, as decisões, a cognição e o desempenho em geral ficam debilitados. As habilidades motoras ficam especialmente fracas, em diversos sentidos. Você não estará tão habilidoso com ferramentas e correrá mais riscos de se envolver em um acidente de carro. Dirigir com inércia do sono é o motivo responsável por 20% de todos os acidentes de carro nos Estados Unidos — cerca de 1,2 milhão por ano, de acordo com estatísticas da AAA Foundation for Traffic Safety.

Dependendo do seu cronotipo, a inércia do sono pode durar de cinco a dez minutos (isso é para vocês, leões) ou de duas a quatro horas (sinto muito, golfinhos). Para todos aqueles que precisam acordar e trabalhar com força total imediatamente — médicos e enfermeiros de salas de emergência, soldados, pais de recém-nascidos —, a inércia do sono não é brincadeira. Eles podem ser um perigo para si mesmos e para os outros.

Se ao menos houvesse uma maneira de vencer essa névoa para que você não perdesse minutos ou horas limpando as teias de aranha do seu cérebro...

Naturalmente, existem vários cronotruques para encurtar ou reduzir a intensidade da inércia do sono, ajudando-o a acordar com a mente mais clara e alerta. O primeiro deles é o **ritmo de ciclo do sono**.

A intensidade do seu torpor é determinada pelo estágio do sono em que você estava quando o despertador tocou. No decorrer da noite, você passa, quatro ou cinco vezes, por quatro ciclos de estágios de sono. Cada ciclo completo dura noventa minutos, com períodos variados em cada estágio, dependendo da hora da noite. Os estágios são:

- **Estágio 1**: a transição entre vigília e sono. Os músculos relaxam e a respiração fica mais lenta. Se você acordar durante esse estágio, pode pensar que nem chegou a dormir. Ele abrange 2% a 3% da noite e normalmente ocorre logo no início do sono ou depois de um breve despertar.

- **Estágio 2**. O sono se aprofunda conforme as ondas cerebrais ficam mais lentas, com uma ou outra onda rápida ocasional. A temperatura corporal cai, a frequência cardíaca fica mais lenta e os músculos relaxam. Nesse estágio, que compõe 50% do sono da noite, é possível ser acordado com mais facilidade.

- **Estágios 3 e 4**: o sono mais profundo, quando as ondas cerebrais são longas e lentas (ondas delta). Não existe movimento ocular durante o sono de ondas delta. A pressão arterial cai, a respiração fica mais lenta, o hormônio do crescimento é liberado e os tecidos são reparados. A temperatura corporal está no ponto mais baixo. Esses estágios compõem cerca de 20% do sono, e é muito difícil acordar durante esse período. A maior parte do sono de estágios 3 e 4 ocorre no primeiro terço da noite.

- REM. Durante o sono REM, que é mais leve do que o sono dos estágios 3 e 4, seus olhos se movem de um lado para o outro. A frequência cardíaca, a pressão arterial e a temperatura corporal sobem, e os músculos ficam paralisados. As ondas cerebrais aceleram e ficam com comprimento e amplitude semelhantes às de quando o indivíduo está acordado. É nesse momento que acontece a maior parte dos sonhos. O sono REM representa cerca de 25% do sono (se a cafeína e os medicamentos não o diminuírem) e é difícil acordar dele. Você tem a maior parte do sono REM no último terço da noite.

A maioria das pessoas precisa acordar em determinada hora para ir trabalhar e/ ou levar os filhos para a escola — daí a necessidade do despertador. Se seu alarme toca durante os estágios 1 ou 2, a inércia do sono será insignificante. Se toca durante o sono REM, você vai lembrar de seus sonhos, e a inércia do sono não será tão terrível. Mas, se você for acordado durante os estágios 3 ou 4, vai sentir como se tivesse levado uma pancada na cabeça.

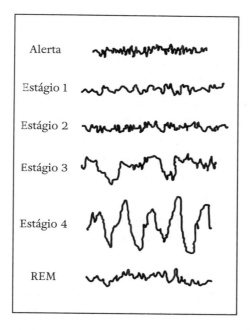

Quadro composto pelo Instituto Nacional de Saúde descrevendo o comprimento e a amplitude das ondas cerebrais durante os estágios do sono.

Para impedir que isso aconteça, você tem algumas opções. Em primeiro lugar, recomendo que use um monitor de sono para acompanhar seu pulso. O monitor determina seus estágios de sono e o acorda trinta minutos depois que você tiver entrado nos estágios 1, 2 ou REM. Para ver uma análise de produtos que podem ajudar com isso e as minhas recomendações, acesse <www.thepowerofwhen.com>.

Outra estratégia é não usar cortinas ou venezianas no quarto. O **ritmo de luz do sol** permite que você recupere a consciência como a natureza prevê, junto ao alvorecer. É assim que eu acordo. Quando o sol nasce e meu quarto se ilumina gradualmente, meu corpo passa do sono profundo para o leve e, depois, para a consciência total. Dessa forma, acordo com pouca inércia do sono.

Pacientes insones costumam ser extremamente sensíveis à luz quando tentam cair no sono, e, para eles, muitas vezes recomendo cortinas blecaute, para deixar o quarto o mais escuro possível à noite. O lado negativo disso é que o quarto também fica um breu na hora de acordar, o que acentua a inércia do sono. Soluções: procure comprar um despertador que simule o nascer do sol, iluminando o quarto lentamente na hora certa. Ou abra a cortina e se exponha à luz do sol direta de cinco a quinze minutos logo depois que acordar. Se vive em um país ou região (no extremo do hemisfério Norte ou no extremo do hemisfério Sul) que não recebe luz solar direta de manhã durante certos meses do ano, considere comprar uma caixa luminosa. Elas vêm em todos os formatos e tamanhos, e a maioria utiliza luzes LED que fornecem 10 mil lux de comprimento de onda branca (lux é uma medida de brilho) e filtram a luz ultravioleta. Para ver uma análise de simuladores de aurora e caixas luminosas, acesse <www.thepowerofwhen.com>.

O **ritmo ad-renal**, ou seja, o que faz com que seus hormônios ad-renais fluam, também é uma maneira eficaz de vencer a inércia. Os níveis de cortisol e adrenalina sobem naturalmente ao acordar. Junto com a insulina, esses hormônios são os responsáveis por dar energia a você. É possível dar uma turbinada neles "estressando" levemente o seu sistema: faça algumas flexões e abdominais, corra sem sair do lugar ou tome um banho frio.

Você deve estar se perguntando: mas e o café?

A cafeína é a droga mais usada do planeta. Embora sejamos condicionados a resolver a confusão mental matinal com uma xícara de café, ela não combate a inércia do sono. Apesar de a cafeína ser um estimulante e deixar você elétrico, ela não o deixa mais acordado — na verdade, só o faz ficar menos sonolento. A cafeína, por ser um inibidor do receptor de adenosina — uma substância presente no cérebro que nos deixa sonolentos —, freia efetivamente a sonolência. Esse mecanismo pode ser maravilhoso às duas da tarde, já que a adenosina, um subproduto do metabolismo celular, se acumula de forma gradual ao longo do dia. Mas, ao acordar, graças ao seu relógio interno, você não tem adenosina no sistema. Beber café pela manhã é como jogar água em um fogo já apagado. O café oferece uma dose de adrenalina, e esse é o motivo que faz com que tanta gente se sinta energizada. O problema é que a tolerância à cafeína aumenta com o tempo, sendo necessário aumentar a quantidade ingerida para obter o mesmo efeito, assim como com qualquer outra droga viciante. (Ver "Tomar café", na p. 223, para descobrir a melhor hora de encher sua caneca.)

Em vez de depender de uma substância com efeitos duvidosos, use a luz do sol e estratégias de estímulo ad-renal. Fazer uma breve caminhada sob o sol sempre que possível vai banir sua inércia do sono melhor que um bule inteiro de café.

RESUMO RÍTMICO

Ritmo do ciclo do sono: Quando ajustar a hora de acordar com os estágios do sono para ter uma transição mais fácil para a vigília.

Ritmo de luz do sol: Quando se expor à luz solar direta ou a uma caixa luminosa para despertar seu córtex pré-frontal ainda sonolento.

Ritmo adrenal: Quando alavancar a produção de cortisol e adrenalina para ajudar você a acordar.

A PIOR HORA PARA ACORDAR

Durante o sono profundo de ondas delta. Se seu alarme tocar durante os estágios 3 ou 4 do sono, você vai demorar muito mais para se livrar da inércia.

A MELHOR HORA PARA ACORDAR

Golfinho: 6h30. Use um despertador com simulador de aurora para iluminar o quarto aos poucos. Saia da cama imediatamente e se exponha à luz solar direta — o ideal é que se exercite por cinco minutos. Não tome café antes das 9h30min — ou, de preferência, não tome nenhuma xícara de manhã.

Leão: 5h30 às 6h. Durma com as cortinas abertas ou use um monitor de sono para você despertar suavemente durante os estágios 1, 2 ou REM. Espere dez minutos antes de fazer qualquer coisa que exija raciocínio.

Urso: 7h. Durma com as cortinas abertas ou use um monitor de sono para você despertar suavemente durante os estágios 1, 2 ou REM. Não aperte o botão de soneca. Saia da cama imediatamente e se exponha à luz solar direta — o ideal é que se exercite por cinco minutos. Não tome café antes das dez horas da manhã.

Lobo: 7h30. Use um despertador com simulador de aurora para iluminar o quarto aos poucos. Aperte o botão de soneca uma vez. Depois saia da cama imediatamente e se exponha à luz solar direta — de preferência, movimentando-se. Não tome café antes das onze horas da manhã.

COCHILAR

Fracasso: Cochilar por tempo demais, na hora errada, e acordar mais cansado do que estava antes. Ou não cochilar, perdendo os benefícios cognitivos e criativos desse momento.

Sucesso: Cochilar de maneira inteligente, pelo período adequado e na hora certa do dia para se sentir revigorado, recarregado e disposto a trabalhar e criar.

CIÊNCIA BÁSICA

A maioria de nós foi projetada pela evolução para dormir de sete a oito horas por noite e tirar um cochilo breve no meio do dia. A queda de energia vespertina acontece por um motivo: o seu corpo está lhe dizendo para desligar todos os sistemas para uma recarga periódica da bateria. Biologicamente falando, entre uma e três horas da tarde — depende do cronotipo — todas as pessoas experimentam uma pequena queda na temperatura corporal interna que libera melatonina (a chave que liga o motor do sono). Em muitos países latino-americanos, as sonecas são socialmente aceitáveis (já ouviu falar da *sesta*?). A cultura norte-americana vê com maus olhos as pausas de consciência — para o azar deles. Se tirarem uma sonequinha, vão trabalhar, pensar e se sentir melhor.

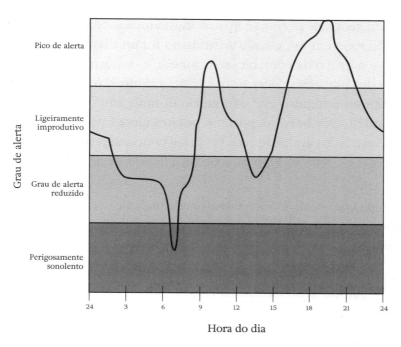

O grau de alerta varia durante o dia; para os ursos, o pico se dá na metade da manhã e no começo da noite.

O ritmo de desempenho, ou a sequência de altos e baixos na sua capacidade de se concentrar e cumprir tarefas, ganha um forte impulso depois de um cochilo à tarde. Este é o seu cérebro cochilando: num estudo de 2009, pesquisadores da Universidade da Califórnia em San Diego comprovaram melhorias de desempenho provocadas por cochilos objetivos ao medir a atividade no cérebro dos indivíduos testados com um aparelho de ressonância magnética enquanto eles respondiam a um teste antes e depois do cochilo.[2] Em comparação com o grupo de controle, os neurônios dos que cochilaram ficavam significativamente mais iluminados depois da soneca. Inclusive, o cérebro deles funcionava tão bem à tarde como de manhã. A atividade cerebral do grupo que não cochilou se deteriorou sem parar ao longo do dia.

A melhoria de desempenho proporcionada pela soneca é sensível ao tempo. Basta dormir por um tempo longo (ou curto) demais para os efeitos serem reduzidos. Vinte e quatro indivíduos saudáveis com boa qualidade de sono em um estudo australiano foram divididos em cinco grupos — o grupo de controle, sem soneca, e os outros grupos que cochilavam durante cinco, dez, vinte e trinta minutos, respectivamente — e foram monitorados em laboratório durante um cochilo às três horas da tarde.[3] Três horas depois, os pesquisadores pediram que os indivíduos estudados avaliassem os próprios graus subjetivos de alerta, fadiga, energia e cognição logo ao acordar e depois de acordar.

- O grupo que cochilou **cinco minutos** relatou basicamente os mesmos resultados que o grupo que não cochilou — isto é, não obteve nenhum benefício significativo com o cochilo supercurto.

- O grupo que cochilou **dez minutos** teve melhorias imediatas e acentuadas em todos os aspectos. Os benefícios foram mantidos por duas horas e meia.

- O grupo que cochilou **vinte minutos** exibiu uma melhoria atrasada e de menor grau. Os benefícios só entraram em ação depois de 35 minutos e duraram duas horas.

- O grupo que cochilou **trinta minutos** sofreu um *prejuízo* imediato e acentuado em todos os aspectos durante cinquenta minutos após o cochilo. Quando os benefícios impressionantes finalmente entraram em ação, eles duraram uma hora e meia.

Quem ganha com o cochilo? Em termos de benefícios de desempenho e vigor do cochilo, o grupo de dez minutos vence. Depois de um breve período de inconsciência, eles passaram direto para o de alerta, com benefícios cerebrais que duraram pelo resto da jornada de trabalho.

Se você cochilar demais, não apenas vai ficar debilitado quando acordar como talvez não note que está assim. Um estudo japonês testou o monitoramento de desempenho dos indivíduos — como eles *pensavam* que cumpriam uma função — separando-os em dois grupos, os que não cochilavam e os que cochilavam por uma hora à tarde.[4] Não é de surpreender que os que cochilaram tenham relatado dificuldade para cumprir a tarefa designada assim que acordavam, em virtude da inércia do sono. Eles também relataram que, mesmo assim, achavam que tinham feito um bom trabalho, superestimando o próprio desempenho. Dependendo do cronotipo, o entorpecimento pós-cochilo pode durar de cinco minutos a algumas horas. Ursos e lobos precisam de um período de recuperação mais longo do que o próprio cochilo. Os leões se recuperam mais rápido, mas o raciocínio e a concentração deles também são afetados negativamente por um cochilo longo demais.

Mas é sempre bom definir o que é "tempo demais". Nunca queira acordar de um cochilo ou de uma noite de descanso enquanto estiver no sono profundo de ondas delta — claro, a menos que goste de acordar com leseira mental. Portanto, você tem duas opções a considerar:

1. **Cochile por menos de quinze minutos** e finalize o cochilo antes de entrar no sono profundo para se sentir mais alerta e energizado por algumas horas. ou...

2. **Cochile por noventa minutos** e cumpra todo o ciclo até voltar para o sono de ondas leves, a fim de afiar sua concentração pelo resto do dia.

Você já acordou de uma soneca com uma ideia brilhante? O **ritmo de criatividade** existe: em 2012, pesquisadores da equipe do dr. Andrei Medvedev, professor associado do Centro de Imagem Funcional e Molecular na Universidade de Georgetown, pediram a quinze indivíduos que usassem toucas infravermelho a fim de monitorar o movimento do sangue oxigenado no cérebro deles. Durante os cochilos, havia mais "conversas" bilaterais entre o hemisfério direito (criatividade e inventividade) e o esquerdo (lógico e analítico) dos indivíduos do que quando eles estavam acordados. Além disso, o hemisfério direito por si também estava mais ativo. Os resultados sugerem que seu cérebro está cuidando da casa, limpando as teias de aranha, arrumando, lembrando e se exercitando por toda parte enquanto você dorme. Mesmo uma hora de sono vai ativar as comunicações entre os hemisférios e permitir relações mentais extraordinárias.

O **ritmo de aprendizado** — dos adultos também, não só das crianças —, ou seja, sua capacidade de interpretar novas informações, acelera e se aprofunda enquanto você dorme por períodos curtos. Segundo pesquisadores de Harvard, uma soneca de uma hora é tão boa quanto uma noite de sono para melhorar o aprendizado no decorrer de um dia, com benefícios que duram por 24 horas.[5]

Tenho certeza de que todos os leitores adorariam se jogar *neste exato momento* no sofá e tirar um cochilo para acordar estupendos. Mas o **ritmo de logística** pode impedir você de fazer isso. É uma triste ironia do biotempo que o horário ideal para a soneca — no caso dos ursos, das duas às três da tarde — seja quando você tem de buscar as crianças da escola ou quando são convocadas diversas reuniões vespertinas. Ainda que sua agenda esteja livre no meio do dia, você pode estar em um ambiente de trabalho aberto em que deitar a cabeça na mesa pode ser malvisto, por mais que argumente veementemente: "Estava cochilando para trabalhar mais e melhor! Eu juro!".

As provas existem. Estão bem aqui nestas páginas. Mas a vida coorporativa ainda não acompanhou a ciência. Aposto que, no futuro, será rotina nos escritórios apagar as luzes às 14h30min por quinze minutos. Deveria ser! Uma sonequinha melhora o nível de alerta, criatividade, aprendizado, basicamente todas as habilidades necessárias no ambiente de trabalho — e além dele também. Enquanto não chega o dia em que cômodos de cochilo se tornarão tão comuns nos escritórios quanto cadeiras e computadores, o que resta a fazer é se trancar numa cabine do banheiro com tampões de ouvido e uma máscara.

É um desafio. Se você conseguir encontrar um lugar tranquilo para descansar, ajuste o alarme para dali a dez minutos e feche os olhos. Como os benefícios de cochilar duram por 24 horas, cochile nas tardes de domingo para recarregar sua criatividade e capacidade de aprendizado para a segunda-feira. Meu conselho é para fazer o que der, e não simplesmente descartar como se fosse impossível. Onde existe vontade, existe cochilo. Se conseguir dez minutos, vai ter uma enorme vantagem para o resto do dia.

Talvez se trancar no banheiro não seja tão péssima ideia.

RESUMO RÍTMICO

Ritmo de desempenho: Quando e por quanto tempo se deve cochilar para ter maior cognição mental.

Ritmo de criatividade: Quando e por quanto tempo se deve cochilar para ter maior criatividade em estabelecer relações.

Ritmo de aprendizado: Quando se deve cochilar para melhorar a capacidade do cérebro de absorver novas informações.

Ritmo de logística: Quando se deve encontrar tempo e espaço para tirar um cochilo necessário.

A PIOR HORA PARA COCHILAR

19h. Um cochilo a menos de quatro horas da hora de dormir vai mitigar a pressão do sono acumulada ao longo do dia e poderá impedir que você pegue no sono à noite.

A MELHOR HORA PARA COCHILAR

Para calcular o tempo ideal de cochilo, use a "roda do cochilo", invenção da dra. Sara Mednick, autora de *Take a Nap!* e pesquisadora em alguns dos estudos comentados neste capítulo. Segundo os dados dela, a melhor soneca é aquela que ocorre cerca de sete horas depois de acordar, quando há mais chances de se atingir o equilíbrio perfeito entre o sono de ondas lentas e o sono REM, o que deixa a mente revigorada com o mínimo de entorpecimento ao acordar.[6] Se você cochilar antes das sete horas pós-despertar, seu cochilo será composto em grande parte por sono REM e deixará você mais criativo. Se tirar um cochilo depois das sete horas pós-despertar, será um sono de ondas lentas e fisicamente mais restaurador.

Golfinho: Não cochile. O cochilo alivia a pressão do sono, o oposto do que você precisa. Sinto muito, mas uma sonequinha vai fazer mais mal do que bem.

Leão: Para aqueles que acordam às 6h, o horário de cochilo ideal é às **13h30.**

Urso: Para aqueles que acordam às 7h, o horário de cochilo ideal é às **14h.**

Lobo: Cochilos não são ideais para os lobos se quiserem pegar no sono à meia-noite. Mas, se precisarem muito de uma revigorada, aqueles que acordam às 7h30 têm **14h15** como horário de cochilo ideal.

COCHILO PRÉ-BALADA

É muito comum as pessoas tirarem um cochilo no fim da tarde antes de ir para uma balada e virar a noite dançando. Não que eu defenda sair do cronorritmo e ficar acordado até tarde — sou contra padrões de sono irregulares —, mas, em uma ocasião especial ou celebração, de vez em quando um cochilo vai manter você de pé e impedir que saia se arrastando de lá. Siga as seguintes dicas temporais:

1. **Busque ter um ciclo completo.** Se possível, cochile por noventa minutos. Depois de um retorno um tanto zonzo à realidade, você vai estar restaurado, com energia de sobra.

2. **Beba uma xícara de café antes de cochilar.** Chamo essa estratégia de "café com sono". Se você só tem tempo para uma soneca rápida, beba café antes de descansar a cabeça. Depois de beber, a cafeína demora ainda vinte minutos para atingir seu sistema. Por isso, tome uma xícara antes da soneca e acorde quando a cafeína e a adrenalina chegarem à sua corrente sanguínea. Aconselho essa estratégia a muitos dos meus clientes milionários, e eles me dizem que ela os mantém alertas por até quatro horas.

3. **Acorde no horário de sempre.** Mesmo se tiver dançado até tarde, comece o dia no seu cronograma habitual, ainda que isso signifique dormir apenas uma ou duas horas. Com certeza vai ser difícil, mas você vai sofrer mais a longo prazo se dormir até tarde e enlouquecer seus horários. A escolha é entre um dia ruim ou uma semana de cronodesajuste e, como consequência, fadiga, irritabilidade e memória fraca.

DORMIR ATÉ TARDE

Fracasso: Ficar na cama horas depois do normal nos fins de semana, causando cronodesajuste e seus sintomas (fadiga, má concentração, irritabilidade).

Sucesso: Ficar na cama por menos de uma hora a mais nos fins de semana, impedindo o cronodesajuste e seus sintomas.

CIÊNCIA BÁSICA

Ursos e lobos conhecem muito bem o fenômeno da "insônia da noite de domingo". Depois de dormir até tarde da manhã no fim de semana, você não está cansado ao se deitar na cama na noite de domingo. Sua mente começa a acelerar enquanto você está deitado, repassando tudo o que precisa fazer durante a semana, e, com o aumento da ansiedade, você vê as horas passarem e fica se perguntando se vai conseguir fazer tudo isso sem dormir. Sabe-se lá como, por pura força de vontade, você sobrevive a uma segunda-feira exaustiva e se arrasta pela terça. Quando chega quarta, está recuperando seu biotempo, o que é bom. Mas você acumulou horas de débito de sono que seu corpo quer de volta. Então o que acontece? Você acaba dormindo até tarde de novo na manhã de sábado, e o círculo vicioso continua.

Isso sem falar de ficar acordado até tarde nas noites de sexta-feira e sábado.

Sejamos sinceros, você é uma criatura social (alguns cronotipos mais do que outros) e sente falta de interação. A maior parte da diversão acontece tarde nas noites de sexta-feira e sábado, porque *todos* pensamos que podemos dormir até tarde nas manhãs de sábado e domingo sem sofrer as consequências. Lobos, os fins de semana são a sua praia. Finalmente dois dias na semana em que todo mundo quer estar no seu biotempo. Mas existem consequências, e a gravidade delas depende de você. Eu particularmente gosto de ficar acordado até tarde nas noites de fim de semana. Levo minha mulher ao cinema, saímos para jantar e nos divertimos com nossos amigos ou filhos. Essas noites longas são um tempo *valioso*. Só não cometo o erro de dormir até tarde, por mais doloroso que possa ser acordar.

Quando você dorme até mais tarde, tira seu corpo do ritmo circadiano natural dele e causa o **ritmo de cronodesajuste**. Os sintomas são:

- Cansaço

- Irritabilidade

- Inquietação

- Má concentração

- Inércia do sono

Segundo algumas estimativas, 70% da população sofre de cronodesajuste ou jet lag social toda semana. Quando você voa para Paris ou Hong Kong e sofre jet lag com o fuso horário, se ajusta rapidamente porque seu corpo, onde quer que você esteja, segue as dicas do nascer e do pôr do sol, e você volta ao biotempo. Em média, leva cerca de um dia por fuso horário atravessado, mas essa equação pode ser acelerada com o controle da liberação de melatonina, da luz e da cafeína.

Com o jet lag social, porém, você sai da sincronia com o sol ao trabalhar até tarde, dormir até tarde ou ficar até tarde na balada. É possível calcular seu cronodesajuste de maneira relativamente fácil: apenas estime a diferença entre o horário do despertador dos dias de semana (digamos, sete horas da manhã) e o horário em que acorda sem despertador aos fins de semana (por exemplo, nove horas da manhã). Nesse caso, o jet lag é de duas horas. Você pode pensar: *Ótimo! Duas horas a menos de débito de sono*. Mas não é bem assim que funciona.

Para começo de conversa, você criou um débito de sono ao dormir até tarde (e ficar acordado até tarde). **O débito que você acumula em alguns dias sem dormir direito e acordar exausto não pode ser simplesmente equilibrado por dormir até tarde aos fins de semana. Você nunca vai recuperar o ritmo e trabalhará com um déficit habitual.**

O tipo de débito de sono que você cria ao ficar acordado até tarde não é substituível pelo tipo de sono que consegue ao dormir até tarde.

Por exemplo, se você normalmente vai para a cama às 22h30min, mas fica acordado até meia-noite nos fins de semana, perde um ciclo de sono composto pelos estágios 3 e 4, que são fisicamente restauradores. Ao dormir até tarde na manhã seguinte, você consegue mais sono REM, e *não* sono dos estágios 3 e 4. Você acaba *não* se sentindo revigorado fisicamente. Seu ritmo circadiano se mantém constante ainda que seu ritmo social ou ambiental não.

Sinto informar que os lobos são os que têm mais chance de cair nesse círculo vicioso.[7] Os que sofrem desse mal buscam combater os efeitos com estimulantes como cigarro e café e comendo alimentos energéticos, com alto teor de açúcar. Talvez isso explique o **ritmo de obesidade** que se dá por dormir até tarde. Em um estudo de 2012 realizado por pesquisadores (incluindo Till Roenneberg, que cunhou o termo "jet lag social") no Instituto de Psicologia Médica da Universidade de Munique, 65 mil indivíduos relataram os hábitos de sono que tinham durante a semana.[8] Os dois terços que registraram um jet lag de uma hora entre seus cronogramas de meio e fim de semana tinham três vezes mais chances de ter sobrepeso do que aqueles que não tinham jet lag nenhum. Quanto maior a diferença entre os horários de meio e fim de semana — 10% dos indivíduos relataram jet lag de três horas —, mais alto era o IMC do indivíduo. Um estudo britânico de 2015 verificou que, dentre oitocentos indivíduos estudados, aqueles que apresentavam jet lag de pelo menos duas horas tinham IMC, biomarcadores de diabetes e índice de inflamação mais elevados do que aqueles sem jet lag social, que mantinham um horário de sono regular.[9]

RESUMO RÍTMICO

Ritmo de cronodesajuste: Quando dormir até tarde causa jet lag social e sintomas como irritabilidade, fadiga, nervosismo e má concentração.

Ritmo de obesidade: Quando dormir até tarde nos fins de semana resulta em IMC mais elevado ou obesidade.

A PIOR HORA PARA DORMIR ATÉ TARDE

Manhãs de sábado e domingo. Toda vez que você dorme até tarde, cria um cronodesajuste e compromete metabolismo, apetite, capacidades cognitivas e energia. Tudo é *negativo*, especialmente se ficar na cama por duas horas ou mais.

A MELHOR HORA PARA DORMIR ATÉ TARDE

Você leu esta seção direito?

Não existe melhor hora para dormir até tarde!

Se, aos fins de semana, você ficar na cama duas horas a mais do que de costume, correrá muito mais riscos de ficar mal-humorado, obeso e doente. Quando, porém, ficar na cama por *menos de uma hora a mais* nos fins de semana, estará estatisticamente a salvo dos efeitos adversos do cronodesajuste. Se de fato *precisar* dormir até tarde, durma por apenas mais trinta ou 45 minutos. Sendo assim:

Golfinho: Nas manhãs em que não trabalha, pode dormir até as **7h15**.

Leão: Nas manhãs em que não trabalha, pode dormir até as **6h45**.

Urso: Nas manhãs em que não trabalha, pode dormir até as **8h**.

Lobo: Nas manhãs em que não trabalha, pode dormir até as **8h15**.

CHOQUE DE REALIDADE

Neste momento, muita gente que nem em sonho quer acordar às oito horas da manhã no domingo está disposta a jogar este livro pela janela, junto com o despertador. Eu também adoro longos domingos preguiçosos na cama. Você pode ficar na cama pelo tempo que quiser, abraçando o namorado, lendo, tomando uma bebida quente (sem café até as dez), assistindo a um filme. Fique lá o dia inteiro, desde que acordado. Mesmo se tiver ido para a cama às quatro horas da madrugada do domingo, aconselho fortemente que acorde no horário recomendado e tire um cochilo mais tarde. Do contrário, se

> dormir durante muitas horas além do horário em que acorda para trabalhar, vai sofrer a semana inteira. Faça o que quiser, durma até tarde ou acorde. A vida é sua, a escolha é sua, o cronograma é seu. Só saiba das consequências. Será que vale a pena sofrer de segunda a quinta para ter uma hora a mais de sono REM?

"APAGUEI NO DOMINGO À NOITE."

"Dormir até tarde é um dos meus momentos favoritos da semana. Dou duro de segunda a sexta, mas, nas manhãs de sábado, posso relaxar na cama até umas dez ou onze horas. É um luxo, e o dr. Breus quer tirar isso de mim!", disse **Ben, o urso**. "Não estava nem um pouco feliz com isso, mas me comprometi a seguir o cronorritmo por uma semana. Então, naquele primeiro sábado, coloque o despertador para tocar às oito horas da manhã, mesmo tendo ficado acordado com minha mulher até uma e meia da madrugada na noite anterior. Só consegui umas seis horas de sono, me senti um lixo e tive de perguntar: 'Como isso vai me ajudar a dormir mais?'. Fiz o mesmo no domingo de manhã, depois de também ter ficado acordado até tarde da noite no sábado, e fiquei ressentido e cansado o dia todo. Mas e na noite de domingo, quando sempre enfrento insônia até duas ou três da madrugada? Apaguei às onze horas da noite e dormi feito um anjo, me senti ótimo na manhã de segunda pela primeira vez em uma década. A grande pergunta é: vale a pena se sentir um pouco cansado o fim de semana todo e se sentir ótimo na segunda de manhã? É preciso encontrar um equilíbrio. Nas semanas seguintes, prometi ficar acordado até tarde só em uma noite do fim de semana, e isso também me ajudou. Foi uma troca. Com o tempo, cheguei à conclusão de que, para mim, valia a pena ficar com um pouco de sono no domingo para acordar bem na segunda de manhã."

IR PARA A CAMA

Fracasso: Deitar-se mais tarde do que deveria e/ ou em horários irregulares, resultando em repouso inadequado e aumentando o risco de doenças relacionadas à privação de sono.

Sucesso: Deitar-se sempre em um horário adequado com um grande período para ter restauração física e consolidação emocional suficientes.

CIÊNCIA BÁSICA

Qual é a quantidade suficiente de sono? Ouço essa pergunta pelo menos cinco vezes ao dia. A resposta é: depende. Os bebês precisam de doze a dezoito horas por dia. Crianças de um a seis anos precisam de doze a treze horas. Crianças em idade escolar, de dez a doze. Pré-adolescentes precisam de dez ou onze. Adolescentes precisam de oito a dez. Quando, normalmente aos vinte e poucos anos, os jovens param de crescer, a necessidade de sono diminui. A National Sleep Foundation recomenda entre sete horas e meia e nove horas por noite para adultos e idosos.

Notei que estabelecer um número causa muita perturbação do sono — assim como tentar atingir um "peso ideal" causa efeito sanfona, frustração e decepção. A necessidade de sono é genética. Já falei sobre o "impulso de sono" no capítulo 1. Alguns de nós são geneticamente programados para precisar de mais sono do que outros. Pessoas com um longo gene PER3 são mais vulneráveis ao prejuízo causado pela privação do sono, incluindo doenças e condições como cardiopatias, derrame, diabetes, obesidade, depressão e problemas cognitivos e de memória. Você pode ter um gene PER3 curto e conseguir passar com tranquilidade uma noite com seis horas de sono. Você pode ter um gene PER3 longo e se sentir péssimo sem sete ou oito horas de sono.

Então quantas horas de sono buscar? Qual é o *número exato*?

Primeiro, deixe-me ignorar isso com...

O MITO DAS OITO HORAS

O número de horas de sono de cada pessoa é diferente. Algumas pessoas lidam bem com seis horas de sono ou menos, como era o caso de Thomas Edison. Outras não conseguem funcionar com menos de oito horas. Verifiquei que adultos que dormem nove ou mais horas por noite são deprimidos ou narcolépticos — o excesso de sono costuma ser sintoma de uma doença subjacente. Além disso, a qualidade do sono é tão importante quanto a quantidade. Oito horas de sono interrompido não são melhores do que seis horas de sono de qualidade.

Assim como os médicos sugerem cinco porções de frutas, verduras e legumes por dia, sugiro à maioria dos meus pacientes sete horas de sono por noite.

Oito horas de sono por noite seria ótimo, mas esse não é um número realista para a maioria das pessoas, considerando as demandas da vida. Também não é exatamente como nossos corpos foram projetados para ter um desempenho perfeito. Em um mundo ideal, você dormiria seis ou sete horas por noite e tiraria um cochilo de noventa minutos no meio do dia, levando seu sono cumulativo para sete horas e meia ou oito horas a cada dia de 24 horas.

Como vou explicar em detalhes a seguir, você não deve contar o sono em horas, mas sim em ciclos de sono de noventa minutos. Cinco ciclos completos (ou sete horas e meia) são mais do que suficientes para toda a restauração física e mental. Cinco ciclos incompletos (apenas sete horas) são suficientes para a função cognitiva, o controle do apetite, memória e recuperação. Quatro ciclos completos (seis horas) não são suficientes para leões, ursos e lobos. Ainda faltam pesquisas sobre a possível necessidade dos insones de dormir tanto quanto os demais tipos. Os golfinhos podem e conseguem funcionar com menos de sete horas, e a culpa e a ansiedade de não conseguir oito horas contribuem para a incapacidade deles de cair no sono. Portanto, para os insones que chegam ao meu consultório, sugiro tentar obter seis horas, e, se conseguirem um pouco mais, *ótimo*.

Agora, como garantir que você consiga horas suficientes? Ir mais cedo para a cama, talvez?

Péssima ideia.

Para todos os cronotipos, ir para a cama cedo demais, mesmo se você tiver sono para recuperar, vai ter o efeito contrário do que se deseja. Seu biotempo não vai se ajustar só porque você está pronto para se deitar mais cedo, e você vai acabar acordado na cama, sentindo-se cansado, elétrico e irritado por não ter dormido ainda. Uma reação emocional intensa por não dormir pode manter você acordado além do horário regular em que vai para a cama.

Em vez disso, descubra seu biotempo correto da hora de dormir e obtenha um **ritmo calculado**. Tire sete horas e 20 minutos da hora em que acorda normalmente no meio de semana (vinte minutos é o tempo médio que se leva para pegar no sono). Se você precisa acordar às sete, sua hora de dormir seria às onze e quarenta da noite.

Um método um pouco mais complexo — que eu recomendo — é contar retroativamente os ciclos do sono a partir da hora em que acorda. Cada ciclo leva noventa minutos para se completar. Durante os dois primeiros ciclos da noite, você vai passar pela maior parte do estágio 3 do sono profundo de ondas delta, que é fisicamente restaurador. Durante os dois ou três últimos ciclos, você vai receber a maior parte do sono REM, mais leve, onírico e que consolida a memória.

Para ter *todos* os benefícios do sono e acordar revigorado, você precisa completar pelo menos quatro ciclos, de preferência cinco. Se acordar no meio do ciclo, a inércia do sono será um inferno.

Calcule sua hora de dormir subtraindo sete horas e meia (noventa minutos × cinco ciclos completos = 450 minutos) e somando vinte minutos (tempo de pegar no sono), ou um total de 470 minutos, da hora em que acorda. Ou seja, hora de acordar – 470 minutos = hora de dormir. Aplique essa fórmula para obter o **ritmo calculado para leões e ursos:**

> **Leão:** 6h – 470 minutos = **22h10**
> **Urso:** 7h – 470 minutos = **23h10**

A fórmula só é boa se você conseguir cumpri-la. Leões e ursos têm grandes chances de seguir esse ritmo desde que não cometam autossabotagem na hora de dormir, o que vou discutir daqui a algumas páginas.

Golfinhos e lobos, porém, terão dificuldade para pegar no sono no intervalo de vinte minutos permitido na fórmula acima, o que levanta a dúvida: "Se não pegar no sono rápido o bastante para conseguir cinco ciclos completos, deve-se simplesmente ficar acordado por mais noventa minutos até se bastar com quatro ciclos?". A resposta é: não exatamente, mas é por aí.

Uma das regras mais rígidas no meu consultório clínico é: "Não deite na cama a menos que esteja cansado". O cronorritmo do golfinho é projetado para ajudá-los a se acalmar nas horas antes de dormir para conseguir relaxar. Mas, em certas noites, eles vão estar mais "cansados e elétricos" do que apenas "cansados" e não vão sentir o mínimo de sono na hora de se deitar. Se forem se deitar mesmo assim, o fato de não cair no sono de imediato pode desencadear o **ritmo de ansiedade/ insônia** que vai mantê-los acordados a noite toda.

Em vez de partir do princípio de que não vão conseguir cinco ciclos completos, os golfinhos devem ter quatro ciclos como objetivo. (Na verdade, é possível que os golfinhos completem cinco ciclos condensados no tempo em que os ursos levam para completar quatro. Existe uma teoria de que os ciclos de sono dos insones sejam mais curtos do que um total de noventa minutos e que esse seja o motivo para precisarem de menos sono para ser funcionais.) Permita-se o dobro de tempo — um total de quarenta minutos — para pegar no sono. Durante esses quarenta minutos, você pode usar uma estratégia cognitivo-comportamental para pegar no sono, chamada restrição de cama (ver quadro a seguir), ou experimentar um exercício de relaxamento, meditação ou respiração profunda. Acesse <www.thepowerofwhen.com> para vídeos de instruções sobre estratégias de relaxamento.

Noventa minutos × quatro ciclos + quarenta minutos = quatrocentos minutos. A fórmula para os golfinhos é: hora de acordar – quatrocentos minutos = hora de dormir. O **ritmo calculado** deles é:

> **Golfinho:** 6h30 – 400 minutos = **23h50**

No mundo ideal, os lobos deitariam à uma hora e dormiriam até as nove horas da manhã. Mas a realidade é que os lobos vivem em um mundo de ursos e precisam acordar mais cedo para ir trabalhar e cuidar da família. É uma péssima ideia para os lobos se deitar sem que que estejam cansados, pois correm o risco de desencadear o **ritmo de ansiedade/ insônia** e perder horas se revirando de um lado para o outro. O horário mais *cedo* em que meus pacientes lobos sentem sono é à meia-noite, que é quando devem se deitar na cama. Os lobos precisam se habituar a pegar no sono rapidamente. Alguns de vocês devem estar pensando: "Ah, sim. *Até parece* que isso vai acontecer". Mas isso pode ser feito com uma estratégia chamada restrição de cama (ver quadro a seguir). Se os lobos seguirem minha recomendação de hora de dormir e aprenderem a pegar no sono mais rápido, conseguirão quase cinco ciclos de sono completos, além dos vinte minutos de semiconsciência entre a hora em que o alarme toca e a hora de levantar. Os vinte minutos à deriva — quando as ondas cerebrais têm comprimento e amplitude semelhantes às medidas do sono REM — foram colocados no cronorritmo do lobo exatamente por esse motivo.

(Quarenta minutos para cair no sono + vinte minutos de tempo de deriva) + (noventa minutos × quatro ciclos) = 420 minutos. A fórmula do lobo: hora de acordar − 400 minutos = hora de dormir. O **ritmo calculado** deles:

Lobo: 7h − 400 minutos = **0h**

RESTRIÇÃO DE CAMA

Objetivo: Programar sua mente a associar "cama" com "sono" para, quando deitar, apagar rapidamente.

Estratégia: A restrição de cama vai aumentar a privação de sono. Isso, por sua vez, causa superabundância de adenosina. Essa superabundância ajuda os lobos a potencializar o impulso de sono natural e dormir rapidamente. Também uso essa técnica com os golfinhos, mas eles geralmente precisam de um monitoramento mais atento. Em resumo, não se deite na cama *por nenhum motivo além de sono e sexo*. Nada de ler, pensar ou assistir à TV na cama. Nem sente na beira da cama enquanto coloca os sapatos.

Resolução de problemas:

1. **"Posso ficar deitado na cama com as luzes apagadas quando estou com insônia?"** Restrinja esse período na cama também. Se

> continuar acordado por vinte minutos, saia da cama e sente numa cadeira durante quinze minutos enquanto conta as respirações ou faz um relaxamento muscular progressivo (primeiro relaxe os dedos dos pés, depois os tornozelos, e assim por diante — até chegar à testa e ao couro cabeludo; veja um vídeo explicativo em <www.thepowerofwhen.com>). Em seguida, retorne à cama para tentar dormir mais uma vez. Repita conforme necessário, mesmo se tiver de ir e voltar da cama por vários ciclos até finalmente adormecer.
>
> 2. **"Quanto tempo demora para funcionar?"** Entre uma semana e dez dias. Se conseguir se comprometer com o uso dessa estratégia, logo vai pegar no sono rapidamente com uma regularidade incrível. Nos meus quinze anos de prática, tendo tratado centenas de pacientes, posso contar nos dedos de uma mão o número dos que não reagiram a essa estratégia (eram pessoas com problemas de saúde secundários graves que complicavam a insônia).

Mesmo se você souber a hora de ir para cama, isso não significa que você a obedeça. Um problema da modernidade, o **ritmo de procrastinação**, é que muitos ficam acordados até depois da hora de dormir mesmo sabendo que vão ficar esgotados e irritadiços no dia seguinte. O distúrbio de procrastinação do sono é real e muito perigoso. Pesquisadores holandeses na Universidade de Utrecht coletaram dados de 177 indivíduos sobre hábitos de sono e descobriram que metade deles adiava o sono de propósito ("Só mais um episódio", "Só mais um link") pelo menos duas vezes por semana.[10] Os procrastinadores tendiam a ser impulsivos e ter baixo autocontrole — características típicas de lobos.

Não se engane: procrastinar é uma escolha — assim como fumar, beber em excesso e comer hambúrgueres no lugar de verduras e legumes — e é tão prejudicial para a sua saúde quanto essas outras escolhas, se não mais. A privação do sono aumenta o risco de doenças cardíacas, diabetes, derrame, obesidade, depressão, problemas de memória, concentração e raciocínio, envelhecimento precoce da pele e morte prematura. Pesquisadores na University College of London Medical School acompanharam o comportamento e os hábitos de saúde de 10 mil funcionários públicos britânicos com idade entre 35 e 55 anos (no início do estudo) ao longo de dois períodos de dez anos.[11] Aqueles que antes dormiam mais de sete horas por noite, mas por algum motivo mudavam os hábitos de sono para cinco horas ou menos, dobravam o risco de morte, seja qual fosse a causa.

Sempre falo aos pacientes sobre a importância de uma hora fixa para deitar e tento não soar implicante. Sinceramente, eu entendo. *Homeland* é uma série muito boa e Candy Crush é viciante. A psicologia de querer ficar acordado até tarde remete aos seus pais gritando: "Vá logo para a cama, &%$#!". Tem a ver com se rebelar contra as regras sociais.

Mas a hora de dormir é uma regra *biológica*. Essas regras existem por um motivo: manter você vivo e bem desenvolvido. Se você quebrar a regra biológica de comer alimentos nutritivos e, em vez disso, só devorar porcarias, você engordará enquanto deixa suas células famintas e, mais cedo ou mais tarde, sucumbirá a diabetes, cardiopatias e derrame. Quebrar a regra biológica de não dormir o suficiente aumenta seu risco de sucumbir às mesmas doenças fatais.

Uma solução simples para você parar de procrastinar: ajuste o alarme para uma hora *antes* da hora de dormir e comece sua "hora de desligar" (ver quadro a seguir) — um momento para relaxar, diminuir a tensão e *desligar todos os aparelhos eletrônicos*. Se a TV estiver desligada, você não vai ficar tentado a fazer uma maratona de um seriado. Se o computador estiver desligado, você não vai ver mais um vídeo de gatinho. Se seu celular estiver desligado, o joguinho vai ter de esperar até amanhã.

HORA DE DESLIGAR

Durante a hora que antecede o momento de dormir, relaxe. Crie aquela sensação de sonolência ao praticar atividades sem eletroeletrônicos que reduzam o nível de cortisol, a temperatura corporal e a pressão arterial, além de promover a melatonina. Aconselho os pacientes a dividir a hora antes de apagar as luzes em três partes de vinte minutos cada.

Parte um (primeiros vinte minutos). Faça coisas que precisam ser feitas — se não fizer, pensará nelas enquanto tenta pegar no sono. Elas podem incluir:

- Fazer uma lista de tarefas para a manhã seguinte;
- Escrever um diário;
- Arrumar a mochila dos filhos ou os materiais de trabalho;
- Preparar o dia seguinte de todas as maneiras que facilitem sua manhã.

Parte dois (de vinte a quarenta minutos). Faça sua rotina de higiene noturna — que pode incluir um banho quente — em um banheiro pouco iluminado ou com lâmpadas de sono especiais que filtrem a luz azul.

Parte três (últimos vinte minutos). Pratique uma atividade relaxante, como:

- Alongamento leve ou "ioga na cama";
- Ler revistas, jornais ou um livro (incluindo este aqui!);
- Ter conversas descontraídas com amigos e familiares. Você pode usar o celular, mas só para fazer e receber ligações;
- Jogar baralho ou outros jogos (sem ficar ansioso ou competitivo demais);
- Meditar;
- Rezar ou ler a Bíblia.

RESUMO RÍTMICO

Ritmo calculado: Quando você deve ir para a cama — um horário calculado pela subtração do número de minutos necessários para completar pelo menos quatro ciclos de sono, considerando também o início do sono e a hora em que precisa acordar.

Ritmo de ansiedade/ insônia: Quando você fica preso em um ciclo de preocupação por não dormir o suficiente, o que o impede de pegar no sono.

A PIOR HORA PARA IR PARA A CAMA

Mais de oito horas antes da hora em que precisa acordar. Não tente conseguir mais sono indo para a cama mais cedo. Siga seu horário de dormir estipulado para evitar a perturbação circadiana.

A MELHOR HORA PARA IR PARA A CAMA

Golfinho: o mais próximo possível das **23h30.**
Leão: o mais próximo possível das **22h.**
Urso: o mais próximo possível das **23h.**
Lobo: o mais próximo possível da **meia-noite.**

CONFLITOS CONJUGAIS SOBRE O SONO

Quando você e seu parceiro têm ideias diferentes sobre a hora de dormir, surgem conflitos que podem ter consequências. Novos estudos sobre a "harmonia de sono" focam em como a interação entre duas pessoas à noite pode afetar o sono e o relacionamento delas como um todo.

Anedoticamente, notei que as defasagens de sono entre pessoas de todos os pares de cronotipos diferentes não passam de uma ou duas horas. É improvável que um leão que durma às dez horas e um lobo que durma entre meia-noite e uma hora da manhã se encontrem socialmente, muito menos que se apaixonem e se unam. Mas conheci muitos casais lobo/ golfinho (ambos vão para a cama tarde), leão/ urso e urso/ leão, bem como casais do mesmo tipo.

Obviamente, um golfinho se virando de um lado para o outro pode atrapalhar o sono do parceiro. Os roncos do sono REM de um urso podem acordar uma loba, que precisa de todos os minutos de sono que conseguir. Deitar na cama mais tarde, ficar na cama com um aparelho ligado, acordar mais cedo, ter sono leve — tudo isso pode gerar discórdia. Muitos pacientes me contam que passam pouco tempo com os cônjuges por causa de conflitos nos horários de dormir e acordar. Toda a frustração, a interrupção do sono e o ronco podem causar problemas emocionais e de saúde ao indivíduo, além de desgastar o laço matrimonial.[12]

A verdade é que você não precisa ter o mesmo horário de dormir do seu parceiro para estar em um relacionamento feliz. Mas os dois precisam dormir, e, se os conflitos de horário de deitar impedem você de dormir, podem surgir outras questões capazes de prejudicar a relação. A privação de sono pode causar irritabilidade, falha cognitiva e saúde frágil.

Como não é possível mudar seu cronotipo, o melhor conselho que posso dar é que o casal trabalhe em equipe para ajudar um ao outro a conseguir o melhor sono possível. Ou vocês podem aproximar seus cronorritmos um do outro. Pessoas que acordam cedo devem fazer silêncio, não acender as luzes e respeitar os parceiros que ainda estão dormindo de manhã. O parceiro que fica acordado até tarde pode começar a usar meio miligrama de melatonina noventa minutos antes de dormir para ter sono mais cedo. Se a situação for muito ruim e nenhum de vocês estiver dormindo bem, vocês podem precisar de ajuda profissional (consulte "Fazer terapia", na p. 165) ou pode ser necessário dormir em quartos separados por um tempo, até que ambos compensem o débito de sono e possam enfrentar os problemas de maneira construtiva e lúcida.

10. Comer e beber

CAFÉ DA MANHÃ, ALMOÇO E JANTAR

Fracasso: Ter um consumo calórico fora de sincronia com o biotempo, fazendo você ganhar peso e correr risco de adquirir diabetes e cardiopatias, por exemplo.

Sucesso: Ter um consumo calórico de acordo com o biotempo, ajudando a perder peso, ter mais energia, sentir menos fome e se proteger de diabetes e cardiopatias.

CIÊNCIA BÁSICA

Até hoje, você só deve ter se preocupado com *o que* comer, com a divisão de macronutrientes em seu prato, carboidratos ou proteínas etc. Existem muitas regras e advertências. Entendo completamente por que é praticamente impossível continuar ou seguir um regime alimentar saudável. Em um ano, a gordura faz mal. No ano seguinte, faz bem. Depois, apenas certos tipos de gordura são bons. Ou talvez algumas gorduras más não sejam tão ruins, na verdade. Mesmo se você estiver atualizado sobre as recomendações — que não param de mudar — e souber mais sobre nutrição do que seu próprio médico, é provável que a perda de peso continue sendo um desafio. E vai ficar mais difícil com a idade.

Assim que um novo paciente entra no meu consultório, posso dizer em cinco segundos se ele está fora de sincronia com o biotempo. O que denuncia é o peso extra que a pessoa carrega na barriga. **Existe uma relação direta entre cronodesajuste e gordura abdominal.** Se seu biotempo estiver em forma, então seu corpo também estará. Se não, é certo que vai sofrer problemas digestivos e disfunções metabólicas.

Como já expliquei, seu corpo tem dezenas de relógios internos. Quando todos estão em sincronia com o nascer e o pôr do sol e uns com os outros, você é uma máquina perfeitamente funcional que faz tudo no tempo certo, na ordem certa, num ritmo perfeitamente sincronizado. Aqui estão algumas partes digestivas e metabólicas do corpo que têm seu próprio cronograma:

- O **fígado** não apenas é o sistema de filtragem do corpo como também o controle do glicogênio (açúcar), do colesterol e da produção e distribuição de bile.

- O **pâncreas** controla a insulina e o fluxo de glicemia.

- O **trato gastrintestinal** movimenta o alimento e absorve os nutrientes de que todas as células do nosso corpo precisam para continuar saudáveis e cumprir as respectivas funções.

- Os **músculos** não costumam ser vistos como um órgão metabólico, mas, quando o corpo libera gordura e açúcar para obter energia para subir escadas ou piscar, por exemplo, essas substâncias são direcionadas aos músculos para que eles as consumam.

- Todas as **células de gordura** do nosso corpo produzem hormônios que lhe dizem quando você sente fome ou quando está satisfeito, entre outras funções digestivas e metabólicas.

Ainda nem comecei a tratar da complexidade das proteínas e das enzimas genéticas nos processos multietapas da digestão. (Por exemplo, o gene BMAL1 inicia a enzima NAMPT para produzir a substância NAD, que ativa o gene SIRT1 para secretar o hormônio insulina, que libera glicogênio ou estoca gordura... e assim por diante, centenas e centenas de vezes). Se algum dos seus complexos genes digestivos ou metabólicos estiver fora de sincronia, todo o sistema será perturbado. É como remover uma peça pequena mas importante e travar toda a máquina.

Que tal esta metáfora: os processos digestivos são como trens partindo da estação. Um atravessa um túnel, seguido por outro e mais outro. Todo trem segue seu cronograma e chega onde deve chegar sem nenhum incidente.

Agora imagine dois, quatro ou cem trens seguindo para o mesmo túnel na mesma hora. Quando os cronogramas estão fora de sincronia, o resultado é um acúmulo gigantesco.

Quando você come fora de sincronia com o biotempo, o resultado é um acúmulo gigantesco de quilos. O excesso de gordura e o mau funcionamento dos hormônios metabólicos causam inflamação e oxidação, que, por sua vez, causam quase todas as doenças conhecidas pelo homem, especialmente cardiopatias, cânceres e diabetes. Isso pode ser evitado, ou até mesmo revertido, atentando-se a *quando* comer e, por enquanto, esquecendo *o que* comer. Mesmo sem alterar *o que* comeu, mas mudando apenas *quando* absorveu as calorias, você perderá peso.

Um dos jeitos é seguir o **ritmo de restrição de horário alimentar.** Um estudo de 2012 realizado por pesquisadores do Instituto Salk para Pesquisas Biológicas, em La Jolla, alimentou um grupo de camundongos com alto teor de gordura o tempo inteiro.[1] O outro grupo recebeu a mesma quantidade de comida e o mesmo cardápio, mas podia comer apenas dentro de um período de oito horas. Os camundongos do bufê 24 horas por dia ficaram obesos e diabéticos. Os camundongos cujos horários de refeição haviam sido restringidos quase não ganharam peso e continuaram saudáveis.

Em um estudo subsequente,[2] os cientistas do Instituto Salk dividiram os camundongos em quatro grupos alimentares (alto teor de gordura, alto teor de açúcar, alto teor de gordura *e* açúcar, controle de ração) que recebiam o mesmo número de calorias por dia. Em cada grupo, os camundongos eram divididos entre aqueles que se alimentavam com restrição de horário (alimentando-se em períodos de nove, doze ou quinze horas) e os que se alimentavam em horários irrestritos (alimentando-se a qualquer hora). Como era de esperar, os camundongos que comiam a qualquer hora ficaram obesos e diabéticos ao fim do estudo de 38 semanas. Todos os grupos com divisão de teor alimentar que se alimentaram em intervalos de nove e doze horas continuaram magros e saudáveis.

Uma observação fascinante sobre esse estudo: alguns dos camundongos que comiam em horários restritos recebiam acesso irrestrito à comida nos fins de semana, mas não ganharam peso. Alguns camundongos foram retirados do acesso livre ao alimento e colocados em um cronograma alimentar restrito. Eles perderam todo o peso que haviam ganhado anteriormente. Embora esses sejam estudos com camundongos, e não com humanos, é justo dizer que comer em um período de oito ou doze horas também faz todo o sentido para nossa espécie, visto que o trato GI funciona em um ritmo ultradiano de quatro horas, ciclos menores dentro do ritmo circadiano de 24 horas.[3] **Comer a cada quatro horas (dentro de um período de oito a doze horas) ajuda você a manter um biotempo digestivo perfeito.**

Estudos confirmaram a importância do *quando* para a perda de peso em humanos — em particular, o **ritmo de comer cedo**. Em um estudo espanhol, 420 homens e mulheres com sobrepeso ou obesos foram colocados em uma dieta de 1400 calorias por dia durante vinte semanas.[4] Metade dos indivíduos comia cedo e fazia a maior refeição do dia antes das três horas da tarde. A outra metade, que comia tarde, fazia a maior refeição depois das três horas da tarde. Eles ingeriam a mesma quantidade de alimento que os que comiam cedo, exercitavam-se em intensidade e frequência similares, dormiam o mesmo número de horas e tinham hormônios de apetite e função genética comparáveis. Qual grupo perdeu mais peso? **Os que comiam cedo perderam, em média, dez quilos; os que comiam tarde perderam sete quilos e meio, uma diferença de 25%.** Os que comiam tarde tinham mais chances de pular o café da manhã, um grande erro quando se busca perder peso. Num estudo com cerca de 27 mil homens acompanhados durante dezesseis anos, os pesquisadores da Escola de Saúde Pública de Harvard determinaram que pular o café da manhã aumenta o risco de doença cardíaca coronariana em 27%.[5] Homens que comiam tarde da noite sofriam um risco 55% maior.

Por que comer cedo faz humanos e roedores perderem ou manterem o peso e protege de doenças metabólicas? Esse padrão é um *zeitgeber* — uma palavra alemã que significa "doador de tempo". *Zeitgebers* são forças externas que ajudam os relógios internos a entrar no biotempo perfeito. Os *zeitgebers* mais poderosos são o nascer e o pôr do sol. Outro é a temperatura externa. Mais um? Um horário alimentar adiantado e restrito.

Quando a luz do sol atinge seus globos oculares e percorre o nervo óptico para dissonar o amontoado de neurônios do sistema nervoso central, o relógio biológico do seu cérebro sabe que o dia começou. Quando você dá a primeira mordida da manhã e o alimento desce pelo esôfago e chega ao estômago, seu segundo cérebro (o trato gastrintestinal) sabe que o dia começou. Quando esses dois eventos — exposição matinal ao sol e ingestão matinal de comida — acontecem no mesmo horário, os relógios do cérebro e do intestino ficam sincronizados. Você fará digestão e converterá o alimento em energia com eficiência, consequentemente estocando menos gordura e se sentindo mais alerta.

Por outro lado, se pular o café da manhã, seu primeiro cérebro até pode saber que já é dia, mas seu segundo cérebro fica para trás. Nesse estado conflituoso, seu corpo não sabe que horas são. Mais tarde, quando for comer, seus mecanismos digestivos ficarão confusos e ineficientes, o que resultará em inflamação (doença cardíaca) e resposta hormonal disfuncional à ingestão de açúcar/ gordura (diabetes), provocando estoque de gordura e letargia.

Para os ursos, um cronograma alimentar no ritmo ultradiano seria da seguinte maneira:

Tome um grande café da manhã menos de uma hora depois de acordar — por exemplo, às 8h.

Coma um almoço médio quatro horas depois, às 12h.

Coma um lanche pequeno quatro horas depois, às 16h.

Coma um jantar pequeno às 19h30 e tome o cuidado de dar a última mordida antes das 20h para se manter dentro do intervalo alimentar de doze horas.

No cronorritmo de cada cronotipo descrito na primeira parte deste livro, os horários alimentares não são exatamente a cada quatro horas, porque existem outras atividades importantes a ser cumpridas durante o dia, além de comer. Mas meu cronograma, mesmo que imperfeito, é bem próximo do ideal de comer a cada quatro horas. Há apenas três regras:

1. **Coma menos de uma hora depois de acordar.**

2. **Tome café da manhã como um rei, almoce como um príncipe e jante como um mendigo.**

3. **Dê a última mordida três horas antes de dormir.**

RESUMO RÍTMICO

Ritmo de restrição de horário alimentar: Quando se deve tomar café da manhã, almoçar e jantar dentro de um intervalo alimentar de oito a doze horas por dia.

Ritmo de comer cedo: Quando se deve comer a maior parte das calorias do dia para evitar ganho de peso, cardiopatias e diabetes.

A PIOR HORA PARA CAFÉ DA MANHÃ, ALMOÇO E JANTAR

Fora de um período de doze horas adiantado.

A MELHOR HORA PARA CAFÉ DA MANHÃ, ALMOÇO E JANTAR

A divisão de refeições abaixo não inclui os lanches programados estrategicamente. (Ver "Lanchar", na p. 232, que complementa a trajetória nutricional diária.)

Golfinho: CM, 8h; A, 12h; J, 19h30.

Leão: CM, 6h; A, 12h; J, 18h.

Urso: CM, 7h30; A, 12h30; J, 19h30.

Lobo: CM, 8h; A, 13h; J, 20h.

> **"NUNCA MAIS VOU FAZER DIETA"**
>
> "Quando digo que já tentei todas as dietas, estou falando sério", disse **Ann, a loba**. "É claro que nunca perdi peso. Meu hábito era seguir a dieta durante o dia e, depois, à noite, começava a lanchar todo tipo de comida permitida — baixo carboidrato, baixa gordura, a dieta da moda. Mas eu entendi: minha força de vontade estava esgotada depois de um dia inteiro 'me comportando'. A simples ideia de comer em quantidade decrescente, a cada quatro horas, qualquer comida que quisesse, e então parar de comer depois de jantar mais tarde, foi uma revelação. Simplesmente não fico com fome à noite se janto mais tarde. Eu estava presa a uma mentalidade de que precisava comer com meus filhos às seis horas da tarde. Uma boa mãe faz um jantar em família. Mas, assim que consegui deixar essa ideia de lado e jantar mais tarde enquanto meu marido comia a sobremesa, parei de comer em excesso. Eu dava a última mordida e não comia mais pelo resto do dia. Já faz um mês. Fiz um ou outro lanche noturno, mas nada como antigamente. E perdi dois quilos! Sem nem me esforçar. Nunca mais vou fazer dieta. Parece um milagre conseguir perder peso só por jantar mais tarde, mas não vou questionar, só obedecer."

BEBER

Fracasso: Ficar embriagado, sofrer com uma ressaca terrível e prejudicar seu relógio biológico mestre, seu fígado e seu trato GI.

Sucesso: Beber sem ficar bêbado, reduzir a gravidade das ressacas e causar poucos danos aos seus órgãos e ao relógio biológico.

CIÊNCIA BÁSICA

Eu não sou de beber, em parte porque sei o que o álcool faz com o biotempo. Imagine pegar um relógio e uma garrafa de vinho e quebrar o relógio com ela. Beber em excesso estilhaça seu relógio interno, e seu corpo vai demorar um bom tempo para consertá-lo. Sinto muito, mas as pesquisas são irrefutáveis. Como já expliquei, seu corpo é cheio de relógios biológicos que mantêm seus sistemas e órgãos em um horário rígido. O álcool confunde muito esses horários. Primeiro, a bebida derruba o núcleo supraquiasmático, o relógio mestre localizado no seu cérebro, depois desce, derrubando outros relógios que controlam, por exemplo:

- **Ciclo de vigília/ sono.** Beber à noite suprime a liberação de melatonina. Em um estudo da Universidade Brown, pesquisadores monitoraram o sono de 29 homens e mulheres saudáveis com vinte e poucos anos ao longo de dez dias.[6] Em três noites, metade dos indivíduos tomou uma bebida placebo e a outra metade bebeu vodca uma hora antes de dormir. A melatonina salivar dos que beberam vodca foi reduzida em 19%. Basta um drinque para sofrer uma redução drástica na melatonina.

- **Digestão.** Seu segundo cérebro também fica burro quando você bebe. Como o relógio mestre é afetado, o intestino não sabe quando deve cumprir a função de liberar proteínas e enzimas. Esse resultado desagradável é o chamado "vazamento intestinal" ou "síndrome do intestino permeável".[7] O revestimento bacteriano do seu intestino não consegue servir como barreira; assim, bactérias, vírus e toxinas podem "vazar" para dentro (e para fora) do intestino, causando inchaços, gases, inflamações, dores de cabeça, doenças de pele, alergias alimentares, fadiga e dores articulares.

- **Funcionamento do fígado.** O filtro e metabolizador do seu corpo segue um relógio próprio e libera proteínas e moléculas sob determinado cronograma. O álcool perturba esse cronograma, o que faz as mitocôndrias do fígado perderem a flexibilidade e pararem de funcionar, causando doença hepática.[8]

Para deixar claro: você não precisa ser alcoólatra para causar danos a longo prazo no seu corpo e desmantelar seus ritmos circadianos. **O uso crônico, definido como duas doses por dia, é suficiente para preju-**

dicar o relógio mestre e, por extensão, os cem relógios menores que funcionam em um horário cuidadosamente calibrado em todo o corpo. Recomendo limitar o consumo de álcool a quatro drinques no *máximo* por semana para homens e mulheres. Se pesquisar, você vai encontrar números maiores. Minha recomendação é dada pelo impacto do álcool nos ritmos circadianos, e é bom se precaver com apenas um drinque dia sim, dia não. Qualquer pessoa com risco de doenças de trato GI, de fígado e imunológicas, bem como depressão, deve se abster completamente.

CHOQUE DE REALIDADE

Quatro doses por semana? Que tal quatro doses por dia? Sei que muitos de vocês adoram uma ou duas taças de vinho por noite junto com o jantar ou bebem um fardinho inteiro de cerveja enquanto assistem ao futebol ou se divertem numa festa. As pessoas bebem. E bebem muito. Não estou julgando ninguém por se divertir ou socializar com os amigos. Meu ponto é que beber tem consequências além daquelas que seus pais e instrutores da academia contaram para você. O álcool perturba seu ritmo circadiano. Quanto mais você bebe, pior é para seus relógios internos. Quanto mais próximo da hora de dormir você bebe, pior será a qualidade de seu sono e mais debilitado você estará no dia seguinte por causa da privação do sono, que, por sua vez, agrava os sintomas da ressaca. Se essa noção fizer você tomar uma ou três doses a menos por semana, ótimo. Se inspirar você a passar para a água às nove horas da noite, ótimo também. Ou não. Se você já tem idade suficiente para beber, também tem idade suficiente para tomar suas próprias decisões e ser responsável por elas. Minha função aqui é só passar as informações. Cabe a você decidir o que vai fazer com elas.

Atenção, amantes do bloody mary no meio do brunch e dos martínis na hora do almoço: considerem o **ritmo de tolerância**. Em certas horas do dia, os efeitos do álcool são mais pronunciados. Em 1956, quando a regulamentação de experimentos com universitários era mais flexível, pesquisadores da Escola de Medicina da Universidade Stanford administraram drinques de uísque e água (com teor alcoólico de 20%) em seis indivíduos a cada hora (incluindo uma dose às três da manhã).[9] "O objetivo era, pela ingestão repetida de pequenas doses de álcool, atingir lentamente uma concentração alta no corpo, com lentidão o bastante para que o experimento pudesse ser continuado por 48 horas sem desencadear níveis graves de intoxicação", escreveu o chefe da pesquisa, Roger H. L. Wilson. Os pesquisadores monitoraram atentamente os indivíduos que bebiam e mediram seu nível alcoólico e a taxa de metabolismo por hora através de amostras de sangue e saliva.

A capacidade dos indivíduos de metabolizar o álcool e tirá-lo de seu sistema foi maior no fim de tarde e menor de manhã.

Caso os indivíduos tivessem tomado uma dose maior de uísque, estariam desmaiados às dez horas da manhã, mas levemente embriagados às oito horas da noite. Os dados são tão exatos hoje quanto eram há sessenta anos, quando Wilson e sua equipe fizeram a pesquisa. A desidrogenase humana, a enzima que decompõe toxinas, inclusive o álcool, tem seu próprio ritmo circadiano. **Você pode chamá-lo de biotempo do happy hour.** Tome seu vinho, cerveja ou drinque quando essas enzimas estiverem fluindo entre as seis da tarde e as nove horas da noite — aproveite os drinques com os amigos e converse sem enrolar as palavras.

Claro, se você planeja ficar embriagado, tome duas doses de tequila no café da manhã, e elas vão deixá-lo louco pelo resto do dia.

UMA DOSE PARA DORMIR

Se você usa o álcool para pegar no sono, acabará mais exausto com essa tentativa. Embora ela possa funcionar para fazer você adormecer (ou, se beber o bastante, desmaiar), seu sono vai ser de qualidade inferior. Um cérebro entorpecido pelo álcool fica preso no sono de ondas profundas delta dos estágios 3 e 4, sem conseguir entrar no sono REM, que é quando ocorre a restauração mental e a consolidação da memória. Além disso, se estiver embriagado quando pegar no sono, correrá mais riscos de andar, falar, comprar e comer dormindo. Tudo que você deveria fazer enquanto dorme é... dormir. Como saideira, peça aquela água.

E tem a manhã seguinte. O álcool perturba o biotempo. Portanto, para começar, você vai acordar sentindo o cansaço, o torpor e a irritabilidade da fadiga social. O **ritmo de ressaca** também segue o relógio, pois a única cura para a dor de cabeça é a passagem do tempo, a reidratação e fazer o possível para recuperar o biotempo, como se expor à luz solar direta, por mais excruciante que seja.

Pesquisadores na Universidade Estadual de Kent dividiram os hamsters cobaias em três grupos: os que beberiam água, os que beberiam soluções com 10% de teor alcoólico e os que beberiam soluções com 20% de teor alcoólico.[10] Depois de serem expostos à luz fraca, o grupo de controle acordava desperto e pronto para correr nas rodinhas uma hora antes do horário em que acordavam normalmente. E os que bebiam soluções com 10% de teor alcoólico? Só conseguiram despertar quarenta minutos depois do grupo de controle. E os que beberam as com 20%? Demoraram uma hora a mais para acordar.

Muitos já testemunharam o equivalente humano em amigos. Os que sofrem com uma ressaca grave fogem da luz, como se ainda estivessem no meio da noite, e não conseguem sair da cama por horas depois do horário normal. Beber em excesso vira nosso biotempo de cabeça para baixo. Os sintomas da ressaca são muito parecidos com os do jet lag social. Assim como horários de dormir e despertar irregulares, a ressaca é consequência da perturbação do ritmo circadiano. Os sintomas são quase os mesmos.

Sinto muito, lobos. O cronotipo que tem mais chances de beber álcool também é o que sofre perturbação circadiana mais extrema e sintomas de ressaca mais frequentes. Pesquisadores da Universidade de Barcelona avaliaram 517 estudantes e descobriram que os tipos vespertinos tinham mais chances de fazer uso de substâncias viciantes, ter problemas com o consumo de álcool e maior dificuldade de lidar com os sintomas da ressaca, entre eles dor de cabeça, hipersensibilidade ao som e à luz, cansaço, ansiedade e irritabilidade.[11]

RESUMO RÍTMICO

Ritmo de tolerância: Quando o álcool é metabolizado mais rápido, permitindo que você beba mais com menos efeitos.

Ritmo de ressaca: Quando o consumo de álcool causa sintomas de jet lag social.

A PIOR HORA PARA BEBER

Brunch e saideira. Beber de manhãzinha vai deixar você bêbado mais rápido — e fazer você passar mal mais rápido. Beber tarde da noite vai perturbar seu relógio interno e acabar com a qualidade do seu sono.

A MELHOR HORA PARA BEBER

Golfinho: biotempo do happy hour, **18h às 20h.**
Leão: biotempo do happy hour, **17h30 às 19h30.**
Urso: biotempo do happy hour, **18h30 às 20h30.**
Lobo: biotempo do happy hour, **19h às 21h.**

TOMAR CAFÉ (OU MINHA FORMA PREFERIDA DE CAFEÍNA — CHOCOLATE!)

Fracasso: Tomar café assim que acorda ou já à noite, aumentando a tolerância à cafeína e causando insônia.

Sucesso: Sincronizar as pausas para o café com as quedas nos níveis de cortisol para aumentar a energia de maneira efetiva.

CIÊNCIA BÁSICA

A cafeína é uma droga — um estimulante legalizado —, e o café é um veículo delicioso disponível em quase todas as casas e todas as esquinas do mundo todo. Sabe-se lá por que, virou uma norma cultural associar o café ao despertar. As pessoas programam as cafeteiras para começar a passar o café quando o despertador delas toca para que possam sair da cama sentindo aquele cheirinho gostoso.

Estou prestes a dizer algo que vai ser uma surpresa para muitos.

Beber café logo de manhã não desperta, não deixa você mais alerta nem aumenta sua energia. De acordo com a ciência, tudo que ele faz é aumentar sua tolerância à cafeína, fazendo com que você precise beber cada vez mais para sentir algum efeito.

Quando está prestes a acordar, seu corpo libera estimulantes para fazer seu sangue correr e o coração bombear: uma mistura de hormônios que inclui insulina, adrenalina e cortisol. Como a maioria de nossos órgãos e glândulas, a glândula ad-renal (produtora de adrenalina e cortisol) tem seu próprio relógio biológico. Ela cuida do **ritmo de cortisol**, que consiste em alguns ciclos de liberação e supressão do hormônio de lutar ou fugir no decorrer do dia.

- **Se você toma café quando o nível de cortisol está alto**, os efeitos são inexistentes. Comparada ao cortisol, a cafeína é um chazinho fraco. A única coisa que o café faz por você nas duas primeiras horas depois de acordar é aumentar sua tolerância à cafeína.

- **Se você toma café quando o nível de cortisol está baixo**, a cafeína atinge de leve suas ad-renais para lhe dar uma dose de adrenalina, e você vai se sentir mais desperto e alerta.

Pesquisas científicas e o biotempo definem horários muito claros para que as pausas para o café coincidam com as quedas do nível de cortisol. Para a maioria dos ursos, essas pausas ocorrem **entre 9h30 e 11h30 e entre 13h30 e 15h30.** (Para o intervalo de café ideal do seu cronotipo, consulte "A melhor hora de tomar café", mais adiante.)

Não estou dizendo que você deve tomar quantidades exageradas de café durante *cada* queda no nível de cortisol. Se fizer isso, vai desenvolver alta tolerância à cafeína e não vai se beneficiar do efeito da droga. Pesquisadores da Universidade de Oklahoma testaram a reação ao cortisol em um estudo duplo-cego com quase cem indivíduos de ambos os sexos.[12] Durante cinco dias, os indivíduos de um grupo se abstiveram de café e os do outro tomaram placebos ou doses variadas de cafeína três vezes ao dia. No sexto dia, ambos os grupos puderam voltar a tomar café e foram testados quanto aos níveis de cortisol na saliva. O grupo de controle, depois de voltar a tomar café, exibiu um aumento "robusto" nos níveis de cortisol. E o grupo do comprimido de cafeína? O nível de cortisol deles em reação ao café foi reduzido ou eliminado.

Isso significa que a lei dos rendimentos decrescentes se aplica a beber café três vezes ao dia. Quanto mais você bebe, menos efeito ele faz. Se você toma café apenas porque adora o gosto, então troque pelo descafeinado para evitar a tolerância e a fadiga das suas glândulas ad-renais.

Quando você bebe mais de quinhentos miligramas de cafeína por dia (cinco xícaras de café, duas bebidas energéticas, dez refrigerantes ou uma combinação dos três), vai se sentir mais nervoso, inquieto e mal-humorado, além de sofrer de dor de estômago, tremores musculares e palpitações cardíacas. Beber cafeína em excesso e de maneira crônica pode exaurir suas glândulas ad-renais a ponto de elas não conseguirem mais produzir cortisol suficiente por conta própria. Os sintomas da fadiga ad-renal incluem exaustão, ganho de peso, perda de memória, ansiedade, baixo impulso sexual, cronodesajuste e os fatores de risco e sintomas associados a ele, incluindo depressão, obesidade e cardiopatia.

Sem falar em insônia. Pesquisadores da Universidade de San Martín de Porres, em Lima, estudaram 2581 universitários e encontraram uma forte relação entre "vespertinidade", fadiga diurna e uso de estimulantes.[13] Os estudantes lobos se queixaram de cansaço durante o dia e relataram consumo de café, cigarros e álcool maior do que os tipos matutinos e intermediários. O uso de estimulantes por parte deles tinha uma correlação direta com a fadiga diurna. Quanto mais café tomavam, mais sonolentos ficavam durante o dia.

Esse deve ser o motivo por que tomar café interfere no seu ciclo de sono/ vigília. O **ritmo de melatonina** é controlado em grande parte pelo nascer e pelo pôr do sol, mas pode ser tirado de sincronia por depressores, como o álcool, e estimulantes, como o café. Para descobrir o grau do efeito de diversas substâncias na secreção de melatonina, uma equipe de pesquisadores conduziu um estudo de 49 dias em que os indivíduos eram expostos à luz forte ou fraca, ou tomavam um expresso duplo antes de dormir.[14] Embora as luzes forte e fraca tivessem suprimido a melatonina, **o café demonstrou o efeito mais significativo, bloqueando a melatonina durante quarenta minutos, o que é o bastante para estragar uma noite de sono e causar cronodesajuste.**

Os pacientes sempre me contam que a cafeína não os afeta e que conseguem adormecer depois de tomar café. Explico que é provável que eles estejam tão privados de sono que o cérebro simplesmente os obrigue a dormir, mas que, com a melatonina "desligada" pela cafeína, a qualidade do sono é inferior.

O plano é tomar sua última xícara de café com um tempo de proteção suficiente para não suprimir a melatonina. O **ritmo do metabolismo** é o período necessário para tirar a cafeína do seu sistema. Já expliquei que seu corpo leva uma hora para metabolizar uma taça de vinho ou uma lata de cerveja. Quantas horas ele leva para metabolizar a cafeína de uma xícara de café? Uma hora? Duas? Quatro?

Pode demorar até 45 minutos para você sentir os efeitos do café, mas ele normalmente ataca em 25. Depois, **pode levar entre seis a oito horas para que os efeitos estimulantes da cafeína sejam reduzidos pela metade.** Você vai sentir sua xícara matinal até de tarde. Se tomar uma xícara à tarde, vai sentir ambas até de noite. E se tomar outra depois do jantar? Vai estar cafeinado até bem depois da hora de dormir.

Pesquisadores na Wayne State University, em Detroit, testaram o efeito da cafeína ao aplicar nos indivíduos quatrocentos miligramas dessa substância logo antes, três horas antes e seis horas antes de dormir.[15] Em comparação com o grupo que ingeriu placebo, todos os três grupos de horários de dosagem sofreram perturbações significativas no sono.

Meu conselho? Só beba café nas quedas do nível de cortisol. Tome sua última xícara antes das duas (golfinhos e lobos) ou três horas da tarde (leões e ursos).

RESUMO RÍTMICO

Ritmo de cortisol: Quando sua glândula ad-renal libera e suprime o cortisol (isso ocorre em ciclos ao longo do dia).

Ritmo de melatonina: Quando o consumo excessivo de cafeína perturba ou inibe a liberação de melatonina.

Ritmo do metabolismo: Quando seu corpo tenta tirar a cafeína do seu sistema.

A PIOR HORA PARA TOMAR CAFÉ

Nas duas primeiras horas depois de acordar e nas seis últimas horas antes de dormir, especialmente se você tiver problemas de sono, estresse ou for um golfinho.

A MELHOR HORA PARA TOMAR CAFÉ

As quedas do nível de cortisol de cada cronotipo, que correspondem aos horários ideais da pausa para o café, são:

Golfinho: 8h30 às 11h; 13h às 14h. Nenhuma bebida cafeinada depois das 14h, nem mesmo café descafeinado (sim, ele contém cafeína).

Leão: 8h às 10h; 14h às 16h.

Urso: 9h30 às 11h30; 13h30 às 15h30.

Lobo: 12h às 14h. Nenhuma bebida cafeinada depois das 14h, nem mesmo café descafeinado.

CHOQUE DE REALIDADE

Como é que é? Eliminar seu cafezinho matinal? Você deve me achar um monstro, e não um médico que quer ajudá-lo. As pessoas resistem mais a adiar o café do que a qualquer outra mudança recomendada neste livro — incluindo restringir o álcool e acordar cedo aos fins de semana. E vejam que nem estou sugerindo que parem de beber! Só estou falando para esperar algumas horas. Ou esperar meia hora por alguns dias. Depois uma hora, depois uma hora e meia, e por aí vai.

Você bebe café ao acordar por hábito, porque os marqueteiros e publicitários convenceram-no a associar a hora de acordar com a hora de tomar café. Mas todo especialista em sono ou endocrinologista sabe que a cafeína não deixa você menos sonolento assim que acorda. Ela só o deixa agitado. Guarde a cafeína para quando ela for útil. Se precisa beber café para abrir os olhos, experimente o descafeinado. Juro, você vai gostar mais da sensação.

E O CHOCOLATE?

Já trabalhei com hotéis para a criação de kits de dormir para os hóspedes. Eles eram pequenos nécessaires com tampões de ouvido, uma máscara, um spray calmante de lavanda, uma luz noturna para não ser necessário ligar o abajur para encontrar o banheiro e um prendedor de cortina para bloquear a luz ambiente. Um kit de dormir como esse é uma ideia muito melhor do que aquilo que a maioria dos hotéis coloca sobre o travesseiro na hora de dormir: um pedaço de chocolate. Um pedacinho não faz tão mal assim. Mas, se comer vários, a cafeína do doce pode perturbar a noite.

Muitos trocaram o chocolate ao leite por chocolate amargo porque ele contém mais antioxidantes. Ótimo. Mas o chocolate amargo também tem mais cafeína. Um pedaço de cinquenta gramas de chocolate amargo com 70% de cacau contém setenta miligramas de cafeína, mais ou menos a mesma quantidade que uma xícara de expresso. O chocolate contém teobromina, que é boa para a pressão arterial uma vez que alarga os vasos sanguíneos. Por outro lado, os vasos dilatados estimulam o coração e fazem você urinar — o que não é ideal quando se tenta dormir.

Não coma sua sobremesa de chocolate depois do jantar. Em vez disso, coma durante o dia, e você vai ter a tarde toda para queimar essas calorias e metabolizar a cafeína. Além disso, os benefícios do chocolate à saúde são anulados se você comer muito, além de acabar ganhando peso.

> **"CAFÉ DEPOIS DO ALMOÇO."**
>
> "Se eu tivesse de escolher as duas mudanças que tiveram o maior impacto na minha felicidade, eu diria que foram o sexo matinal e o café vespertino", disse **Ben, o urso.** "O sexo matinal foi uma surpresa para mim e minha esposa, porque achávamos que não tínhamos tempo antes do trabalho e da escola das crianças. Mas é como se fôssemos adolescentes, sendo sorrateiros e intensos. O sexo virou uma parte prazerosa e excitante das nossas manhãs, em vez do que era antes, a rotina preguiçosa antes de dormir. Além disso, tomar café depois do almoço em vez de no café da manhã mudou muita coisa. Antes eu bebia duas xícaras de manhãzinha e continuava me sentindo zonzo, então tomava mais uma no trabalho. (Sexo agora é meu novo estimulante preferido!) Hoje, tomo uma xícara após o almoço e me sinto animado pelo resto da tarde. Bebo um terço do café com dez vezes mais benefícios da cafeína. Todo mundo que está lendo este livro deveria experimentar. Quando sinto falta do sabor e do cheiro do café de manhãzinha, tomo um descafeinado."

COMER FEITO LOUCO

Fracasso: Comer demais e converter o excesso de calorias em gordura, desnorteando sua cognição no dia seguinte.

Sucesso: Comer demais de vez em quando e converter as calorias em energia para alimentar seu corpo e sua mente.

CIÊNCIA BÁSICA

Acontece com todo mundo: ficar na frente da geladeira de pijama com um garfo na mão e a consciência pesada. Por que a vontade súbita de comer junk food ataca com tanta frequência à noite e qual é o impacto de comer fora de sincronia com seus ritmos?

Seu cronorritmo tem um **ritmo de força de vontade.** Pesquisas explicam por que você consegue "se comportar" o dia todo e depois jogar tudo para o alto à noite. Em um estudo bastante conhecido, os indivíduos foram divididos em dois grupos — um cujos membros podiam comer biscoitos a hora que quisessem e outro cujos membros foram instruídos a resistir.[16] Na sequência, os dois grupos receberam quebra-cabeças para resolver. O primeiro grupo, que não tinha precisado exercer a força de vontade em relação aos biscoitos, resolvia melhor os quebra-cabeças do que o segundo, que havia resistido aos biscoitos. Praticar a força de vontade drena a energia mental. **Você só consegue resistir por um tempo até exaurir sua capacidade de "se comportar".**

Para piorar, existe também o **ritmo de apetite/ luz artificial**. Há um motivo por que os humanos procuram alimentos pouco saudáveis à noite. Em 2013, pesquisadores da Oregon Health & Science University conduziram um estudo com doze adultos não obesos, monitorando-os em um quarto de laboratório com iluminação fraca durante treze dias.[17] Os pesquisadores registraram o apetite e os desejos alimentares dos indivíduos estudados o tempo todo. As refeições eram servidas em intervalos regulares, mas os indivíduos escolhiam o que e quanto comer. Às oito horas da manhã, comiam em menor quantidade. Às oito da noite, o apetite deles aumentava, e eles comiam em maior quantidade alimentos ricos em amido, sal e açúcar.

Por que comiam tanto à noite? A leptina, o hormônio da saciedade, aquele que faz você dizer "Não aguento mais nem uma mordida", está em seu nível mais baixo à tarde (um prêmio para as culturas que fazem a maior refeição no almoço) e mais elevado à noite. Não era para as pessoas terem tanto apetite à noite, mas ainda assim elas têm. Por quê? Por causa da luz artificial que vem das lâmpadas e telas. No estudo da Oregon, os indivíduos ficaram em quartos com iluminação fraca. Em um estudo da Universidade Estadual de Ohio, a exposição noturna à luz forte ou fraca causou um aumento significativo no índice de massa corporal de camundongos.[18] O grupo de controle, exposto a um ciclo normal de luz e escuridão, não sofreu nenhum aumento.

Os ataques noturnos à geladeira também têm um impacto no **ritmo de memória**. Pesquisadores da Universidade da Califórnia, em Los

Angeles, conduziram um estudo com camundongos para ver se perturbar os horários de refeição (e consequentemente os ritmos circadianos) afetava a memória.[19] Um grupo foi alimentado em horários normais e regulares, reforçando um ritmo circadiano saudável. Outro grupo só pôde comer durante as horas de dormir. Ambos os grupos receberam a mesma quantidade de ração e registraram o mesmo número total de horas de sono, ainda que em horários diferentes. Três semanas depois, **os pesquisadores fizeram testes de memória nos camundongos. Os que comiam de dia tiveram um desempenho muito melhor do que os que comiam à noite.** O segundo grupo não conseguiu se lembrar de objetos nem de tonalidades. Os pesquisadores colocaram os camundongos em aparelhos de ressonância magnética e notaram mudanças significativas nos centros de aprendizado e memória do cérebro daqueles que comiam tarde, depois de apenas algumas semanas se alimentando fora do horário.

RESUMO RÍTMICO

Ritmo de força de vontade: Quando a sua capacidade de resistir ao alimento tentador diminui com o tempo.

Ritmo de apetite: Quando a fome e os desejos alimentares ficam de pernas para o ar pela exposição noturna à luz artificial.

Ritmo de memória: Quando comer fora de sincronia com o biotempo prejudica a memória e a função cognitiva.

A PIOR HORA PARA COMER FEITO LOUCO

21h às 5h. Esse horário se aplica a todos os cronotipos, especialmente aos lobos, que sentem fome à meia-noite. Fazer uma refeição com alto teor de carboidratos e calorias depois que escurece provoca ganho de peso e prejudica a memória. Comer mais cedo durante o dia diminui o IMC e acelera o metabolismo.

A MELHOR HORA PARA COMER FEITO LOUCO

Golfinho: 10h. Ou hora do brunch.

Leão: 14h. Para combater a queda de energia vespertina, coma muita proteína.

Urso: 8h. O café da manhã deve ser a maior refeição do dia — e a hora de se empanturrar de comida.

Lobo: 8h. O café da manhã deve ser a maior refeição do dia — e a hora de se empanturrar de comida.

LANCHAR

Fracasso: Comer de maneira negligente em horários aleatórios entre as refeições, convertendo as calorias extras em gordura.

Sucesso: Lanchar conscientemente em horários específicos, convertendo as calorias em energia e alerta.

CIÊNCIA BÁSICA

Se você demora tempo demais entre as refeições, sua glicemia cai e seu metabolismo de gordura/ açúcar fica mais lento. Se quiser perder peso e manter o nível de energia e alerta, você não pode deixar isso acontecer. Fazer lanchinhos pode manter seus relógios digestivo e metabólico em sincronia e funcionando em total capacidade.

Fazer lanches estratégicos com esse objetivo em mente requer que você mantenha um cronograma de lanches. Beliscar um punhado disso e um pacote daquilo fora do horário faz os relógios do seu intestino e fígado funcionarem descontroladamente fora do biotempo. Sei que existe comida em todo lugar, o dia todo. **Não vou dizer o que você pode ou não comer, apenas vou dizer quando. Faça lanches de acordo com um cronograma. Se não for hora de lanchar, não lanche.** Siga essa única dica temporal para perder peso sem sentir fome.

Então, quando é hora de lanchar? Os leões devem seguir o **ritmo do lanche entre o café da manhã e o almoço**. Como eles tomam café às 6h30min e têm um longo tempo até a hora socialmente aceitável do almoço, **devem fazer um lanche no meio da manhã, por volta das 9h30min, junto com café, se quiserem.**

Todos os outros devem seguir o **ritmo do lanche entre o almoço e o jantar**. Um estudo em Seattle com 123 mulheres pós-menopáusicas com sobrepeso demonstrou que é mais fácil perder mais peso e comer de maneira mais saudável nesse horário do que em qualquer outro.[20] Os indivíduos se inscreveram em um programa de perda de peso e controlaram os hábitos alimentares por um ano. Aqueles que lanchavam no meio da manhã perderam significativamente menos peso do que os que lanchavam no meio da tarde (7% comparados a 11,5% do peso corporal). Os que lancharam no meio da manhã também tendiam a fazer mais de um lanche por dia. Já os que lanchavam no meio da tarde comiam mais frutas, verduras e legumes, com menos calorias no total. Os pesquisadores traçaram então uma relação entre lanches matinais e alimentação negligente — os indivíduos não estavam realmente com fome, mas comiam mesmo assim. Uma boa maneira de quebrar o hábito de comer negligentemente é evitar todo tipo de lanche até de tarde.

E quanto ao lanche antes de dormir? O **ritmo de lanche pós-jantar** depende do cronotipo:

- **Golfinho.** Se sentirem fome, os golfinhos podem comer um lanche de cem a duzentas calorias com 50% de carboidrato e 50% de gordura (biscoitos de água e sal com queijo, leite com cereais, fatias de maçã com manteiga de amendoim, um punhado de amêndoas) uma hora antes de dormir para ajudar a reduzir os níveis de cortisol e aumentar os de serotonina.

- **Leão.** Ataques noturnos à geladeira não são um problema para você. Você não sente fome e não precisa de ajuda alimentar para facilitar seu sono.

- **Urso.** Sou contra os lanches noturnos para os ursos. Segundo um estudo brasileiro de 2011, comer perto demais da hora de dormir afeta o início e a qualidade do sono, e isso se aplica especialmente às mulheres.[21] Os 52 indivíduos — saudáveis, não obesos e não fumantes — mantiveram diários alimentares detalhados durante alguns dias e, em seguida, foram monitorados em laboratório durante a noite enquanto dormiam. Os homens do estudo que faziam lanches com alto teor de gordura tarde da noite passaram menos tempo no sono REM e tiveram menor eficiência de sono (sono versus frustração de ficar deitado e acordado) em comparação às contrapartes que não lanchavam. As mulheres que faziam lanches tarde da noite, com alto teor de gordura ou não, pontuaram menos em todas as categorias de avaliação do sono. Elas demoraram mais para adormecer, atingir o REM e continuar dormindo do que as que não lanchavam. Quanto mais elas comiam, menor era a qualidade do seu sono. Os ursos têm o hábito de lanchar antes de dormir e devem fazer todo o esforço para quebrar esse hábito. Em vez de comer, você pode tentar tomar chá de banana (ver minha receita a seguir).

- **Lobos.** Os lobos ficariam felizes em ter uma refeição completa à meia-noite. Em outro estudo também brasileiro com cem indivíduos composto sobretudo de mulheres de meia-idade com sobrepeso, pesquisadores testaram as preferências matutinas e vespertinas, a tendência de comer tarde da noite e os hábitos de comer demais.[22] O grupo vespertino tinha mais chances de comer em excesso à noite. Os lobos são suscetíveis a esse mau hábito porque é à noite que eles ganham vida, gastam energia e sentem desejos de alimentos com alto teor de gordura. Um padrão alimentar noturno, qualquer que seja o tipo, resulta em excesso de peso e pode causar doenças e depressão. Minha recomendação para os lobos é fazer um lanche muito pequeno uma hora antes de dormir. Tente cem calorias, sendo 50% de gordura e 50% de carboidratos com baixo teor glicêmico (nozes, legumes com homus) para relaxar antes de dormir e satisfazer sua vontade de comer. Ou tome chá de banana (receita a seguir) para acalmar seus nervos e forrar o estômago.

CHÁ DE BANANA

A maioria das pessoas sabe que bananas contêm magnésio. O que você não deve saber é que a casca tem três vezes mais magnésio do que a fruta em si. Como o magnésio ajuda a acalmar os nervos, o chá de banana é a bebida perfeita para dormir.

Ingredientes

1 banana madura

2,5 xícaras de água fervente

Modo de preparo:

1. Lave bem a banana para remover sujeiras, bactérias e pesticidas. Dê preferência a bananas orgânicas.

2. Remova meio centímetro da parte de cima e da parte de baixo da banana.

3. Não retire a casca e corte a banana na metade, horizontalmente.

4. Coloque as duas metades da banana em água fervente e deixe ferver por dez minutos.

5. Coe o chá de banana em uma xícara.

6. Se desejar, adicione mel ou canela antes de beber.

RESUMO RÍTMICO

Ritmo do lanche entre o café da manhã e o almoço: Quando os leões devem lanchar para ter energia e continuar no biotempo.

Ritmo de lanche entre o almoço e o jantar: Quando golfinhos, ursos e lobos devem lanchar para ter energia e continuar no biotempo.

Ritmo de lanche após o jantar: Quando se corre o risco de enlouquecer o biotempo.

A PIOR HORA PARA LANCHAR

Meio da noite. Se você tiver 25% de sua ingestão calórica total à noite ou de madrugada, pode sofrer de síndrome alimentar noturna (SAN), um distúrbio alimentar. Uma lista dos sintomas:

- Beliscar tarde da noite.
- Acordar algumas vezes de madrugada para lanchar e depois voltar para a cama.
- Levantar da cama no escuro para comer algumas vezes por semana.
- Saber que você acordou para comer mais de uma vez e sentir culpa ou vergonha por isso.

Se você se identificou com isso, sugiro que procure um especialista do sono na sua região para explorar suas opções terapêuticas.

A MELHOR HORA PARA LANCHAR

Golfinho: 15h.
Leão: 9h.
Urso: 16h.
Lobo: 16h.

LANCHAR DEPOIS DO EXERCÍCIO

Se você se exercitar intensamente por uma hora ou além, *precisará* lanchar na meia hora seguinte ao exercício. Um lanche com um terço de proteína, um terço de carboidratos complexos e um terço de carboidratos simples (iogurte com granola e frutas, um shake com whey, mingau de aveia e frutas) é a fórmula ideal para restabelecer os músculos estressados e induzir o *afterburn*, processo metabólico de queima de gordura estocada para obter energia durante as 24 horas após o exercício.

Se você se exercitar em intensidade média ou baixa por menos de uma hora, não deverá lanchar depois, muito menos se faltar uma ou duas horas para a próxima refeição. Seu corpo não precisa de calorias para compensar o que queimou e não deve necessitar de mais carboidratos e proteínas para reabastecer os músculos exercitados. Em vez de comer, hidrate-se com água. Evite bebidas energéticas, que são cheias de açúcar, adoçantes artificiais e, muitas vezes, cafeína.

11. Trabalho

PEDIR AUMENTO

Fracasso: Abordar o chefe sobre um aumento de salário quando ele está distraído, de mau humor ou cansado demais para tratar do assunto.

Sucesso: Abordar o chefe sobre um aumento de salário quando ele está alerta, de bom humor e disposto a ouvir seus argumentos.

CIÊNCIA BÁSICA

Só você e seus colegas conhecem o clima particular do seu ambiente de trabalho. Alguns escritórios ou empresas são lentos de manhã e agitados à tarde, ou vice-versa. Seu chefe pode estar ocupado demais para falar com você em determinadas horas ou em certos dias. Você precisa se sintonizar com os ritmos específicos do seu local de trabalho e estudar o humor e hábitos do seu chefe para descobrir quando ele está livre e receptivo.

Obviamente não sugira um aumento grande quando a empresa estiver em colapso financeiro (nesse caso, comece a mandar currículos o mais rápido possível. Mais sobre o tema em "Ir a uma entrevista de emprego", na p. 254). Tenha em mente os horários de avaliações de desempenho e políticas salariais. Em alguns ambientes de trabalho, você pode vestir a camisa da empresa e mesmo assim só ser escolhido para ter um aumento no ano seguinte.

Se sua empresa estiver em boas condições financeiras e for flexível sobre aumentos de salário — e você estiver trabalhando duro e se dando bem —, pode começar a planejar o que vai dizer ao seu chefe sobre por que merece ganhar mais. Obviamente, prepare seus argumentos de antemão e entre na sala dele na hora certa — quando ele estiver aberto a essa conversa desde o princípio.

Algumas linhas gerais das dicas temporais sobre o **ritmo de dia da semana**.

- **Segunda-feira**: *Desista*. Com a semana inteira pela frente, é provável que seu chefe esteja privado de sono (graças à insônia de domingo à noite ou ao jet lag social), irritadiço e estressado. A menos que você tenha ideias para facilitar a vida do seu chefe, não entre na sala dele.

- **Terça-feira**: *Fique longe*. Pesquisas sugerem que terça é o dia mais agitado na semana de trabalho. Com tanta coisa acontecendo, é improvável que seu chefe esteja interessado em discutir questões não urgentes. Pelo contrário, ele pode ficar um pouco irritado se você interromper a produtividade do escritório com problemas pessoais.

- **Quarta-feira**: *Ainda não é o ideal*. Quarta é o segundo dia mais agitado da semana. Colocar as preocupações individuais acima das necessidades da equipe pode ser mal interpretado. Em vez disso, seja eficiente e efetivo. Prepare a mesa para sua merecida sobremesa.

- **Quinta-feira**: *Não se antecipe*. Embora a quinta seja o segundo dia *menos* produtivo da semana, também é o dia em que as pessoas estão menos positivas e felizes por estarem lá.[1] Nesse contexto, se pedir *qualquer coisa*, pode não receber uma resposta entusiasmada em troca.

- **Sexta feira**: *É hoje!* O dia menos produtivo da semana e o melhor dia em termos de perspectivas positivas. As pessoas estão felizes com a chegada do fim de semana e não estão megaocupadas. Sexta é o dia do bote.

Em seguida, leve em conta o **ritmo de agradabilidade** do seu chefe. Na psicologia, usamos o termo "afeto positivo" para dizer bom humor. Quando o afeto positivo do seu chefe está mais alto? Além disso, quando ocorre o ponto alto da rabugice (ou pico de "afeto negativo") dele?

Em 1995, psicólogos da Universidade Johannes Gutenberg, em Mainz, na Alemanha, buscaram determinar o dia da semana e a hora do dia em que as pessoas estavam com o melhor humor. Quarenta e nove indivíduos avaliaram o humor três vezes ao dia durante uma semana inteira em duas medidas de afeto positivo, incluindo agradabilidade (sentir-se equilibrado, feliz, contente e à vontade). Esse estudo de simplicidade impressionante corrobora com a ideia consagrada de que o humor melhora no *meio* do ciclo circadiano em vigília. **O estudo alemão verificou que as pessoas estão mais mal-humoradas de manhã, ficam cada vez mais felizes à tarde e estão no seu auge de felicidade à noitinha.**

Extrapolando por cronotipo:

- **Pico de agradabilidade do golfinho: 16h.**
- **Pico de agradabilidade do leão: 14h.**
- **Pico de agradabilidade do urso: 18h.**
- **Pico de agradabilidade do lobo: 20h.**

Se você conseguir determinar o cronotipo do seu chefe, coordene seu pedido com o pico de agradabilidade dele, e, consequentemente, o pico de receptividade dele ao seu pedido.

E quando é que você está no melhor estado de espírito para fazer o pedido? É aí que entra o **ritmo de ativação**. Outra subcategoria do afeto positivo é chamada ativação (sentir-se atento, ativo, interessado e inspirado). A ativação é exatamente aquilo de que você precisa para entrar na sala do seu chefe e mostrar seus argumentos.

Num estudo realizado por pesquisadores de Harvard e da Universidade de Georgetown, indivíduos receberam incentivo financeiro para adivinhar o peso de pessoas em fotografias.[2] Eles podiam seguir o conselho de influenciadores anônimos que avaliavam a própria confiança deles em relação aos palpites. Independentemente da precisão, os indivíduos apostavam dinheiro nos conselhos de quem avaliava a própria confiança em 100%.

Para pedir um aumento, você precisa avaliar sua confiança em 100%, ou seja, estar no seu auge de ativação. O padrão da ativação não é idêntico ao da agradabilidade. Segundo o estudo alemão, **a ativação está em intensidade média de manhã, no ápice à tarde e mais baixa à noitinha.**

Extrapolando por cronotipo:

- **Pico de ativação do golfinho: 16h.**

- **Pico de ativação do leão: 12h.**

- **Pico de ativação do urso: 14h.**

- **Pico de ativação do lobo: 17h.**

RESUMO RÍTMICO

Ritmo de dia de semana: Quando, em qualquer ambiente de trabalho, é mais provável que uma conversa sobre salário seja bem recebida.

Ritmo de agradabilidade: Quando seu chefe está no melhor momento para discutir seu salário.

Ritmo de ativação: Quando você está cheio de confiança.

A PIOR HORA PARA PEDIR UM AUMENTO

Manhã de segunda-feira. Se você entrar na sala do seu chefe logo de manhã na segunda-feira e pedir mais dinheiro, terá sorte de sair de lá com vida.

A MELHOR HORA PARA PEDIR UM AUMENTO

Tarde de quinta ou sexta-feira. Para ajustar o horário por cronotipo, criei a tabela a seguir para encontrar o ponto de conexão entre o pico de agradabilidade do seu chefe e o seu pico de ativação, colocando o humor do seu chefe como o fator mais importante. No entanto, a tabela não leva em conta o que está acontecendo no trabalho, os prazos e as crises que podem surgir. E, como ninguém quer ter uma conversa dessas quando está prestes a ir embora, procure-o pelo menos uma hora antes do fim do expediente.

TABELA DE COMPATIBILIDADE PARA PEDIR UM AUMENTO

Você	Chefe golfinho	Chefe leão	Chefe urso	Chefe lobo
Golfinho	16h	15h	17h	17h
Leão	15h	13h30	15h	15h30
Urso	15h30	14h	16h	16h
Lobo	16h30	15h30	16h30	17h

LIGAR PARA DESCONHECIDOS

Fracasso: Telefonar para um estranho, conhecido ou contato indireto para vender algo... e desligarem na sua cara — ou conseguir que fiquem na linha, mas não obter bons resultados.

Sucesso: Telefonar para um estranho, conhecido ou contato indireto para vender algo... e conseguir que fiquem na linha ou retornem a ligação.

CIÊNCIA BÁSICA

Se você está entrando no mercado de trabalho, trocando de área ou procurando um novo emprego, vai ter de ligar para pessoas que não conhece direito e solicitar uma entrevista ou uma indicação. Se trabalha com vendas, finanças pessoais ou no mercado imobiliário — qualquer profissão que exija a geração de transações —, ligar para desconhecidos é um estilo de vida. *Todo mundo*, em algum momento da carreira profissional, precisa telefonar para um estranho e tentar vender uma ideia ou negócio em pouco tempo.

Alguns cronotipos são melhores para ligar para estranhos do que outros. Três características de personalidade necessárias para bons resultados nesses telefonemas — que envolvem muita frustração, rejeição e desapontamento — são resiliência, otimismo e persistência.

Primeiro, o **ritmo de resiliência e otimismo**: de acordo com um estudo espanhol da Universidade de Málaga, cronotipo, resiliência e otimismo estão correlacionados.[3] Nenhuma grande surpresa: tipos matutinos (leões) têm as maiores pontuações em resiliência e otimismo; tipos "intermediários" (ursos) são o meio-termo; tipos vespertinos (lobos) têm as pontuações mais baixas. Os autores do estudo observaram que "esses resultados sugerem que os indivíduos vespertinos conseguiram demonstrar menor capacidade para enfrentar adversidades e se adaptar positivamente, bem como tiveram menor expectativa de ocorrência de eventos positivos em comparação aos indivíduos dos tipos intermediário e matutino". Em outras palavras, os lobos não têm predisposição para ligar para desconhecidos.

E quanto ao **ritmo de persistência**? Você pode não se sentir otimista sobre o que está fazendo, mas, se tiver garra, pode continuar tentando mesmo assim, certo? Bem, é possível, mas, de acordo com a pesquisa, os lobos também não têm pontuações muito boas em persistência. Num estudo alemão sobre cronotipos e comportamento, os tipos matutinos foram os que mais pontuaram nas categorias persistência e cooperação; tipos "intermediários" pontuaram no meio-termo, ao passo que os tipos vespertinos tiveram as pontuações mais baixas.[4]

Mas isso não quer dizer que os lobos estejam fadados ao fracasso ao ligar para desconhecidos. Eles podem não ter sido feitos particularmente para isso, mas, usando os cronotruques, aperfeiçoam suas chances de sucesso. Como sempre, a questão é quando se deve programar essas ligações para aumentar a probabilidade de que a pessoa do outro lado da linha atenda ao telefone e esteja disposta a lhe conceder cinco minutinhos.

Você precisa levar em conta o biotempo da pessoa que está tentando contatar. O **ritmo de variação de humor semanal**, ou o melhor dia para ligar, tem relação com a recuperação dos sintomas de jet lag social do fim de semana.

Para uma pesquisa abrangente de 2010, realizada pela empresa de pesquisas de marketing Lead Response Management, James Oldroyd, professor associado na Universidade Brigham Young, estudou o equivalente a três anos de dados de seis empresas que realizaram mais de 100 mil tentativas de venda por telefone. Ele conseguiu calcular em quais dias da semana havia mais chances de se contatar uma pessoa e transformar essa ligação em uma possível venda.

- **Segunda-feira:** *Coloque o telefone no gancho.* Segunda é um dia horrível para fazer ligações. A pesquisa não diz o porquê, mas acredito que a culpa seja da insônia da noite de domingo e do jet lag social na segunda-feira. As pessoas estão irritadiças, cansadas, mal-humoradas e ainda não estão no clima para fechar negócio. (Você leu "Pedir aumento", na p. 237? Princípios parecidos estão envolvidos aqui.)

- **Terça-feira:** *Nem pense.* Terça é o pior dia para telefonar. O jet lag social é como atravessar fusos horários. Em termos gerais, as pessoas levam um dia para se recuperar por hora atravessada ou uma hora de sono atrasado por dormir até mais tarde. Se um urso, por exemplo, dormiu até as dez horas da manhã no domingo — três horas de jet lag social —, ele só vai se recuperar desse efeito na quarta-feira.

- **Quarta-feira:** *Pode ligar.* Quarta é o segundo melhor dia para telefonar. Não é nenhuma surpresa, já que a maioria das pessoas finalmente se recuperou, voltou para o biotempo e está muito menos irritadiça e cansada.

- **Quinta-feira:** *Continue ligando.* Você está 49% mais apto a ter sucesso em uma ligação na quinta do que na terça. É o melhor dia para conseguir falar com uma pessoa ao telefone.

- **Sexta-feira:** *Talvez.* Você pode conseguir falar com a pessoa, mas esse é o pior dia para conseguir o que você procura (uma entrevista ou uma venda). A um passo do fim de semana, as pessoas podem atender ao telefone para matar o tempo, mas é improvável que se comprometam com o que quer que seja.

Também foram calculados dados para determinar o **ritmo de variação de humor diária** para conseguir ligar para desconhecidos, ou a melhor hora do dia para ligar:

- **7h às 8h.** O comecinho da manhã é o pior horário para telefonar e não é difícil entender o porquê. Somente os leões estão dispostos a trabalhar nessa hora.

- **8h às 10h.** O início da jornada de trabalho é um ótimo horário para ligar por causa da procrastinação matinal. Golfinhos, ursos e lobos ainda estão fora do seu auge de foco e concentração, de modo que atenderão ao telefone e perderão tempo conversando por um minuto.

- **10h às 14h.** O centro da jornada de trabalho *não* é um bom horário para telefonar, especialmente se você vai entrar em contato com os ursos. O auge de desempenho deles é das dez horas da manhã às duas horas da tarde e eles estão focados no trabalho.

- **14h às 16h.** Má hora para ligar, graças à queda no nível de cortisol após o almoço que coloca todo mundo (à exceção dos leões) em uma leseira vespertina.

- **16h às 18h.** Definitivamente a melhor hora para ligar é no fim da tarde, quando a queda pós-almoço está mais amena. Golfinhos, ursos e lobos têm uma melhora de energia e humor e estão dispostos a ouvir sua proposta.

- **18h às 19h.** Não incomode. Obviamente as pessoas já estão prontas para sair do escritório, se é que já não saíram.

RESUMO RÍTMICO

Ritmo de resiliência e otimismo: Quando se deve usar o afeto positivo para se recuperar da rejeição e acreditar que a próxima ligação vai ser vitoriosa.

Ritmo de persistência: Quando se deve usar a determinação para seguir em frente, apesar das adversidades.

Ritmo de variação de humor semanal: Quando o jet lag social aumenta ou diminui as chances de as pessoas atenderem ao telefone em certos dias da semana.

Ritmo de variação de humor diário: Quando as variações de hormônios e temperatura corporal aumentam ou diminuem as chances de as pessoas atenderem ao telefone.

A PIOR HORA PARA LIGAR PARA UM DESCONHECIDO

12h às 14h. A melhor dica para levar desta seção: não importune as pessoas na hora do almoço com uma ligação de vendas. Uma ligação pessoal? Sempre bem-vinda.

A MELHOR HORA PARA LIGAR PARA UM DESCONHECIDO

Como ligar para um desconhecido exige determinação e concentração — se alguém atender, você terá um minuto para fazer sua apresentação —, você deve fazer isso durante as horas de seu pico de alerta que coincidam com a disponibilidade da pessoa para quem está ligando. Isso significa que você deve ligar das oito às dez horas da manhã e das quatro às seis horas da tarde.

Golfinho: 16h às 18h, seu período mais alerta.

Leão: 8h às 10h, seu período mais alerta.

Urso: 16h às 18h, quando você atinge uma segunda onda de alerta e está de bom humor para conseguir suportar melhor uma possível rejeição.

Lobo: 16h às 18h, quando você está só começando.

> ## QUANDO RETORNAR LIGAÇÕES
>
> Digamos que você fez uma dezena de ligações e está esperando o retorno. Você sai da sua mesa ou guarda o celular e quando volta encontra uma mensagem de voz pedindo para ligar de volta. Quando você deve retornar a ligação?
>
> *Imediatamente.*
>
> Oldroyd determinou que, se você conseguir falar pelo telefone com a pessoa em menos de cinco minutos, vai ter vinte vezes mais chance de conseguir falar com ela do que se esperar trinta minutos. Se esperar mais do que uma hora, a chance de conseguir diminui dez vezes. Talvez isso se deva aos nossos crescentes déficits de atenção. Se você não aproveitar a oportunidade o mais rápido possível, o caminho se fechará depois de apenas uma hora. Meu conselho é: verifique sua caixa de mensagens regularmente e não coloque o celular no silencioso durante as horas de trabalho!

IR E VOLTAR DO TRABALHO

Fracasso: Ir ao trabalho quando você corre mais risco de acidentes, perdendo tempo na estrada ou no transporte público.

Sucesso: Ir ao trabalho quando dirigir é mais seguro, fazendo bom uso do tempo na estrada ou no transporte público.

CIÊNCIA BÁSICA

Você mora onde mora e trabalha onde trabalha. A menos que se mude ou troque de emprego, não há muito o que fazer em relação aos quilômetros que separam esses dois lugares e a quantidade de tempo que se leva para percorrê-los.

Em um mundo ideal, todas as empresas teriam horários flexíveis e aceitariam que as pessoas trabalhassem de casa em vez de exigir que os funcionários estivessem no local de trabalho em determinada hora.

O trânsito acaba com a gente. Um estudo canadense com 3409 pessoas que dirigiam diariamente para o trabalho verificou que, quanto maior o trajeto, menor era a satisfação de vida relatada pelo indivíduo.[5] Os motoristas se queixaram da pressão da "pontualidade" dizendo que ficavam correndo contra o tempo e sob estresse constante. Mas aqueles que trabalhavam em empresas com horários flexíveis avaliaram sua felicidade geral e seu otimismo como mais elevados. O **ritmo de flexibilidade** para o trânsito diário é especialmente crucial para lobos e golfinhos, que tendem a avaliar a satisfação com a vida como baixa. **Se você pensa que pode convencer seu chefe a lhe dar horários flexíveis, aproveite.** Senão, até o dia em que conseguir uma vaga no Google, vai ter de descobrir outras formas de lidar com o estresse de chegar ao trabalho antes de estar desperto e alerta.

É importante que os lobos e golfinhos desenvolvam mecanismos de superação para não arriscar suas vidas nem as dos outros. O **ritmo de vigilância** é quando você dirige com mais segurança. Em um estudo espanhol recente, pesquisadores olharam para as diferenças no desempenho de direção (tempo de reação, cautela, confiança, conforto atrás do volante) de acordo com o cronotipo e a hora do dia.[6] Os participantes foram avaliados pelo cronotipo e em seguida fizeram um teste de simulação de direção às oito horas da manhã e às oito horas da noite. Quando os tipos vespertinos dirigiam de manhã, eles cometiam mais erros do que à noite e eram menos vigilantes. Os tipos matutinos, naturalmente mais cautelosos, eram motoristas bons e estáveis, cometiam menos erros do que os tipos vespertinos em qualquer horário e se mantinham vigilantes em questões de segurança tanto nos testes matutinos como nos vespertinos.

- **Lobos e golfinhos**: Se possível pegue o transporte público ou vá de carona de manhã.

- **Leões e ursos**: Se possível pegue o transporte público ou vá de carona à noite. Sim, leões, vocês são sempre atentos atrás do volante. Mas acidentes acontecem, ainda mais durante o trajeto noturno. (Ver o quadro "Direção sonolenta" na p. 249.)

Ou, como alternativa para melhorar sua satisfação geral com a vida, você pode seguir o **ritmo de transporte ativo** indo a pé ou de bicicleta para o trabalho. Em um estudo com 18 mil britânicos conduzido pela Norwich Medical School, da University of East Anglia, na Inglaterra, pesquisadores descobriram que aqueles que mudaram do transporte passivo (carro) para o ativo (caminhada, bicicleta) tiveram uma melhora significativa no bem-estar psicológico como um todo, na saúde geral e na capacidade de concentração quando iam para o trabalho.[7] O exercício matinal ajuda a aliviar a inércia do sono; golfinhos, ursos e lobos vão chegar ao trabalho com um estado de espírito melhor do que se tivessem sido embalados pelo metrô ou pelo trem. Os indivíduos estudados afirmaram que o condicionamento maior e a felicidade de se transportar de maneira ativa compensaram os pontos negativos de um tempo de transporte possivelmente maior. A dica temporal para lobos e ursos: se você for de bicicleta para o trabalho, ganha uma hora à noite por fazer seu exercício logo de manhã.

RESUMO RÍTMICO

Ritmo de flexibilidade: Quando ir para o trabalho em um horário flexível melhora a satisfação geral com a vida.

Ritmo de vigilância: Quando se deve se transportar de carro para cometer menos erros de direção e ser mais cauteloso em relação à segurança.

Ritmo de transporte ativo: Quando se deve ir a pé ou de bicicleta para ter mais saúde e clareza mental, economizando uma hora que passaria se exercitando mais tarde.

A PIOR HORA PARA VOLTAR DO TRABALHO

Hora do rush noturno: 18h às 21h. A maioria dos acidentes de trânsito ocorre durante esse período.

A MELHOR HORA PARA IR E VOLTAR DO TRABALHO

A maioria das pessoas não tem a opção de escolher quando deve estar no trabalho. Mas, se você tiver, a melhor hora para se transportar é quando você está mais alerta para dirigir ou em um nível equilibrado para enfrentar o estresse da hora do rush.

Golfinho: trânsito matinal, 9h30; trânsito vespertino, 18h30.

Leão: trânsito matinal, 7h; trânsito vespertino 15h.

Urso: trânsito matinal, 8h30; trânsito vespertino, 17h30.

Lobo: trânsito matinal, 11h; trânsito noturno, 19h.

DIREÇÃO SONOLENTA

As três maiores causas de acidentes de carro são embriaguez, distração e sonolência — ficar atrás do volante quando você está cansado ou entorpecido pela inércia do sono. Segundo as estatísticas da AAA Foundation for Traffic Safety de novembro de 2014, dirigir com sonolência é responsável por:

- **31% de todos os acidentes fatais.**

- 13% de todos os acidentes que mandam uma pessoa para o hospital.

- 7% dos acidentes que resultam em um carro ser levado de guincho.

- 6% dos acidentes que exigem tratamento médico para ferimentos.

Não quero sugerir que os acidentes de carro são mais comuns durante o trânsito matinal. Pelo contrário, **a maioria dos acidentes de carro fatais acontece durante o trânsito vespertino, segundo a National Highway Traffic Safety Administration**, pois os motoristas sentem a pressão do tempo e a culpa por não passar tanto tempo quanto gostariam com sua família e seus amigos, por isso aceleram.

DICAS TEMPORAIS PARA PREVENIR ACIDENTES POR DIRIGIR SONOLENTO

- Use um aromatizador de hortelã no carro, chupe balas de hortelã ou masque chicletes de menta. O aroma é revigorante.
- Exponha-se a luzes fortes.
- Faça um exercício leve nas paradas de descanso, como flexões contra o carro. Isso faz o sangue correr e acordar você. Parar para se exercitar impede a "hipnose de estrada", quando você desliga por trás do volante.
- Escute um podcast de comédia. Risadas e a audição ativa aumentam o grau de alerta.
- Faça cócegas no céu da boca. Experimente só.
- Café com sono: Beba uma xícara de café morno ou gelado e, em seguida, tire um cochilo de vinte minutos. O cochilo diminui o impulso de sono. Quando acordar, a cafeína fará efeito.
- Dirija com um amigo.
- Tire um cochilo, se possível, antes de ir para a rua.

MANDAR E-MAILS

Fracasso: Enviar e-mails mal escritos ou que serão ignorados ou negligenciados.

Sucesso: Enviar e-mails bem escritos e que serão lidos.

CIÊNCIA BÁSICA

Assim como a maioria das pessoas, recebo dezenas de e-mails todos os dias — alguns que peço ou gosto de receber, mas também um monte de spam. Faço o possível para responder os e-mails importantes e ler todas as newsletters em que me inscrevo. Mas simplesmente não tenho tempo durante a semana para dar a muitos e-mails importantes a atenção que merecem. Após o trabalho, depois que meus filhos e minha mulher vão para a cama, é comum eu entrar no escritório para lidar com a minha caixa de entrada. A essa altura, está tarde e também quero ir para a cama, então me apresso nas respostas e acabo jogando na lixeira um monte de mensagens que queria ter tempo para ler. Desconfio que muitos de vocês se identificam com esse hábito de procrastinar e deletar. Checar sua caixa de entrada é uma maneira ótima de perder tempo e um lembrete constante de que você tem muito a fazer.

O **ritmo de procrastinação,** ou quando você olha a caixa de entrada e deixa para ler tudo mais tarde (o que pode não acontecer nunca), difere de cronotipo para cronotipo (assim como tudo na vida, como você já deve ter notado). Que tipo tem mais chances de ter milhares de e-mails não lidos e não deletados em espera e que tipo tem uma caixa de entrada vazia e pastas organizadas de e-mails salvos? Ou que tipo procrastina e evita tomar decisões e que tipo não?

- **Golfinhos** sempre se identificam como procrastinadores graças ao seu perfeccionismo neurótico, que pode atrasar a conclusão de uma tarefa.

- **Leões** se identificam como não procrastinadores porque resolvem as tarefas difíceis de manhã.

- **Ursos** ficam no meio-termo porque demoram um pouco de manhã, mas pegam pesado à tarde.

- **Lobos** se identificam como procrastinadores, sobretudo porque não conseguem fazer muita coisa de manhã.

Em um estudo da DePaul University e da Universidade Complutense de Madrid sobre a correlação entre cronotipo e dois tipos de procrastinação — indecisão e fuga —, os pesquisadores verificaram que, entre 509 participantes:[8]

- **Leões** tinham baixo nível de fuga e alto de indecisão.

- **Lobos** tinham alto nível de fuga e baixo de indecisão.

Os ursos atingem o bom equilíbrio entre eficiência e frieza, respondendo e deletando e-mails de forma ordenada. Os golfinhos ficam um pouco neuróticos com o acúmulo na caixa de entrada e são compelidos a manter os e-mails em ordem ao deletá-los e organizá-los em pastas.

Os leões, porém, podem enrolar para responder e deletar e-mails porque não sabem como lidar com eles. Os lobos não veem mal em tomar decisões rápidas sobre deletar, mas preferem deixar para resolver tudo depois.

Ursos e golfinhos ganham em manutenção da caixa de entrada.

O **ritmo de escrita**, ou quando você deve elaborar os e-mails, depende se for enviar uma correspondência profissional ou pessoal. E-mails profissionais devem ser escritos em horários ideais, quando sua clareza mental está no ápice. Quando abro um e-mail curto, tendo a responder imediatamente. Se abro um e-mail longo, ignoro e penso em responder depois. Nos horários de alerta, você não vai desviar do assunto e vai continuar focado, conciso e preciso. Li um estudo que demonstrou que a capacidade de desempenhar qualquer tarefa cognitiva que exija vigilância (ser cuidadoso e atencioso) — como escrever um e-mail conciso e direto — está mais aguçada nos horários ideais gerais de cada cronotipo.[9] Os leões serão mais precisos ao escrever e-mails de manhã. Os lobos vão escrever de maneira mais clara e enxuta à noitinha. O horário ideal dos golfinhos é no final da tarde, ao passo que o ápice cognitivo dos ursos vai do fim da manhã ao começo da tarde.

E-mails pessoais para amigos e parentes são mais bem escritos em momentos fora do auge de alerta, quando são maiores as chances de você divagar, editar demoradamente uma foto ou fazer um comentário extenso sobre um link.

Seus e-mails bem escritos têm mais chances de ser abertos e respondidos se você apertar o botão enviar em horários estratégicos. Há mais de uma década, empresas de pesquisa de marketing estudam o **ritmo de envio**, ou sobre quando se deve enviar um e-mail para aumentar a probabilidade de que ele seja lido e respondido mais rápido do que em outros horários. A empresa de pesquisas Yesware analisou **500 mil e-mails de vendas** no primeiro trimestre de 2014. Segundo as descobertas:

- **E-mails de fim de semana são abertos e respondidos em uma porcentagem mais alta do que postagens de meio de semana, graças à menor "competição de caixa de entrada".**

- **O começo da manhã e o fim da noite têm o maior porcentual de leituras e respostas.**

Essas estatísticas se referem a e-mails enviados de uma empresa para uma pessoa — anunciando, por exemplo, uma liquidação de roupa de cama. E quanto a e-mails profissionais enviados de uma pessoa para outra? Em 2015, uma equipe de pesquisadores da Viterbi School of Engineering da Universidade do Sul da Califórnia e o Yahoo! Labs conduziram o maior estudo até hoje sobre padrões de comportamento de envio e resposta de mensagens pessoais na era da sobrecarga de e-mails.[10] Algumas das descobertas:

- **Se forem responder, 90% das pessoas farão isso em menos de um dia depois de receber um e-mail. Metade vai responder em menos de uma hora.**

- **O tempo de resposta é mais rápido do início ao fim da tarde e mais lento de madrugada e de manhãzinha.**

Como você pode ver, os melhores intervalos para e-mails profissionais (começo da manhã e madrugada) e as taxas de resposta mais rápida para e-mails pessoais (início ao fim a tarde) *não* coincidem. Para mim, intuitivamente faz sentido. Tendo mais a clicar em links sobre sofás e cadeiras quando não estou trabalhando e a mandar respostas sobre questões pessoais/ profissionais durante a jornada de trabalho, quando meus destinatários não estão de folga olhando links de sofás e cadeiras.

RESUMO RÍTMICO

Ritmo de procrastinação: Quando certos cronotipos têm mais chances de fugir de esvaziar a caixa de entrada ou não conseguem decidir como responder aos e-mails.

Ritmo de escrita: Quando se deve escrever um e-mail conciso para um contato profissional; quando se deve enviar um e-mail mais descompromissado para um amigo ou membro da família.

Ritmo de envio: Quando se deve enviar um e-mail para que o destinatário abra e responda.

A PIOR HORA PARA MANDAR E-MAILS

Para e-mails profissionais: muito tarde da noite.

Para e-mails pessoais: meio da manhã e à tarde.

A MELHOR HORA PARA MANDAR E-MAILS

Golfinho: profissionais, **16h às 18h**; pessoais, **9h às 12h**.

Leão: profissionais, **7h e 10h às 12h**; pessoais, **15h às 17h**.

Urso: profissionais, **10h às 14h**; pessoais, **16h às 18h**.

Lobo: profissionais, **16h às 19h**; pessoais, **10h às 12h**.

IR A UMA ENTREVISTA DE EMPREGO

Fracasso: Comparecer a uma entrevista de emprego zonzo, disperso e irritadiço.

Sucesso: Comparecer a uma entrevista de emprego mentalmente alerta e de bom humor.

CIÊNCIA BÁSICA

A primeira impressão *não* é a que fica. Todos conhecemos colegas que deixaram uma primeira impressão ruim, mas, com o tempo, se provaram inteligentes e capazes. Mas eles já *têm* um emprego. Em um mercado de trabalho competitivo, você não vai ter uma segunda chance para provar seu valor. A primeira entrevista de emprego é sim a que fica. Se possível, sincronize-a com o biotempo.

O que seu futuro chefe ou gerente de recursos humanos quer ver em um novo recruta? Essa é fácil: um candidato inteligente, capaz, enérgico, confiante e zeloso. Os entrevistadores também estão em busca de uma pessoa divertida e positiva que se adapte ao ambiente do escritório. Muitos passam mais tempo com seus colegas de trabalho do que com a família. Os empregadores não querem contratar alguém com quem não queiram passar tempo — eles preferem pensar: *Tomaria uma cerveja com ele.*

Com isso em mente, qual é o **ritmo de simpatia** de cada cronotipo? O afeto positivo dos leões está mais alto no meio da manhã, então eles ficam mais felizes ao meio-dia. Os ursos estão mais calorosos às seis da tarde. O afeto positivo dos golfinhos chega ao ápice em torno das quatro horas da tarde. E os lobos? O ápice de bom humor deles chega mais tarde, por volta das seis horas da tarde.

Vale a pena mencionar que a amplitude do afeto positivo dos ursos e dos leões (isto é, a intensidade do seu bom humor) é mais alta do que a dos golfinhos e lobos, segundo um estudo da Universidade de Pittsburgh com 408 adultos não depressivos. Sendo assim, uma loba em estado máximo de felicidade não está tão feliz quanto um leão em estado máximo de felicidade.[11] Ao programar aquela entrevista de emprego, leões e ursos têm uma variedade maior de horários simpáticos (da manhã para a tarde). Lobos e golfinhos têm um intervalo menor (fim da tarde, começo da noite) e não vão brilhar tanto quanto os leões e ursos.

Não se preocupe! A simpatia não é tudo na vida, nem na busca de emprego. Considerando o impacto de todos os ritmos neste capítulo, creio que seja o menos importante. A simpatia é a cereja do bolo. Mas não é o motivo por que você será contratado. Então qual é?

Potenciais empregadores estão interessados no trio de características que medem sua capacidade de cumprir tarefas: (1) alerta, (2) orientação e (3) atenção. Alerta (receptividade, prontidão) é básico. Estar com a mente zonza e lenta para entender não vai favorecer você diante de nenhum empregador. Orientação significa ter uma compreensão da situação — ser capaz de entender rapidamente como as coisas funcionam assim que entra em uma empresa. Numa entrevista, você precisa estar atento ao que seu futuro chefe está dizendo. Se sua mente divagar, você perde. Cada uma dessas características funciona em uma via neural distinta do cérebro, mas, como um todo, podem ser resumidas na expressão "funcionamento executivo" — o que todos os executivos esperam ver em um potencial funcionário.

Pesquisadores na Universidade Estadual da Pensilvânia estudaram o **ritmo de funcionamento executivo** ao dividir oitenta indivíduos por cronotipo e avaliar os níveis de alerta/ orientação/ atenção deles.[12] Os indivíduos receberam tarefas e testes a cada quatro horas do meio-dia às dez horas da noite no mesmo dia (sem dúvida um dia muito longo para eles). Como era de se prever, os tipos matutinos desempenharam melhor no começo do dia, ao passo que os vespertinos se deram melhor ao fim do dia.

- O nível de **alerta** mudou de acordo com a hora do dia. Surpreendentemente, as pontuações de leões e ursos aumentaram ao fim do dia, ao passo que as dos lobos foram estáticas. No entanto, na autoavaliação de alerta feita pelos próprios indivíduos testados, todos os tipos relataram um aumento com o passar da manhã, os leões e ursos disseram cair ao fim do dia, e os lobos continuaram a subir. O que isso me diz é que os leões e ursos *subestimam* o nível de alerta deles à tarde, ao passo que os lobos o *superestimam*.

- A **orientação** não mudou no decorrer do dia para nenhum cronotipo. Ou você tem habilidades observacionais e pode usá-las quando quiser ou não.

- A **atenção** foi adequada para todos os tipos ao fim da manhã, com aumentos e reduções de foco previsíveis com o passar do dia.

Ao programar uma entrevista de emprego, é aconselhável considerar o próprio entrevistador. Tenha em mente que ele está seguindo o **ritmo de classificação**. Um estudo de psicologia perspicaz realizado por pesquisadores da Wharton School of Business e pela Universidade Harvard avaliou padrões de hora do dia nas classificações de aprovação de 9 mil candidatos ao MBA.[13] Eles verificaram que, consciente ou inconscientemente, os entrevistadores praticavam o *"narrow bracketing"* [decisão isolada], isto é, julgavam os candidatos parcialmente baseados em como haviam classificado candidatos entrevistados anteriormente no mesmo dia. Por exemplo, se um entrevistado dava nota alta aos quatro primeiros candidatos, eles poderiam dar uma nota baixa ao quinto para distribuir as avaliações do grupo inteiro, mesmo se todos os candidatos fossem igualmente qualificados. Qual a relação disso com o tempo? Se você for um dos últimos entrevistados, é provável que se dê mal. Com isso em mente, **é preferível ser entrevistado no início do processo seletivo e no início do dia.**

RESUMO RÍTMICO

Resumo de simpatia: Quando se deve impressionar um futuro patrão com seu bom humor e energia positiva.

Ritmo de funcionamento executivo: Quando você está mais alerta e atento.

Ritmo de classificação: Quando um entrevistador tem mais chances de colocar você no topo do sistema de classificação dele.

A PIOR HORA PARA IR A UMA ENTREVISTA DE EMPREGO

Depois de uma má noite de sono. Se você está privado de sono, sua simpatia e seu funcionamento executivo ficam reduzidos ou apagados. A ansiedade em relação à entrevista pode causar insônia na noite anterior, o que é um motivo ainda mais importante para manter um cronograma de sono rigoroso durante a semana toda — para que o déficit de nenhuma noite seja prejudicial demais.

A MELHOR HORA PARA IR A UMA ENTREVISTA DE EMPREGO

Marque entrevistas de emprego para o horário mais cedo que você acredita conseguir demonstrar seu afeto positivo e funcionamento executivo. De preferência, marque na primeira metade do dia.

Golfinho: 11h.
Leão: 9h.
Urso: 10h.
Lobo: 12h.

APRENDER ALGO NOVO

Fracasso: Tentar absorver novas informações quando seu cérebro está resistente como um muro.

Sucesso: Absorver novas informações quando seu cérebro está receptivo como uma esponja.

CIÊNCIA BÁSICA

Assim como dormir, digerir e socializar, a aprendizagem tem seu próprio ritmo circadiano. O ritmo de aprendizagem é uma curva em U com pontos altos e baixos, assim como os ritmos de temperatura e cortisol. Psicólogos descobriram que o aprendizado de algo novo — uma língua ou habilidades de desenvolvimento, por exemplo — é feito de maneira mais eficiente com um período de aquisição seguido de um período de repouso, seguido por mais um de aquisição.[14] Ao contrário do que o ensino tradicional nos faz acreditar, não se trata de um processo linear que vai da lição um à lição dois, fazendo com que se absorva tudo em um ritmo regular. Os humanos são excelentes aprendizes, mas há um limite do que conseguimos absorver de uma só vez até nosso desempenho cognitivo decair.

O ritmo de aprendizagem básica, ou aquela curva em U do desempenho cognitivo, segue um padrão previsível.[15] Para os ursos, o primeiro pico vai das dez horas da manhã às duas horas da tarde, quando a capacidade intelectual deles está em um nível mais alto do que no resto do dia todo. Ele decai depois do almoço, das duas às quatro horas da tarde. O segundo pico vai das quatro horas da tarde às dez horas da noite. O ponto mais baixo do dia ocorre das quatro às sete horas da manhã. Se você tentar aprender algo durante esses pontos baixos, vai ter dificuldade para absorver a nova informação e é provável que não a retenha. Mas, se seguir as cristas das ondas de aprendizagem, terá maior capacidade de absorver as informações — desde que, nesses pontos baixos, dê tempo ao seu cérebro para processar o que aprendeu.

Dependendo do seu cronotipo, da hora do dia e da complexidade do material, diferentes regiões do seu cérebro serão ativadas para absorver as informações novas. O **ritmo de região cerebral** foi descoberto por uma equipe de pesquisadores belgas e suíços quando aplicaram a indivíduos extremamente matutinos e vespertinos testes de memória de dificuldade crescente — como lembrar números ou repetir palavras em determinada ordem — duas vezes ao dia.[16] Enquanto os testes eram administrados, aparelhos de ressonância magnética monitoravam o fluxo sanguíneo para o cérebro dos indivíduos.

Quando os indivíduos faziam os testes mais fáceis, qualquer que fosse a hora do dia, eles obtinham as mesmas notas. Mas, **quando faziam os testes mais difíceis, as pontuações dos tipos matutinos caíam durante a sessão de teste vespertina. A mesma queda ocorria com as pontuações dos tipos vespertinos durante a sessão matutina.** Até aí, nenhuma surpresa. O interesse particular dos pesquisadores, porém, era em como o sangue corria no cérebro dos indivíduos e em quais regiões cada cronotipo utilizava quando desafiado. Quando os lobos faziam os testes mais difíceis no fim de tarde, a região talâmica deles (no mesencéfalo, responsável pelo grau de alerta e pelo processamento de informações) se acendia mais do que a dos tipos matutinos. Quando os leões realizaram as tarefas mais difíceis de manhã, os giros frontais médios (na região do córtex cerebral, responsáveis pela tomada de decisões executivas e pelas informações mais exigentes) se acendiam mais do que nos tipos vespertinos. **Os cérebros de leões e lobos empregavam regiões diferentes quando desafiados a aprender na capacidade** mental máxima. **O cronotipo não controla apenas a hora em que você acorda e se cansa, mas também como seu cérebro funciona.** (Essa faceta da cronobiologia não é necessariamente relevante a *quando* cada tipo aprende — mas com certeza é interessante.)

O **ritmo de privação do sono** não pode ser ignorado, mesmo se você estiver cansado de me ouvir falar dele. Os golfinhos sabem muito bem que é quase impossível tentar aprender algo novo quando estão privados de sono. Diversos estudos relacionaram insônia a dificuldades em todas as manifestações de aprendizagem, incluindo deterioração da memória funcional, da memória a longo prazo, da atenção, da tomada de decisões, da função verbal e da vigilância (a capacidade de se manter numa tarefa até o fim).[17] Talvez a consequência mais triste da privação de sono seja que a motivação cai acentuadamente. Você simplesmente está cansado demais para se animar em aprender algo novo. A única maneira de superar o ritmo de privação do sono é conseguir pelo menos seis (golfinhos) ou sete (todos os demais) horas de sono por noite, noite após noite. E, quando conseguir isso — e você vai conseguir, se seguir minhas recomendações em "Ir para a cama" (p. 201) e "Acordar" (p. 184) —, você vai ter um sono adequado dos estágios 3, 4 e REM para consolidar o que aprendeu e reter as informações para uso futuro.

RESUMO RÍTMICO

Ritmo de aprendizagem básica: Quando a aprendizagem mais efetiva é atingida ao alternar-se entre períodos de aquisição de informações e períodos de ápice e descansar durante períodos fora do ápice.

Ritmo de região cerebral: Quando diferentes partes do cérebro se ativam, dependendo do cronotipo e do grau de dificuldade daquilo que se aprende.

Ritmo de privação do sono: Quando você não consegue aprender informações novas porque simplesmente está cansado demais.

A PIOR HORA PARA APRENDER ALGO NOVO

De madrugada. O ponto mais baixo de aprendizagem na curva em U é entre quatro e sete horas da manhã. Você deve consolidar as informações nesse período, e não aprender coisas novas. Se você é um estudante universitário que vira a noite, use a madrugada para fazer revisões em vez de decorar coisas novas.

A MELHOR HORA PARA APRENDER ALGO NOVO

Golfinho: 15h às 21h, acordado o bastante e no auge da curva de aprendizagem.

Leão: 8h às 12h, bem acordado e no auge da curva de aprendizagem.

Urso: 10h às 14h, bem acordado e no auge da curva de aprendizagem.

Lobo: 17h à 0h, acordado o bastante e no auge da curva de aprendizagem.

TOMAR UMA DECISÃO

Fracasso: Não conseguir escolher porque você não consegue pensar com clareza, correndo o risco de tomar decisões impulsivas baseadas na emoção.

Sucesso: Tomar uma decisão bem pensada da qual não vai se arrepender depois.

CIÊNCIA BÁSICA

Tomamos milhares de decisões diariamente. O ideal é que tomemos decisões cuidadosas e racionais sobre as muitas escolhas da vida, especialmente quando elas têm a ver com nosso desempenho profissional. Se você toma uma decisão que afeta negativamente seu trabalho ou seu sustento, ela também afeta o resto de sua vida. Se você usar o biotempo para fazer escolhas sensatas no trabalho, terá benefícios em todas as outras áreas da vida.

As decisões são tomadas racional ou emocionalmente, com base em como a escolha é enquadrada. O *"framing effect"*, ou efeito de ordenação ou enquadramento, é um conceito famoso da psicologia que significa que você tem mais chances de fazer uma escolha de acordo com a maneira como ela é apresentada. Se uma escolha se enquadra como um ganho em potencial, é provável que você evite riscos. Se ela se enquadra como uma potencial perda, é provável que você assuma riscos maiores. Em termos emocionais, se você se sentir confiante e seguro, vai ser cauteloso. Mas, se sentir medo e insegurança, vai ser imprudente. O **ritmo do** *framing effect* é como você reage (emocional ou racionalmente) de acordo com a hora do dia em que toma uma decisão.

Num estudo da Appalachian State University foi pedido aos indivíduos que considerassem um exemplo clássico de enquadramento chamado "a questão da doença asiática": uma doença asiática fatal pode matar seiscentas pessoas.[18] Você tem duas opções para salvar algumas delas. A primeira garante que duzentos sobrevivam. A segunda não oferece garantias, com uma pequena chance de que todo mundo sobreviva e uma chance maior de que quatrocentas pessoas morrem. O *framing effect* em ação aqui está na linguagem. Ainda que, nos dois resultados, duzentas pessoas tenham chances de sobreviver, a opção número um tem um enquadramento positivo (sem riscos, duzentos vão sobreviver!) e a número dois tem um enquadramento negativo (alto risco, quatrocentos podem morrer!).

Os pesquisadores fizeram essa pergunta para os indivíduos diversas vezes no decorrer de um dia e encontraram um padrão nas respostas. Quando os indivíduos estavam em seu ápice, colocavam a reatividade emocional de lado e escolhiam a primeira opção, lógica e sem riscos, de que duzentas pessoas sobreviveriam. Mas, quando estavam fora do ápice, escolhiam a opção emocional arriscada, de que é possível que todo mundo sobreviva, mas que quatrocentas pessoas provavelmente morrem. Na história desse filme, o personagem cientista defenderia a certeza da opção um, mas o ex-soldado renegado insistiria pela pequena chance de salvar o mundo e optaria pela dois.

Acho que todos podemos concordar que faz sentido empregar as capacidades cognitivas lógicas ao tomar decisões em vez de dar preferência a decisões emocionais e impulsivas. Da próxima vez em que se deparar com um dilema, considere esperar pelo seu horário de ápice para tomar uma decisão.

	Golfinho	Leão	Urso	Lobo
Bons momentos para tomar uma decisão	10h às 14h; 16h às 20h.	6h às 11h; 14h às 21h.	8h às 13h; 15h às 23h.	12h às 14h; 17h à 1h.
Maus momentos para tomar uma decisão	21h às 6h; 14h às 16h.	22h às 6h; 11h às 14h.	13h às 15h; 0h às 8h.	1h às 12h; 14h às 17h.

Um aviso sobre os "bons" e "maus" momentos para decisões: Lembre-se de que a privação de sono e a inércia do sono são fatores cruciais. A fórmula do **ritmo de privação de sono**: Se você estiver cansado ou em névoa, considere esse um mau momento. Suas capacidades cognitivas e de desempenho estarão prejudicadas. Tomar uma decisão importante quando se está privado de sono é tão irresponsável quanto fazer isso bêbado. Espere até sua mente clarear. O tempo que isso leva depende do cronotipo e do indivíduo. Para alguns (normalmente leões), a inércia do sono pode durar dez minutos. Para outros (golfinhos, ursos e lobos), pode levar até quatro horas depois de acordar.[19]

O **ritmo de personalidade** também entra em jogo na tomada de decisões. Golfinhos e leões tendem a ser mais cautelosos. Lobos e ursos costumam ser mais impulsivos. Certos cronotipos têm mais chances de ser indecisos e/ ou tendem a evitar tomar a decisão.

Algum palpite?

Você ficará surpreso.

O **ritmo de procrastinação** é um problema particular para... espere só para ver... *todo mundo*, mas em sentidos diferentes.

Aposto que você pensou que eu ia dizer "lobos".

Em um estudo espanhol com 509 adultos, os pesquisadores queriam descobrir como cronotipos diferentes lidam com a "procrastinação de decisões" e a "procrastinação de fuga".[20] Primeiro, eles testaram para determinar o cronotipo dos indivíduos e, depois, avaliaram os hábitos de procrastinação particulares. As descobertas:

Os tipos matutinos não fogem de tomar decisões. Usando o exemplo de comprar uma roupa nova, os leões não hesitam em ir à loja. Mas, quando chegam lá, têm dificuldade para decidir o que comprar.

Os tipos vespertinos, porém, evitam ir à loja o máximo possível, mas, depois que vão, não hesitam em decidir o que comprar.

Já estou ouvindo a sua risada se identificando.

É doido como a ciência faz sentido, não?

RESUMO RÍTMICO

Ritmo do *framing effect*: Quando as decisões são tomadas com base na lógica ou na emoção.

Ritmo da privação de sono: Quando a fadiga e a inércia do sono afetam a tomada de decisões.

Ritmo de personalidade: Quando a natureza cautelosa ou impulsiva de certos cronotipos faz com que eles tomem decisões sensatas ou impulsivas.

Ritmo de procrastinação: Quando certos cronotipos são indecisos ou evitam tomar uma decisão.

A PIOR HORA PARA TOMAR UMA DECISÃO

Logo de manhã e de madrugada. Quando você acorda, suas capacidades cognitivas e seu nível de alerta não estão afiados. Espere uma hora ou mais até sua cabeça clarear para tomar uma decisão. Você não pode exigir que seu cérebro em repouso realize os processos mentais necessários para a deliberação racional. Se o telefone tocar às três da manhã e pedirem que você tome uma decisão, adie até de manhã. A menos que você seja um médico ou o presidente do país, a emergência pode esperar.

A MELHOR HORA PARA TOMAR UMA DECISÃO

Golfinho: 16h às 23h.
Leão: 6h às 11h.
Urso: 15h às 23h.
Lobo: 17h à 0h.

MEMORIZAR

Fracasso: Esquecer informações novas assim que elas entram e não conseguir lembrar de informações armazenadas nos bancos de memória.

Sucesso: Estar mentalmente preparado para absorver memórias novas, guardá-las e lembrá-las com facilidade.

CIÊNCIA BÁSICA

Rememorar o diálogo de *Clube dos pilantras* e lembrar dos nomes das pessoas que conheceu são duas ferramentas necessárias para o sucesso na vida pessoal e profissional. Tanto a memória a longo prazo como a "memória funcional" a curto prazo podem ser aprimoradas usando cronotruques.

Mas, primeiro, uma explicação rápida de como a memória funciona. Usando uma letra de música como exemplo, os três passos da criação de memórias funcionam da seguinte forma:

1. **Aquisição.** Você ouve "Hello" da Adele no rádio.

2. **Consolidação.** As palavras *"Hello from the other side/ I must have called a thousand times"* se consolidam em sua mente.

3. **Lembrança.** Quando você ouvir a música "Hello" daqui a vinte anos, vai conseguir cantar todos os versos.

O **ritmo de aquisição** depende do quanto você está descansado. Você pode escutar "Hello" dez vezes quando está exausto e seu cérebro não vai conseguir absorver a letra. Na faculdade, você pode ter virado a noite memorizando fatos antes de uma prova e, então, quando sentou para fazê-la, não conseguiu lembrar de nenhuma maldita coisa. Ou você pode ter lembrado, mas esqueceu depois da prova. Segundo um estudo realizado por pesquisadores da Escola de Medicina de Harvard, basta uma noite de sono reduzido para interferir na aquisição de memória.[21]

O **ritmo de consolidação**, quando você absorve, preserva e protege o novo conhecimento contra rupturas ou degradações com o tempo, acontece durante o sono. Dormir não apenas protege a memória para recuperação futura como também parece liberar os centros de aprendizagem do cérebro para absorver novos lotes de informação no dia seguinte. É como tirar moedas do balcão e colocar no cofrinho para que o balcão fique livre para o troco de amanhã.

Você não precisa de uma noite inteira de sono para consolidar a memória. Um cochilo já basta. Se você ouvir "Hello" uma única vez e então tirar um cochilo, vai conseguir cantar a música — não tão bem quanto a Adele, claro, mas vai lembrar da maior parte da letra. Cientistas da Universidade de Nova York estudaram a atividade neural de camundongos e verificaram que **um período de sono logo depois de aprender uma habilidade nova estimulava o crescimento das sinapses no cérebro relacionadas especificamente ao que se acabou de aprender.**[22] Camundongos que dormiam depois da aprendizagem inicial de uma tarefa se davam duas vezes melhor na tarefa nova do que os que não cochilavam. Embora o processo ainda seja um mistério, cientistas acreditam que a consolidação da memória ocorra durante o sono profundo delta, ou os estágios 3 e 4, e, menos importante, durante o sono REM. Os golfinhos podem precisar reaprender tarefas e informações recebidas várias vezes em virtude de seus déficits de consolidação causados pela privação de sono.

Em relação ao **ritmo de lembrança**, ou sobre quando você consegue puxar do cérebro o nome de um ator ou cantar a letra de uma música que não ouve há anos, pesquisas indicam que a recuperação de memórias a curto e longo prazo é prejudicada pela privação de sono.[23] Entre os bem descansados, a recuperação de memórias de longo prazo atinge seu ápice à tarde. Pesquisadores brasileiros dividiram os indivíduos em cronotipos matutinos, vespertinos e neutros (leões, ursos e lobos, respectivamente) e treinaram a memória deles ensinando-lhes dez palavras.[24] Uma semana depois (considerada "longo prazo"), os indivíduos receberam listas de palavras que incluíam palavras falsas para confundi-los. **Independentemente de quando os três grupos eram treinados e depois testados, todos tiveram uma memória melhor à tarde.** A explicação talvez seja que, à tarde, a inércia do sono já passou por completo. É mais fácil puxar um fato do banco de memória quando não se está em névoas.

RESUMO RÍTMICO

Ritmo de aquisição: Quando seu cérebro está bem descansado e é capaz de absorver novas informações.

Ritmo de consolidação: Quando seu cérebro está no sono de estágio 3, 4 ou REM, ele fixa a memória e esvazia os espaços para absorver mais informações no dia seguinte.

Ritmo de lembrança: Quando seu cérebro está aquecido e mais capaz de lembrar informações.

A PIOR HORA PARA MEMORIZAR

Depois de uma noite maldormida e logo ao acordar.

A MELHOR HORA PARA MEMORIZAR

Para todos os cronotipos, uma boa noite de sono é essencial para adquirir, consolidar e relembrar memórias. A aquisição de memórias acontece o dia todo. Quanto aos outros dois tipos de memória:

Golfinho: consolidação, **4h às 6h30**; lembrança, **15h30**.

Leão: consolidação, **3h30 às 5h30**; lembrança, **14h.**
Urso: consolidação, **4h às 7h**; lembrança, **17h.**
Lobo: consolidação, **5h às 7h**; lembrança, **18h.**

APRESENTAR IDEIAS

Fracasso: Falar em público quando sua energia está baixa e você não consegue segurar a atenção dos ouvintes.

Sucesso: Falar em público quando sua energia e concentração estão altas, envolvendo completamente os ouvintes.

CIÊNCIA BÁSICA

Alguns cronotipos brilham diante de uma sala cheia de gente ou na ponta de uma mesa na sala de conferência para apresentar suas ideias (estou falando com vocês, leões). Outros preferem fechar a porta e completar as tarefas individuais (golfinhos), transferir toda reunião profissional para o bar mais próximo na hora do happy hour (lobos), ou se contentam em estar entre os ouvintes ou ser parte de uma apresentação em grupo (ursos).

Goste você ou não de estar na frente da sala, em algum momento de sua carreira profissional o holofote vai estar apontado para você, que terá de apresentar as suas ideias (e a si próprio) em uma reunião ou conferência. Se estiver em posição de agendar a apresentação, você pode usar alguns truques práticos de tempo e programação para ter sucesso.

Primeiro de tudo, o **ritmo de comparecimento**: quando fazer a reunião ou apresentação para garantir um público de tamanho razoável? Você não tem como ser dinâmico e bem-sucedido se estiver se dirigindo a uma sala vazia. O site britânico WhenIsGood.net, um portal para agendar reuniões, analisou 2 milhões de respostas a mais de 500 mil eventos sugeridos para determinar os horários de disponibilidade mais populares.[25] Atenção, leões: em um escritório povoado por ursos, leões e golfinhos, sua apresentação de segunda-feira às nove horas da manhã não será muito movimentada, mesmo se você levar o café.

- Os respondentes foram *mais* flexíveis sobre encaixar uma reunião entre 14h30min e três horas da tarde. O segundo melhor horário: das dez às onze horas da manhã.

- Os respondentes foram *menos* flexíveis às nove e quinze. O segundo pior horário: do meio-dia à uma hora da tarde (almoço).

- A tarde de quinta-feira teve a pontuação mais alta de flexibilidade, ao passo que a manhã de segunda-feira teve o número mais baixo de horários flexíveis.

O **ritmo de energia** — quando você está enérgico, focado e alerta — só chega para a maioria dos cronotipos no meio da manhã, no mínimo. Os leões já estão com a corda toda às oito horas, mas o urso comum só vai pegar no tranco em torno das dez horas da manhã, quando a inércia do sono tiver passado e os níveis de cortisol e adrenalina atingirem o ponto alto da manhã. Os lobos e golfinhos só serão capazes de apresentar suas ideias claramente (ou reagir com inteligência às ideias dos outros) lá pelo meio da tarde.

Claro, faça uma apresentação em seu ápice de energia e alerta. Mas lembre-se também de que não dá para ser bom se seu público não for capaz de participar. É difícil apontar o **ritmo de envolvimento**, ou quando você tem mais chances de ter o público na palma de suas mãos. Em qualquer grupo de pessoas, haverá uma variedade de cronotipos. Em qualquer momento do dia, alguns podem estar totalmente envolvidos, enquanto outros estarão divagando, sonhando acordados ou cochilando com os olhos (e talvez a boca) abertos. Em vez de se preocupar com a melhor hora do dia para apresentar suas ideias, preocupe-se com o tempo que leva para fazer isso.

Segundo o site MeetingKing, a capacidade de concentração é extremamente limitada. Depois de meia hora, uma em sete pessoas vai se distrair. Depois de 45 minutos, a vista de uma em cada três estará cansada. Pesquisadores de comunicação da Texas Christian University conduziram um estudo sobre a "ansiedade ao ouvir" dos estudantes.[26] Pediu-se aos indivíduos que ouvissem as informações com a noção de que seriam testados depois. Após um curto período, os indivíduos atingiam seu "atraso cognitivo", momento em que não conseguiam absorver mais nenhuma estatística nem entender mais nenhum conceito. Curto quanto? Vinte minutos. É exatamente esse o motivo por que as conferências do TED nunca duram mais de vinte minutos. É também o porquê de os capítulos deste livro serem tão curtos! Quero que você absorva a informação, não só passe os olhos por ela. Mesmo se o tema interessar e o apresentador for cativante, os humanos não conseguem assimilar durante muito tempo. Em uma apresentação ou capítulo longo demais, o público para de se envolver, e suas ideias brilhantes não são apreciadas.

RESUMO RÍTMICO

Ritmo de comparecimento: A hora do dia em que o maior número de pessoas terá flexibilidade para ir a uma reunião ou apresentação.

Ritmo de energia: Quando você está no auge de energia e alerta.

Ritmo de envolvimento: Quando seu público é capaz de ouvir atentamente à sua apresentação e entender o que você tem a dizer.

A PIOR HORA PARA APRESENTAR IDEIAS

9h, 14h e 18h. No começo da manhã, as pessoas enfrentam a inércia do sono e não estão no pico de energia. Com a queda de temperatura corporal após o almoço, a energia também está em um ponto baixo. Ao fim da jornada de trabalho, a atenção das pessoas está esgotada e sua capacidade de concentração é baixa (à exceção dos lobos). Mesmo se você estiver ligadão, seu público estará desligado.

A MELHOR HORA PARA APRESENTAR IDEIAS

Faça uma apresentação curta e interessante — vinte minutos no máximo. Se você estiver em posição de definir o horário da apresentação, escolha um horário durante um período de energia e alerta.

Golfinho: 16h às 16h20.
Leão: 10h às 10h20.
Urso: 13h40 às 14h.
Lobo: 17h às 17h20.

"IR POR ÚLTIMO ME PREJUDICOU."

"Eu trabalho com marketing e toda a minha profissão gira em torno de apresentar ideias para os meus clientes, colegas e chefes", disse **Robert, o leão**. "Em uma apresentação em grupo, minha atitude sempre foi: 'Vou por último'. Guardando o melhor para o final, certo? Sei que sou melhor que todo mundo e, se compararmos, vou acabar com eles. Essa história de 'ritmo de atenção' sobre como as pessoas ficam desligadas depois de uma reunião longa e como subconscientemente ignoram a última pessoa fez todo o sentido para mim. Olhando para trás, consigo ver como ir por último me prejudicou. Eu também já estava cansado. Precisava colocar toda a minha energia no que estava dizendo e, como consequência, não prestava muita atenção nas reações [do público]." Os leões tendem a ser introvertidos. Eles ficam presos demais dentro da própria cabeça e se concentram demais nos próprios objetivos. Ele continuou: "Também decidi cortar minhas apresentações pela metade. Normalmente eu preparava e pesquisava demais, queria mostrar tudo que tinha. Mas isso também deve ter me prejudicado. Então, agora, vou primeiro e faço uma apresentação curta, e está funcionando muito bem. Tenho uma nova perspectiva sobre elas: minhas apresentações não são sobre mim. Elas são sobre como o público se envolve comigo".

12. Criatividade

FAZER BRAINSTORMING

Fracasso: Quebrar a cabeça em busca de ideias sem conseguir nada, e então ficar nervoso e inseguro por causa disso.

Sucesso: Ter ideias ótimas com mínimo esforço quando sua mente estiver relaxada.

CIÊNCIA BÁSICA

Artistas em busca de ideias, publicitários em uma reunião ou pais preparando o jantar: todos precisamos de um brainstorming. Algum clarão fulminante precisa surgir em sua massa cinzenta, trazendo uma ideia genial do nada.

Para entrar em sincronia com o **ritmo de conectividade**, você precisa antes entender quando e onde nascem as ideias. A criatividade começa no córtex pré-frontal, logo antes de você acordar, na primeira hora do dia. Está para cair uma tempestade neurológica, com vias e conexões que se acenderão pelos hemisférios. Em um estudo de 2013, pesquisadores examinaram ressonâncias magnéticas do cérebro em repouso de manhã e à noite.[1] **De manhã, foram encontradas ligações bilaterais na região temporal média, o que significa que a mente faz** todo tipo de conexões que dão margem a novas vias de pensamento. À noite, as ressonâncias mostravam correlações cerebrais frontais e parietais, o que significa, por sua vez, que o cérebro não estava criando novas ideias, mas ocupado recuperando memórias.

A outra grande oportunidade para o brainstorming é quando você está em sincronia com o **ritmo de distração**. Quando você está cansado, com a cognição opaca e sem capacidade de pensamento conciso é que surgem as ideias. A pesquisadora de Harvard Shelley Carson, autora de *O cérebro criativo*, estuda esse fenômeno paradoxal há anos. Há quem pense que a capacidade de concentração traz ideias novas. Mas, na verdade, como ela afirma ao *Boston Globe*, "A distração pode proporcionar a pausa de que você precisa para se afastar de uma fixação na solução ineficaz". **Você já tentou e tentou encontrar uma solução e ficou frustrado até desistir, fazer uma pausa, levar o cachorro para passear, picar legumes ou tomar um banho e, cinco minutos depois, encontrou a ideia perfeita? Esses pontos altos de criatividade surgem durante os baixos de alerta fora dos períodos de pico, ou o que chamo de "momentos de grandiosidade zonza",** quando é provável que você tenha noções conceituais aleatórias que se tornem a semente de uma ideia brilhante.[2]

O **ritmo de novidade** também deve ser seguido. A dopamina, o hormônio da "diversão", inunda seu cérebro quando você está aproveitando experiências novas criativamente inspiradoras. **Quando você se sente bem ou se diverte em uma situação, relacionamento ou ambiente novo, as vias de dopamina no sistema límbico fluem.** Nesse estado aprimorado, você faz associações livres para ideias novas e originais. Empresas de tecnologia parecem entender esse conceito. Por exemplo, o campus do Google em Mountain View, na Califórnia, tem áreas de esportes e jogos para os funcionários relaxarem e brincarem a fim de inspirar ideias.

O **ritmo do estágio REM** é outra maneira de incentivar a criatividade. Lembre-se de que o sono REM compõe 25% do seu sono. No entanto, ele não está dividido igualmente ao longo da noite. A maioria está no terço final (na verdade, na hora final) do seu ciclo de sono. **Se você não dormir o suficiente, é provável que fique sem o REM — e sem cria-**

tividade! Durante as duas últimas horas de sono e na primeira meia hora depois que acorda, seu cérebro está fervilhando de ideias. Paul McCartney compôs a famosa balada "Yesterday" em um sonho. Ele acordou e escreveu imediatamente. Não conseguia acreditar que havia composto uma melodia tão perfeita enquanto dormia. Mas faz sentido. Enquanto ele consolidava a memória e o córtex pré-frontal estava a toda, o cérebro dele estava conectando e posicionando notas ativamente. O velho conselho de esperar uma boa noite de sono para tomar uma decisão se aplica muito bem em termos de brainstorming e criatividade. Permitir-se dormir a quantidade suficiente de horas e acordar sem despertador pode garantir que você tenha momentos de "grandiosidade zonza" com certa regularidade.

RESUMO RÍTMICO

Ritmo de conectividade: Quando as duas metades do cérebro estão conversando, inspirando grandes ideias.

Ritmo de distração: Quando você estiver um pouco cansado e se distrair facilmente, as ideias poderão surgir de maneira inesperada.

Ritmo de novidade: Quando você estiver se divertindo e aproveitando pessoas, lugares e experiências novas, terá ideias novas e originais.

Ritmo de REM: Quando você estiver sonhando e consolidando, seu cérebro fervilhará de ideias.

A PIOR HORA PARA UM BRAINSTORMING

11h às 15h. É uma triste ironia que você esteja em seu patamar menos criativo no centro da jornada de trabalho, quando exigem que faça brainstormings.

A MELHOR HORA PARA UM BRAINSTORMING

Golfinho: 5h às 8h, 14h às 16h.
Leão: 4h às 6h, 20h às 22h.
Urso: 6h às 8h, 21h às 23h.
Lobo: 7h às 9h, 22h à 1h.

TOCAR INSTRUMENTOS

Fracasso: Ter um surto de ansiedade antes de se apresentar e errar as notas ao tocar seu instrumento.

Sucesso: Sentir-se calmo e tranquilo antes de uma apresentação e acertar as notas com segurança.

CIÊNCIA BÁSICA

Fico impressionado com os músicos. Eles operam o milagre de manipular as teclas do piano, as cordas da guitarra e/ ou suas cordas vocais para produzir notas que, em uma combinação precisa, transmitem emoções humanas. Se você já foi levado às lágrimas por um músico talentoso, sabe que tocar um instrumento é, ao mesmo tempo, uma arte e uma técnica. Toda técnica que exige um controle muscular hábil, desde praticar um esporte a tocar tuba (lábios também são músculos), é afetada pelos ritmos circadianos de quem a pratica.

O **ritmo do virtuoso**: os ritmos circadianos da precisão sensório-motora dos músicos (a capacidade de ouvir, ver e se movimentar ao mesmo tempo em uma coordenação meticulosa) foram investigados por pesquisadores no Instituto de Fisiologia da Música e Medicina do Músico, em Hannover, na Alemanha.[3] Eles queriam descobrir como a hora de tocar afetava as habilidades dos pianistas. Será que os pianistas leões conseguem tocar de maneira precisa à noite, quando acontece a maior parte dos shows? E será que os lobos conseguem tocar bem em matinês, quando suas habilidades motoras finas talvez ainda não estejam aquecidas o bastante? Para descobrir isso, os pesquisadores primeiro testaram 21 pianistas profissionais para determinar seu cronotipo (todos os outros fatores, como tempo de prática e duração do sono, eram iguais). Depois, os pianistas tocavam duas escalas em dó maior às oito horas da manhã e novamente às oito horas da noite em laboratório em dois dias diferentes. As escalas de cada pianista eram avaliadas em termos de precisão (tocar as notas certas), uniformidade (regularidade de intervalos entre as notas), estabilidade (consistência em que o artista tocava em cada sessão) e velocidade (se o artista tocava as teclas rapidamente ou não e qual era o volume da música).

Embora tanto os tipos matutinos quanto os vespertinos tocassem de maneira precisa e uniforme fosse qual fosse a hora da sessão, a estabilidade era outra história. A coordenação dos lobos era mais estável durante a sessão noturna. A dos leões era estável em ambas as sessões. Os pesquisadores notaram particularmente o fato de que aqueles eram músicos versados, que treinavam constantemente. Todavia, **para os tipos vespertinos, as variações circadianas atrapalhavam a performance matutina. Isso sugere que as variações sensório-motoras nem sempre são vencidas com prática, prática e mais prática.**

Quanto à velocidade para apertar as teclas, ou quão rápida e alta era a música, ambos os cronotipos tocaram com mais firmeza na sessão vespertina. Esse resultado condiz com outras habilidades motoras finas (força de preensão, por exemplo), que são significativamente melhores ao fim do dia para todos os tipos. **Não importa se você toca piano ou pratica tênis, terá mais potência depois que escurece, mesmo se for um leão.**

Uma musicista paciente minha que é golfinho me contou que prefere shows à noite do que matinês, o que é o natural para o tipo dela. Eu e ela trabalhamos juntos para controlar a ansiedade de performance. Mesmo tocando profissionalmente há décadas, ela ainda fica nervosa antes de um show. A ansiedade é uma característica comum entre os golfinhos, mas a ansiedade de performance não é exclusiva dos que dormem mal. O **ritmo de frio na barriga** atinge todos os cronotipos e pode ser evitado por meditação ou relaxamento bem programado.

Psicólogos na Universidade de Sydney, Austrália, estudaram os benefícios de uma técnica de relaxamento com respiração lenta em 46 músicos profissionais.[4] Alguns dos artistas eram escolhidos para praticar respiração controlada por cinco minutos a partir de trinta minutos antes de uma apresentação, enquanto outros não faziam alterações na rotina usual. Comparado ao grupo de controle, o grupo de respiração controlada — em particular, aqueles mais gravemente afetados pela ansiedade de performance — relatou reduções significativas no frio na barriga pré-show.

Em <www.thepowerofwhen.com>, você vai encontrar instruções em áudio para técnicas de relaxamento muscular progressivo. Ou você pode experimentar o método de respiração 4-6-7 para acalmar os nervos antes de um show, encontro, reunião ou em qualquer momento que precise.

1. Inspire por quatro segundos.

2. Segure a respiração por seis segundos.

3. Expire por sete segundos.

4. Repita durante dois minutos.

RESUMO RÍTMICO

Ritmo do virtuoso: Quando seu cronotipo tem mais precisão sensório-motora em termos de velocidade, precisão e intensidade.

Ritmo de frio na barriga: Quando você fica nervoso antes de um show e precisa se acalmar.

A PIOR HORA PARA TOCAR UM INSTRUMENTO

Não existe hora ruim para tocar. O conselho de praticar, praticar e praticar ainda se aplica. Você pode tocar melhor em horários diferentes do dia e da noite. Mas, na maioria dos casos, quanto mais você toca, melhor vai ser. Só um aviso: não ligue a guitarra ou toque a bateria no meio da noite para não incomodar os vizinhos.

A MELHOR HORA PARA TOCAR UM INSTRUMENTO

Golfinho: A hora do show é às **20h.** A respiração de relaxamento pré-show, às **19h30.**

Leão: 14h e 20h. Você é igualmente talentoso na matinê ou no show da noite. A respiração de relaxamento pré-show, às **13h30 e 19h30.**

Urso: 14h e das 20h às 23h se estiver tocando tarde em uma casa de shows. Você é igualmente talentoso na matinê ou no show à noite. A respiração de relaxamento pré-show, às **13h30 e 19h30.**

Lobo: A hora do show é das **20h à meia-noite se estiver tocando tarde em uma casa de shows.** A respiração de relaxamento pré-show, às **19h30.**

LIGAR PONTOS

Fracasso: Não conseguir articular coisas aparentemente não relacionadas e não enxergar o contexto geral.

Sucesso: Conseguir articular coisas aparentemente não relacionadas e enxergar o contexto geral.

CIÊNCIA BÁSICA

Detetives de ficção parecem capazes de articular pistas sem nenhum esforço. Ao questionar um suspeito ou folhear uma caderneta de anotações, ficam com aquele brilho estranho nos olhos e, de repente, se lembram de um detalhe ou informação que descobriram dias antes que revela a identidade do assassino. Benedict Cumberbatch em *Sherlock* coloca a ponta dos dedos nas têmporas para ligar o cérebro-máquina e acessar todas as informações armazenadas lá dentro. Ele liga os pontos, por mais aleatórios que possam parecer, e cria um mapa mental que dá direto no assassino. Elementar, meu caro Watson.

Na vida real, ligar os pontos que desencadeiam um insight — se isso não é criatividade, não sei o que é — normalmente não acontece na sala de interrogatório, no laboratório nem na biblioteca no 221B Baker Street, em Londres. Para os meros mortais, os insights ocorrem quando (e onde) você menos espera: logo de manhã quando você ainda está na cama.

O **ritmo de insight** é o mais simples do biotempo: durante o dia, quando você está acordado, absorve milhares de visões, sons, aromas, palavras, ideias e assim por diante. À noite, quando está dormindo, a região do hipocampo do seu cérebro consolida as informações do dia em seus bancos de memória e as mistura com memórias de experiências e sensações do passado. As informações novas e antigas saltam de um lado para o outro, ativam várias conexões, que são reveladas para você ao acordar, proporcionando um momento de insight, a peça do quebra-cabeça que faltava para escrever a trama de um livro, decifrar um código ou resolver um assassinato.

Um estudo de pesquisadores da Universidade McGill e da Escola de Medicina de Harvard treinou indivíduos para um problema complexo de sequência matemática desenvolvido especialmente para forçá-los a fazer conexões não relacionadas na mente.[5] Os indivíduos foram divididos em três grupos que voltariam a ser testados após um prazo de vinte minutos, doze horas ou 24 horas. Além disso, o grupo com prazo de doze horas horas foi subdividido entre os treinados de manhã e retestados à noite e os treinados à noite e retestados de manhã depois de uma boa noite de sono.

O grupo que exibiu maior melhoria nas pontuações: o grupo com prazo de doze horas que treinava à noite, dormia e era retestado de manhã. Um prazo de doze horas e uma boa noite de sono deram tempo ao cérebro para incubar as ideias sobre como resolver o problema. Quando eles acordaram e foram testados de manhã, o cérebro proporcionou o insight. Enquanto não estavam trabalhando ativamente no problema, a mente deles em repouso fez o trabalho pesado de ligar os pontos.

Meus pacientes com insônia dizem coisas como: "Fico acordada a noite toda tentando resolver as coisas". Eu respondo: "Durma com elas! Seu cérebro vai resolver tudo sozinho para você. Você vai ter as respostas de manhã".

Não acredita que dormir ajuda a resolver desafios e problemas? Você pode ver como o ritmo de insight é intenso realizando o teste de livre associação (RAT, do inglês *remote associates test*) antes de ir para a cama e refazer o teste de manhã.

O RAT foi criado em 1962 pelo professor doutor Sarnoff Mednick, da Universidade de Michigan, e continua sendo uma avaliação excelente de criatividade e agilidade mental. Como ele funciona: cada pergunta do RAT apresenta três palavras aparentemente não relacionadas e pede que você acrescente uma quarta que as ligue:[6]

Fácil

Cottage/ suíço/ pão _____ [7]

Sorvete/ patinação/ água _____ [8]

Perda/ garganta/ local _____ [9]

Médio

Artista/ tinta/ cabelo _____ [10]

Bota/ verão/ terra _____ [11]

Trouxa/ clipe/ parede _____ [12]

Difícil

Animal/ mano/ rato _____ [13]

Sujo/ campo/ rival _____ [14]

Mala/ ferro/ com _____ [15]

Sarnoff Mednick se uniu à autora de *Take a Nap!*, Sara Mednick (sua filha; a ciência está no sangue!), para provar que o sono REM impulsiona a criatividade. Para o estudo, a família Mednick deu a todos os indivíduos testados o RAT às nove horas da manhã e um teste de analogia de palavras às nove e quarenta da manhã.[16] À uma da tarde, os indivíduos tiravam cochilos que incluíam ou não sono REM, ou apenas passavam um tempo em silêncio sem dormir para incubar a criatividade. Às cinco horas da tarde, os indivíduos faziam outro RAT com perguntas que tinham visto antes ou não, seguido por mais um teste de memória às cinco e quarenta da tarde.

O **ritmo de** REM — tirar um cochilo que incluía sono REM — gerou um aumento de 40% entre as pontuações matinais e vespertinas no RAT. As pontuações vespertinas dos que só ficaram quietos e dos que cochilaram sem REM eram iguais ou piores do que as de manhã. Somente os cochilos com REM (em média, noventa minutos) melhoravam as redes associativas remotas do cérebro, ajudando os indivíduos a relacionar ideias disparadas de maneiras inventivas.

RESUMO RÍTMICO

Ritmo de insight: Quando seu cérebro liga ideias aparentemente não relacionadas em um momento súbito de iluminação.

Ritmo de REM: Quando se deve tirar um cochilo de noventa minutos que inclua sono REM para ajudar o cérebro a fazer a transição da incubação à iluminação.

A PIOR HORA PARA LIGAR PONTOS

10h às 14h para leões e ursos; 16h às 23h para golfinhos e lobos. As horas de pico de alerta servem para acumular informações de entrada que virão a se tornar memórias (ou pistas, se preferir). Não se dê ao trabalho de juntar as peças nesse momento. Em vez disso, apenas absorva as informações e experiências sensoriais.

A MELHOR HORA PARA LIGAR PONTOS

Golfinho: 4h às 7h, durante o sono REM e na primeira meia hora depois de acordar. Nada de cochilos para os golfinhos!

Leão: 3h às 6h, durante o sono REM e na primeira meia hora depois de acordar. **15h30,** depois de acordar de um cochilo de noventa minutos.

Urso: 4h30 às 7h30, durante o sono REM e na primeira meia hora depois de acordar. **16h,** depois de acordar de um cochilo.

Lobo: 5h às 8h, durante o sono REM e na primeira meia hora depois de acordar.

ESCREVER UM LIVRO

Fracasso: Tentar preencher a página em branco sem sucesso.
Sucesso: Preencher a página em branco durante seu pico criativo e editar durante seu pico analítico.

CIÊNCIA BÁSICA

Não tenho a ilusão de que haja alguma parte "simples" no processo de escrita. Nunca é fácil sentar e olhar para a página ou a tela do computador em branco. O cursor intermitente *sempre* intimida.

Por mais assustadora que a escrita possa parecer, um bom biotempo pode lhe dar certa vantagem. **Você pode sair digitando suas novas tramas e diálogos inventivos quando seu cérebro estiver preparado para criar, e editar as páginas rascunhadas quando seu cérebro estiver pronto para ser analítico e estratégico.**

O **ritmo de criação** é praticamente contrário ao das outras funções cognitivas. As outras — memorização, tomada de decisões, atenção e planejamento — serão mais bem executadas quando você estiver mais alerta. Mas a função de "criar" — o que você precisa fazer para dar à luz o mundo em sua mente — será mais bem executada quando você estiver *menos* alerta. Em um estudo histórico conduzido por pesquisadores no Albion College, 428 universitários tiveram as preferências circadianas mensuradas e foram divididos entre os grupos matutino, vespertino e "neutro"; em seguida, pediu-se que solucionassem três problemas de cada uma das duas categorias — "criativos" e "analíticos" — durante duas sessões de testagem diferentes, uma de manhã e uma à tarde.[17] Os estudantes tinham quatro minutos para resolver cada série de problemas.

As questões de "criatividade" usadas no estudo:

- **Problema do prisioneiro**: Um prisioneiro está tentando fugir de uma torre. Ele encontra uma corda na cela dele que tem metade do comprimento suficiente para que ele consiga chegar ao chão com segurança. Ele corta a corda no meio, amarra uma parte na outra e foge. Como ele conseguiu fazer isso?[18]

- **Problema da moeda falsa:** Um comerciante de moedas antigas recebe a oferta de comprar uma linda moeda de bronze. A moeda tem a efígie do imperador em uma face e a data 544 a.C. estampada na outra. O comerciante examina a moeda, mas, em vez de comprá-la, chama a polícia. Por quê?[19]

- **Problema dos lírios-d'água:** Os lírios-d'água duplicam de área ocupada a cada 24 horas. No começo do verão há um lírio-d'água em um lago. Leva sessenta dias para o lago ficar completamente coberto de lírios-d'água. Em que dia o lago está coberto pela metade?[20]

Os problemas "analíticos" usados no estudo:

- **Problema da idade:** O pai de Bob é três vezes mais velho que o filho. Os dois nasceram em outubro. Quatro anos atrás, o pai de Bob era quatro vezes mais velho que o filho. Quantos anos têm Bob e seu pai?[21]

- **Problema dos solteiros:** Cinco homens, Andy, Bill, Carl, Dave e Eric, saem para jantar cinco refeições (peixe, pizza, churrasco, mexicana e tailandesa) de segunda a sexta-feira. Cada solteirão paga a conta em um restaurante de sua escolha em uma noite diferente. Eric precisa faltar no jantar de sexta. Carl paga o de quarta. Os rapazes comem em um restaurante tailandês na sexta. Bill, que odeia peixe, é o primeiro a pagar. Dave escolhe uma churrascaria na noite anterior à que um dos rapazes paga para todo mundo em uma pizzaria. Qual homem pagou cada noite e que comida ele escolheu?[22]

- **Problema da flor:** Quatro mulheres, Anna, Emily, Isabel e Yvonne, recebem uma flor cada de seus namorados, Tom, Ron, Ken e Charlie. O namorado de Anna, Charlie, não lhe dá uma rosa. Tom dá um narciso para sua namorada (que não é Emily). Yvonne recebe um lírio, mas não é de Ron. Qual flor (cravo, narciso, lírio ou rosa) é dada a cada mulher e qual é o namorado de cada uma delas?[23]

Como você pode ver, as questões "criativas" exigem sacadas inventivas; as "analíticas" requerem um processo de resolução matemática. Os estudantes acertaram mais respostas corretas na categoria analítica durante o seu horário ideal baseado no cronotipo. Durante períodos não ideais, eles solucionaram mais questões de criatividade. É por isso que recomendo **escrever em períodos fora do ápice** e **editar durante os períodos de ápice.**

Se você for praticar outros tipos de escrita — técnica, profissional, os tipos menos "criativos" —, escreva e edite durante períodos de ápice. Se o objetivo é apresentar os fatos de maneira clara, concisa e coerente, use seus poderes de foco e concentração para terminar o trabalho sem a distração de uma mente divagante.

É possível forçar um estado mental não ideal. Como? Com o **ritmo de embriaguez.** Pesquisadores da Universidade de Chicago fizeram um estudo sobre o efeito do álcool no processo criativo.[24] Alguns indivíduos continuaram sóbrios enquanto outros receberam um drinque de vodca com suco de cranberry. Eles beberam até ficar com um teor alcoólico no sangue de 0,075. Para um homem de 72 quilos, levaria 3,5 drinques para chegar lá. (A embriaguez legal é de 0,08 segundo o código norte-americano.) Todos os indivíduos receberam questões do RAT. Os indivíduos embriagados resolviam mais questões em menos tempo do que o grupo de controle sóbrio.

Então, quando será que você está mais suscetível ao álcool, se pretender liberar a musa com uma bebida? Ver "Beber", na p. 278. (Que fique claro que, por motivos óbvios, não recomendo isso, muito menos três horas antes de dormir.)

O **ritmo da rotina**... É meio redundante? Acho que não. Estabelecer uma rotina de escrita prepara sua mente criativa para brilhar no mesmo horário todos os dias. Em vez de citar um estudo nesta seção, vou deixar que alguns escritores famosos defendam o benefício de manter um horário de escrita regular. Não seria nada mal seguir o conselho destes autores de best-sellers premiados:

"Quando estou no 'modo escrita' de um romance, acordo às quatro e trabalho por cinco ou seis horas. À tarde, corro dez quilômetros ou nado 1500 metros (quando não os dois). Depois leio um pouco e escuto música. Vou para cama às nove horas da noite. Sigo essa rotina todos os dias, sem variações. **A repetição em si se torna a coisa mais importante; é uma maneira de hipnose. Eu me auto-hipnotizo para alcançar um estado mental mais profundo.**" — Haruki Murakami

"Quando estou trabalhando num livro ou conto, **escrevo todas as manhãs, desde o raiar do sol, se possível.** Não tem ninguém para perturbar, está fresco ou até frio, e começo a trabalhar e a me aquecer enquanto escrevo. Leio o que já escrevi e, como sempre parei num trecho a partir do qual sei o que vai acontecer, continuo desse ponto. **Escrevo até chegar a um momento em que, ainda sem ter perdido o gás, consigo antecipar o que vem a seguir; paro e tento sobreviver até o dia seguinte, quando volto à luta.** Começo às seis, digamos, e posso ir até o meio-dia ou parar antes." — Ernest Hemingway

"**Escrevo pela manhã e, por volta do meio-dia, vou para casa e tomo um banho,** porque, como você sabe, escrever é um trabalho árduo, por isso é preciso fazer uma purificação dupla. Então vou às compras — sou uma cozinheira de mão cheia — e finjo ser normal. Preparo o jantar para mim e, se tiver visitas, coloco velas, uma boa música e tudo o mais. **Depois de tirar todos os pratos, leio o que escrevi de manhã.** E, quase sempre, das nove páginas escritas, consigo salvar duas e meia ou três." — Maya Angelou

"**Costumo acordar muito cedo. Cedo demais. Quatro horas é o normal.** Começo a manhã tentando não levantar antes de o sol nascer. Mas, quando levanto, é porque minha mente está cheia de palavras e preciso ir até minha mesa e começar a despejá-las num arquivo. Sempre acordo com sentenças jorrando na minha cabeça. Por isso, ir à escrivaninha todos os dias parece uma emergência." — Barbara Kingsolver

"**Preciso de uma hora sozinha antes do jantar, com uma bebida,** para repassar o que fiz naquele dia. Não posso fazer isso logo ao fim da tarde porque ainda estou muito envolvida com tudo. Além do mais, a bebida ajuda. Ela me tira das páginas. Passo essa hora removendo algumas coisas e acrescentando outras. **Então começo o dia seguinte refazendo tudo o que fiz no dia anterior**, de acordo com essas notas noturnas." — Joan Didion

"Assim como seu quarto, sua sala de escrita deve ser reservada, um lugar aonde você vai para sonhar. **Seu horário — chegar por volta da mesma hora todos os dias, sair quando mil palavras estiverem no papel ou disco rígido — existe para você se habituar,** para se preparar para o sonho assim como se prepara para ir para a cama mais ou menos no mesmo horário todas as noites cumprindo o mesmo ritual." — Stephen King

CRONOTIPOS DE ESCRITORES FAMOSOS[25]	
Golfinho	
Alexandre Dumas	Marcel Proust
Franz Kafka	William Shakespeare
Charles Dickens	
Leão	
Maya Angelou	Haruki Murakami
W. H. Auden	Flannery O'Connor
Benjamin Franklin	Sylvia Plath
Victor Hugo	Kurt Vonnegut
John Milton	Edith Wharton
Toni Morrison	
Urso	
Jane Austen	Thomas Mann
Stephen King	Susan Sontag
George Orwell	

Lobo	
Ray Bradbury	Gertrude Stein
F. Scott Fitzgerald	William Styron
Charles Darwin	Hunter S. Thompson
James Joyce	J. R. R. Tolkien
Kingsley Amis	Mark Twain
Vladímir Nabókov	Virginia Woolf

RESUMO RÍTMICO

Ritmo de criação: Quando se deve inventar um mundo de ficção durante períodos fora do ápice; quando se deve editar seus rascunhos em períodos de ápice.

Ritmo de embriaguez: Quando se pode forçar um fluxo criativo não ideal tomando alguns drinques.

Ritmo de rotina: Quando se estabelece uma rotina de escrita para começar e terminar de trabalhar à mesma hora todos os dias.

A PIOR HORA PARA ESCREVER UM LIVRO

14h às 15h30h; 0h às 7h30. As únicas horas em que você *não* deve escrever ou editar seu romance? Quando deve cochilar ou dormir, consolidando memórias e fazendo livres associações que ajudam você a criar no dia seguinte.

A MELHOR HORA PARA ESCREVER UM LIVRO

Golfinho: escrever, **8h às 10h**; editar, **16h às 18h.**
Leão: escrever, **20h às 22h**; editar, **6h às 8h.**
Urso: escrever, **18h às 23h**; editar, **10h às 14h.**
Lobo: escrever, **8h às 11h**; editar, **18h às 20h.**

PÁGINAS MATINAIS

Julia Cameron, autora de *The Artist's Way*, um livro de autoajuda de 1992 sobre criatividade que vendeu milhões de exemplares, incentiva as pessoas a escrever "páginas matinais", três páginas de pensamentos em fluxo de consciência à mão. Como ela explica em um vídeo no site dela, as páginas matinais podem ser sobre "absolutamente qualquer coisa, como 'Esqueci de comprar a areia do gato' ou 'Preciso lavar as cortinas'.[26] Elas parecem não ter qualquer relação com criatividade, mas o que fazem é esvaziar sua mente. É como se você pegasse um pequeno aspirador de pó e saísse limpando todos os cantinhos de sua consciência e tirasse o que coloca na página".

Julia Cameron aconselha seus leitores a deixarem os pensamentos correrem sem interrupção, mesmo se forem por caminhos confusos ou sombrios. "Muitas vezes as pessoas acham que deveriam ser engenhosas. Eu digo que não. Elas devem ser resmungonas, mesquinhas e rabugentas", diz ela. "Você escreve exatamente o que passar pela sua consciência. É como se estivesse escrevendo o que na meditação chamamos de 'pensamentos nuvens' que passam pela sua consciência e se aproximam dos cantos obscuros de sua psiqué. Você está conhecendo sua sombra e a chamando para tomar um café. O que percebo é que, quando você coloca a negatividade no papel, ela não fica rodeando sua consciência. As páginas matinais são um exercício de esvaziamento que faz você ter muito mais consciência para atravessar o dia."

As páginas *não* são para um romance nem para ninguém ler. Não são poemas nem entradas de diário. Seu fluxo de consciência é, como ela disse, um processo de esvaziamento que, na verdade, faz você ganhar tempo durante o dia. Ela diz que são necessários trinta ou quarenta minutos para conseguir isso. Fazer esse processo torna você mais eficiente e motivado para as atividades que tem pela frente, o que é um ganho de tempo líquido. Eu sou a favor de qualquer processo que esvazie a negatividade e lhe proporcione mais tempo para o sucesso.

Quando encaixar os papéis matinais em seu cronorritmo:

Golfinho: 6h30 às 7h.
Leão: 6h às 6h30.
Urso: 7h às 7h30.
Lobo: 7h às 7h30.

13. Dinheiro

COMPRAR

Fracasso: Gastar demais em coisas de que você não precisa de verdade, em virtude de reações emocionais.

Sucesso: Gastar de maneira apropriada quando você conseguir decidir racionalmente o que comprar.

CIÊNCIA BÁSICA

A diferença óbvia entre ir às lojas e comprar é que só uma dessas ações envolve a troca de dinheiro por bens e serviços. Teoricamente, dá para passear pelo shopping o dia todo sem gastar um centavo. Passear é de graça. Ir ao shopping pode ser uma grande diversão, algo para matar o tempo, ou ser a pesquisa do que há no mercado antes de se efetuar a compra.

A melhor hora para ir ao shopping é quando você deixa sua carteira em casa.

Confie em mim. Todos os aspectos do ambiente de varejo — em lojas reais ou virtuais — são projetados para fazer você pegar seu cartão de crédito *agora mesmo*. As empresas gastam milhões em pesquisas para descobrir como apelar à instabilidade emocional dos consumidores e fazer com que joguem a racionalidade pela janela.

As lojas contam com a sua incapacidade de resistir. Você enfrenta as tentações sedutoras de "Superliquidação" e "Compre 2, leve mais 1!" que fazem você jogar itens aleatórios no carrinho sem pensar. Ursos e lobos são mais suscetíveis ao **ritmo de compra impulsiva** do que os cautelosos leões e golfinhos. Mas, nas circunstâncias certas, todo mundo está vulnerável a fazer uma compra impulsiva de que vai se arrepender depois.

Isso é especialmente verdade para mulheres antes da menopausa durante a fase lútea do ciclo (ou seja, entre a ovulação e a menstruação). Não é sexismo, é ciência. Segundo um levantamento com 443 mulheres de dezoito a cinquenta anos, aquelas na fase lútea tiveram menos controle sobre seus gastos e compras impulsivas do que aquelas em fases folicular ou de ovulação.[1] Além disso, não se sentiam mal depois de terem feito compras, o que significa que, nesse período, não tinham controle de gastos baseado em culpa e arrependimento. Gastos compulsivos + permissividade = dívidas. Sem julgamentos, apenas verdades.

Tanto homens como mulheres são parecidos: quando estão em um estado de excitação — não sexual; animados, cheios de alegria — são mais propensos a fazer uma compra por impulso. Por esse motivo, ambientes comerciais são visualmente excitantes (luzes fortes, cores, aromas, música). Você fica de olhos arregalados, metafórica *e* literalmente: quando excitado, suas pupilas dilatam. Em um estado de excitação acentuada, você fica distraído, esquece o que pretendia comprar inicialmente e fica tentado por coisas que não estavam em sua lista.[2] Estudos descobriram que, quanto mais arregalados estão seus olhos, mais interessante é o ambiente comercial, e mais aberta fica a sua mão.[3]

Para evitar o **ritmo de compra por impulso**, vá às lojas quando for correr menos riscos de ser provocado pelo ambiente comercial estimulante. Como já expliquei, existem três tipos de excitação: energia, tensão e tom hedônico (felicidade), todos representando um papel na impulsividade. Segundo um estudo polonês sobre cronotipos e excitação:[4]

- Tipos vespertinos tendem a ficar mais ansiosos e menos felizes no decorrer do dia do que os tipos matutinos.

- Tipos matutinos tendem a ter mais energia do que os tipos vespertinos até às cinco horas da tarde.

Em termos do modelo tridimensional de excitação...

Lobos, golfinhos e ursos que acordam tarde são menos suscetíveis a compras de olhos arregalados durante o dia.

Leões e ursos que acordam cedo vão ter maior controle da carteira de manhã, mas são suscetíveis à noite.

Muitas pessoas compram coisas não porque estão excitadas, mas pelo contrário: estão se sentindo "para baixo" e gastar dinheiro faz com que se sintam felizes (ainda que por pouco tempo). O **ritmo de comproterapia** *pode* tirar as nuvens negras de cima da sua cabeça, segundo um estudo realizado por pesquisadores na Universidade de Michigan.[5] Por quê? A vida pode fazer você sentir que não tem controle de nada, mas, quando é você quem toma as decisões do que comprar, se sente mais centrado. Lobos e ursos que precisam de estimulantes ocasionais fariam bem se dessem a si mesmos um orçamento limitado e parassem de comprar quando o atingissem.

O **ritmo do tipo A** é o ponto de conexão entre compras e personalidade. Os tipos ambiciosos (leões) tendem a ser mais materialistas e ver aquisições como uma forma de atingir o objetivo pessoal de sucesso. Um estudo com 193 australianos traçou uma relação direta entre materialismo e traços de personalidade do tipo A de competitividade e agressão.[6] Objetos — um carro novo, uma casa grande, um bracelete de diamantes — são como espólios de guerra para eles. Como psicólogo, me sinto obrigado a dar uma palavrinha de advertência sobre aquisições como maneira de marcar seu status em comparação aos outros. Você não é aquilo que possui. Com o tempo, vai parecer vazio comprar coisas para validar suas conquistas. Entretanto, essa percepção pode só acontecer quando você tiver setenta anos, então aproveite seus brinquedinhos enquanto puder.

A maioria dos golfinhos também tem personalidades do tipo A, mas no espectro extremamente neurótico e ansioso. Isso pode ser um problema para a carteira deles. De acordo com um estudo israelense, quando pessoas materialistas sofriam ataques (os 139 indivíduos viviam em uma cidade que sofrera ataques de míssil), elas reagiam fazendo compras para aliviar o estresse.[7] No fim, comprar não as fazia se sentir mais felizes ou seguras, mas elas compravam mesmo assim.

Uma última coisa a se observar para manter a carteira intacta: o **ritmo da fome**. Como todos sabemos, *nunca* se deve ir ao mercado com fome ou você vai acabar esvaziando as prateleiras. Pesquisadores da Universidade de Minnesota comprovaram que a fome faz com que os clientes gastem mais em itens não alimentícios também.[8] Em experimentos em laboratório, indivíduos com fome eram mais rápidos para pegar os produtos avidamente, mesmo objetos desimportantes como clipes de papel. Em uma pesquisa de campo, os pesquisadores interrogaram 81 clientes sobre o seu nível de fome ao sair de uma loja de departamentos e depois checaram seus recibos. Os clientes com fome compraram um número maior de itens não alimentícios e gastaram quase o dobro de dinheiro do que aqueles que não estavam com fome, independentemente do humor ou do tempo que passaram na loja.

RESUMO RÍTMICO

Ritmo de compra impulsiva: Quando se é induzido a comprar coisas durante períodos de alta excitação (e quando as mulheres estão prestes a menstruar).

Ritmo de comproterapia: Quando se compra mais para se sentir menos triste.

Ritmo do tipo A: Quando você adquire objetos como maneira de medir suas realizações pessoais; quando você compra coisas em momentos de estresse e ansiedade extremos.

Ritmo de fome: Quando se gasta mais com o estômago vazio.

A PIOR HORA PARA COMPRAR

Considerando "pior" como o período em que você tem maior propensão a gastar além da conta:

- **Mulheres**: Uma semana antes da menstruação, duas horas antes de uma refeição.
- **Homens**: Duas horas antes de uma refeição.

A MELHOR HORA PARA COMPRAR

Considerando "melhor" como o período em que você tem menor propensão a gastar além da conta, compre quando (1) não estiver com fome, (2) em uma baixa de energia e (3) em um ponto baixo de excitação. Ou seja, compre depois do almoço.

Golfinho: 13h.

Leão: 12h.

Urso: 14h.

Lobo: 15h.

"A AMAZON DEVE ACHAR QUE MORRI"

A **golfinho Stephanie** me contou que costumava passar parte de todas as noites após o jantar navegando em websites. "Eu achava que fazer compras era algo relaxante, mas, desde que saquei o conceito de que comprava quando estava estressada, percebi que só navegava à noite, quando ficava elétrica. Era uma reação automática. Eu me sentia nervosa" — com o pico noturno do nível de cortisol — "e entrava na internet. Agora uso uma extensão que bloqueia sites de compras durante essas horas e faço outras coisas que realmente funcionam para me acalmar, como ler e tomar banho. Aposto que a Amazon deve achar que morri ou coisa assim! Olha só o que aconteceu com o poder do quando: minha conta do Visa está muito menor."

FICAR RICO

Fracasso: Tentar acumular riquezas usando estratégias que entram em conflito com os traços de personalidade do seu cronotipo.

Sucesso: Tirar vantagem dos traços de personalidade do seu cronotipo para enriquecer.

CIÊNCIA BÁSICA

Este não é um livro sobre "como" ou "o quê". Para dicas sobre investimento, economia e *insider trading*, você terá que recorrer a outras fontes. Também não posso lhe fornecer a hora específica do dia ou cronotruques para elaborar seu portfólio ou *hedging* (seja lá o que isso significa). O que posso dizer é que traços específicos de personalidade associados a cada cronotipo podem ser usados a seu favor na busca por segurança financeira.

Por exemplo, o **ritmo do ritual matinal** é uma prática comum de leões bem-sucedidos. Eles acordam cedo e aproveitam ao máximo as primeiras horas de silêncio antes do resto do mundo acordar. Uma lista de titãs que estão de pé antes das 6h inclui os atuais ou ex-presidentes da Apple, AOL, Bloomberg, Cisco, Condé Nast, Chrysler, Disney, General Electric, General Motors, Oxygen, PepsiCo, Procter & Gamble, Starbucks, Unilever, Virgin e Xerox, para mencionar alguns. Por que os megarricos acordam tão cedo e saem da cama ao raiar do dia? Eles são movidos pelo sucesso. O impulso de vencer está em seu DNA.

Os leões tendem a ser mais ambiciosos, competitivos e bem-sucedidos na área dos negócios do que os demais cronotipos e, muitas vezes, apontam o período matinal como o segredo de seu sucesso. A jornalista econômica Laura Vanderkam escreveu todo um e-book sobre o tema, chamado *What the Most Successful People Do Before Breakfast* [O que as pessoas mais bem-sucedidas fazem antes do café da manhã], e descreveu os rituais matinais de dezenas de pessoas ricas e poderosas. Então o que eles fazem enquanto o resto da humanidade está sonhando? De acordo com Laura Vanderkam, eles se exercitam, praticam um hobby, meditam, escrevem listas de tarefas, passam o tempo com a família, criam estratégias para planos gerais, se atualizam com e-mails e informações e interagem, imagino eu, com outros leões para tramar a dominação mundial.

"Dormir cedo e acordar cedo torna o homem saudável, rico e sábio" é uma frase que costuma ser atribuída ao leão Benjamin Franklin, que também era um grande defensor de listas de tarefas e de começar a manhã (bem cedo) com a pergunta: "O que devo fazer de bom hoje?".

O ritual matinal das cinco às oito horas da manhã dele era "despertar, banhar-se e tratar com o Todo-Poderoso; planejar os afazeres do dia e tomar a resolução do dia; prosseguir o estudo atual; e café da manhã". Ou, em outras palavras mais modernas, "acordar, tomar banho, meditar, planejar o que é preciso fazer e prometer que vai cumprir, atualizar-se um pouco no que está acontecendo e depois COMER!". Parece um bom plano.

Golfinhos e ursos não estão alertas de manhã, e obrigá-los a seguir o ritual matinal de um leão seria um desperdício de horas de sono das quais precisam para evitar a privação. (Ficar privado de sono NÃO é um bom caminho para a riqueza.) Em vez disso, quem precisa de algumas horas a mais de sono para pegar no tranco deve prestar atenção no **ritmo das grandes ideias** — ou usar o período de criatividade elevada para colher ideias brilhantes que farão piscar mais cifrões dançantes em seu olho.

Antes de entrar em "quandos" específicos das grandes ideias, uma breve explicação de onde elas vêm. As três redes cerebrais geradoras de ideias são:

- A **rede de controle** envolve partes do córtex pré-frontal e do lobo parietal posterior. Ela se acende quando você está focado e concentrado na resolução de um problema difícil.

- A **rede de imaginação**, ou rede-padrão, envolve partes do córtex pré--frontal, as regiões médias do lobo temporal e de outras áreas. É a "mente divagante", a rede de fantasias, e ativa-se quando seus pensamentos vão aos meandros do passado ou se projetam para o futuro.

- A **rede de flexibilidade**, nos córtex cingulados anteriores dorsais e nas regiões insulares anteriores, mantém sua mente consciente do que está acontecendo dentro e fora de seu corpo e ajuda a priorizar os pensamentos mais importantes que você tem em determinado momento. Pode ser "Estou com fome" ou pode ser a linha tênue de pensamento que leva você da rede de imaginação para a de controle a fim de parar de sonhar alto e se concentrar em uma grande ideia.

Se você reunir todas essas três redes, vai conseguir gerar, reconhecer e aprimorar uma grande ideia.

Mas quando? *Quando* surge o lampejo? A verdade é que ele pode acontecer a qualquer momento. Para um estudo da neurociência do insight, pesquisadores da Universidade Northwestern usaram ressonâncias magnéticas e eletroencefalogramas para localizar a atividade neural em diferentes horários, durante os momentos de iluminação ("ahá!") dos indivíduos estudados.[9] Eles encontraram que um lampejo repentino é exatamente isso: repentino. Pode estar totalmente não relacionado a pensamentos anteriores e seguir um cronograma próprio, imprevisível e impossível de rastrear.

Dito isso, uma vasta gama de outras pesquisas determinou que a mente divagante, distraída e fora do ápice está preparada para o lampejo súbito.[10] Quando sua mente está "em repouso", ela não fica inativa. Processa memórias e ideias ativamente. O pensamento criativo que vale ouro não ocorre enquanto você lê o jornal, assiste à TV, checa o e-mail ou navega na internet. Mas pode acontecer enquanto você toma banho, pica legumes, medita, olha para o nada ou está quase dormindo na cama. No Google, uma empresa que entende os mecanismos da criatividade, o pensamento criativo pode acontecer durante o que eles chamam de "20% do tempo", a parte da jornada de trabalho dos engenheiros devotada a fantasias para que tenham ideias novas.

Ursos e golfinhos têm muitas oportunidades para a deriva mental produtiva ao longo do dia quando não estão concentrados em uma tarefa. Recomendo aos ursos e golfinhos que usem um truque dos leões e façam uma lista de períodos específicos em que podem fantasiar durante cerca de vinte minutos sem uma proposta de pensamento. Pode ser logo depois de acordar, durante a baixa vespertina ou quando tomarem um banho quente à noite.

Os lobos são naturalmente criativos. A verdade é que eles têm ideias brilhantes demais e não têm organização para concretizá-las. Sempre pensei que lobos e leões deveriam ser sócios. O lobo pode ser o responsável pelas ideias, enquanto o leão é o operador delas.

Os lobos também têm outra arma secreta para a riqueza, uma que falta para os leões. Algum palpite?

Quais *são* os hábitos de pessoas extremamente ricas? Obviamente, networking, trabalho duro e diligência são importantes. Mas assumir riscos também. Na maioria, os lobos dominam o **ritmo de assumir riscos**. Em um estudo da Universidade de Chicago, 172 homens e mulheres entre vinte e quarenta anos foram divididos por cronotipo e testados segundo a escala de propensão ao risco específico (Epre) para avaliar seu nível de conforto em relação a riscos em cinco domínios — ético, financeiro, saúde/ segurança, recreativo e social.[11] Os indivíduos avaliavam numa escala de um a sete (em que um era "extremamente improvável" e sete, "extremamente provável") reações a situações como:

1. Admitir que seus gostos são diferentes dos de seus amigos.

2. Acampar na natureza.

3. Apostar o pagamento de um dia em uma corrida de cavalos.

4. Investir 10% de sua renda anual em um fundo diversificado de crescimento moderado.

5. Beber muito em um evento social.

6. Fazer algumas decisões questionáveis na declaração de imposto de renda.

7. Discordar de uma figura de autoridade em uma questão importante.

8. Apostar o pagamento de um dia em um jogo de pôquer de alto risco.

9. Ter um caso com uma pessoa casada.

10. Entregar o trabalho de outra pessoa fingindo ser seu.

Os achados:

Leões homens eram os mais propensos a assumir riscos sociais, como discordar de uma figura de autoridade ou expressar a opinião em uma reunião.

Todos os outros prêmios de assumir riscos foram para os lobos. As mulheres eram as mais propensas a assumir riscos éticos, financeiros e de saúde; os homens eram os mais propensos a assumir riscos recreativos.

Os lobos são impulsivos e buscam a novidade, mas também são inteligentes. Os melhores riscos deles são calculados. Toda equipe deveria ter pelo menos um lobo que diga: "Vamos arriscar!". Eles podem cometer muitos erros, mas são espertos o bastante para aprender com eles.

RESUMO RÍTMICO

Ritmo do ritual matinal: Quando os leões fazem bom uso das primeiras horas da manhã para traçar o caminho rumo à dominação mundial.

Ritmo das grandes ideias: Quando todos os cronotipos usam o poder de fantasiar para ter a próxima grande ideia que os deixará ricos.

Ritmo de assumir riscos: Quando os lobos usam seu nível de conforto com altos riscos e podem acabar abrindo caminho para a grandeza.

A PIOR HORA PARA FICAR RICO

12h às 14h. Na hora do almoço, todos os cronotipos estão alertas e focados, e, portanto, **não** fantasiam nem assumem riscos.

A MELHOR HORA PARA FICAR RICO

Golfinho: 9h às 12h, devaneio da inércia do sono.

Leão: 6h às 9h, quando você tem o mundo só para você.

Urso: 7h às 9h, devaneio da inércia do sono. **20h às 23h,** devaneio noturno.

Lobo: 7h30 às 10h, devaneio da inércia do sono. **21h à 0h,** devaneio noturno.

NEGOCIAR

Fracasso: Negociar um carro, casa ou aumento quando se está cansado, com fome ou irracional e sair perdendo no acordo.

Sucesso: Negociar um carro, casa ou aumento quando se está no ápice da concentração e da energia e sair ganhando no acordo.

CIÊNCIA BÁSICA

A essa altura, você já deve saber que está mais alerta, forte e lúcido durante suas horas de pico de alerta.

- **Golfinho: meio da tarde.**

- **Leão: começo da manhã.**

- **Urso: meio da manhã.**

- **Lobo: começo da noite.**

Nesses períodos, você conseguirá fazer os cálculos necessários e será mais articulado numa negociação. Você também sabe que, seja qual for a hora do dia, se estiver privado de sono, vai ficar irritadiço, enevoado e incapaz de defender o que deseja até seu potencial máximo.

Mas, para negociar um bom acordo, não basta estar no ápice cronorrítmico. É preciso levar em conta outros fatores relativos a suas capacidades e às da pessoa com quem você negociará.

O **ritmo de implacabilidade** é a hora do dia em que os limites éticos ficam turvos. Os psicólogos chamam de "efeito de moralidade". Qualquer pessoa que entre em uma concessionária sabe que ambos os lados da negociação vão fazer o possível para conseguir um bom preço e uma boa comissão — inclusive podem dizer ou fazer de tudo para tanto. As pessoas são mais (ou menos) propensas a ser antiéticas em determinadas horas do dia. Segundo um estudo realizado por pesquisadores da Cornell e da Johns Hopkins, a hora do dia determina quando as pessoas são mais propensas a trapacear num jogo.[12] Pediu-se aos indivíduos estudados que jogassem, com incentivos financeiros (pontuações mais altas = mais dinheiro) para vencer, e autorrelatassem as pontuações. Os tipos matutinos foram mais honestos em relação às próprias pontuações matinais. Os vespertinos foram mais honestos à noite. Nenhum dos dois tipos foi mais honesto do que o outro, mas ambos tiveram momentos distintos de moralidade flexível.

Como todo leitor deste livro é um bom cidadão honrado que nunca mentiria ou roubaria para conseguir um acordo melhor, simplesmente descubra o cronotipo de seu oponente — por exemplo, o vendedor de carros — e programe as negociações de acordo com o efeito de moralidade dele. Pessoas cansadas têm moral flexível. Pessoas alertas são mais honestas. Basta fazer algumas perguntinhas básicas na fase inicial da negociação:

1. "Não consegui dormir nada esta noite. Você tem esse problema? Insônia?" **Se o vendedor for um golfinho, negocie à tarde.**

2. "Vamos fazer um test drive primeiro. Você está livre às 6h30min?" Vendedores que não são leões vão adiar para depois. Se ele aceitar encontrar você de manhã e estiver enérgico, pode ter certeza que é um leão. **Se o vendedor for um leão, negocie na hora do almoço.**

3. "Fico com um maldito sono depois do almoço. Parece que alguém pôs drogas na minha sopa. E você?" Se ele concordar sinceramente, é provável que seja um urso (já é provável que seja um urso de todo modo, com base nas porcentagens da população). **Se o vendedor for um urso, negocie no meio da tarde.**

4. "Quando vocês fecham? Só consigo chegar à concessionária depois das oito horas da noite." Os leões estarão mortos de cansaço a essa hora, enquanto os ursos farão o possível para não resmungar por fazer hora extra no trabalho. Um lobo vai aceitar de primeira ver você à noitinha. **Se o vendedor for um lobo, negocie à noite.**

O **ritmo de ápice de negociação** também é determinado pela hora do dia. Quando você está mais capacitado para negociar? Resposta curta: não é antes do almoço.

Pesquisadores da Universidade Ben-Gurion, em Berseba, Israel, se propuseram a determinar se decisões judiciais em audiências de liberdade condicional se baseavam apenas em fatos ou se outras questões — psicologia, política, fatores sociais — entravam em jogo.[13] O resultado foi que nenhum desses fatores importava, mas que a hora na qual o caso era atendido em relação às pausas de almoço e lanche dos juízes fazia uma diferença significativa.

Nas sessões matinais, os juízes começavam com 65% de decisões favoráveis, que caíam para zero decisões favoráveis logo antes da pausa para o almoço, independentemente da audiência e dos dados demográficos do prisioneiro que pedia condicional. Depois da pausa para o almoço, as decisões positivas voltavam a 65%. Seria possível pular para a conclusão de que a fome fazia os juízes rejeitarem a liberdade condicional logo antes do almoço. Os pesquisadores acreditam que a capacidade mental dos juízes de tomar decisões estava esgotada depois de algumas horas de "sobrecarga de decisões". Subconscientemente, os juízes deviam pensar: "Já disse sim muitas vezes; é melhor começar a dizer não".

Parte da baixa de alerta antes do almoço é hormonal. A hipoglicemia de jejum é conhecida como "baixo açúcar no sangue", ou aquilo que acontece quando se passa mais de quatro horas sem comer. A insulina, o hormônio que comanda a distribuição de glicose (energia) pelo corpo, começa a fazer hora extra e o resultado é a sensação de confusão, tontura, cansaço, ansiedade e irritabilidade — aquela sensação de "Preciso comer *agora*!". Quando está nesse estado, você não consegue se concentrar em nada além de comida, e sua capacidade de negociar ou até conversar fica prejudicada.

Mesmo os juízes são suscetíveis ao cansaço de tomar decisões e à fome. Não se pode esperar que cidadãos comuns fechem negócio quando estão cansados, com fome ou esgotados. Então planeje suas negociações em um momento em que esteja bem alimentado e mentalmente revigorado. Se estiver na quinta negociação do dia, saiba que há grandes chances de seu oponente tirar vantagem de você. A experiência é uma ferramenta valiosa, mas não tão poderosa quanto o tempo.

RESUMO RÍTMICO

Ritmo de implacabilidade: Quando a sua moral e ética (ou do seu oponente) estão flexíveis, aumentando as chances de mentir e trapacear.

Rimo de ápice de negociação: Quando já faz um tempo que você comeu e se sente esgotado e faminto, não conseguindo se concentrar na negociação.

A PIOR HORA PARA NEGOCIAR

Logo antes do almoço, especialmente depois de uma noite maldormida. Você vai ceder.

A MELHOR HORA PARA NEGOCIAR

Golfinho: 14h, depois do almoço e da queda de energia e atenção vespertina pós-prandial.

Leão: 8h, depois do café da manhã.

Urso: 15h, depois do almoço e da queda de energia e atenção vespertina pós-prandial.

Lobo: 16h, depois do almoço e da queda de energia e atenção vespertina pós-prandial.

"SOU MELHOR EM DIZER 'NÃO'."

"Como supervisor do meu departamento, tenho que negociar o dia todo com vendedores e com a minha equipe", disse **Ben, o urso**. "Não faço negociações milionárias, mas coisas pequenas como dizer quando um empregado pode tirar férias e quem fica com qual turno. Eles sempre tentam sair ganhando, mas preciso ter o departamento todo em mente. Enfim, a ciência sobre negociação me deixou curioso. Queria ver se eu cedia mais de manhã e menos à tarde. A ciência não mente. Quando estou cansado, eu cedo, especialmente se a pessoa que faz o pedido tiver muita energia. Não consigo negar um favor para um leão logo de

> manhãzinha, nem o pedido de um lobo ao fim do dia. Dizer 'sim' com muita facilidade causa problemas para mim depois, quando preciso me virar para preencher as lacunas. Então estabeleci uma regra no meu departamento: só ouço aos pedidos de folgas/ férias e trocas de turno entre 15h30min e quatro horas da tarde. Essa única mudança tornou meu trabalho muito mais fácil! Estou mais organizado e melhor em dizer 'não, isso não funciona para mim'."

VENDER

Fracasso: Não conseguir persuadir alguém a comprar o que quer que você esteja vendendo.

Sucesso: Projetar confiança e flexibilidade suficiente para convencer o freguês ou cliente a comprar seus produtos.

CIÊNCIA BÁSICA

A dança entre comprador e vendedor é delicada. Pode parecer que você conseguiu fazer um cliente ou freguês comprar o que você está vendendo mas então, de repente, ele decide recuar. Nem sempre é fácil saber quais são os fatores decisivos a seu favor. Mas a maioria das pessoas pode usar alguns cronotruques para fechar negócio.

Talvez a ferramenta mais importante para um vendedor seja transparecer confiança. O **ritmo de confiabilidade** está na sua cara. Não precisa ser atraente para parecer honesto. Na verdade, ser atraente faz você parecer *menos* confiável. Em um estudo da Universidade de Princeton, pesquisadores criaram digitalmente onze rostos femininos que ranquearam objetivamente de "menos atraente" a "mais atraente", com rostos "típicos" no meio.[14] Usando uma escala de nove pontos, pediu-se aos participantes do estudo que classificassem os rostos com base em confiabilidade. Os resultados revelaram que os rostos menos e mais atraentes não eram considerados tão confiáveis quanto os "típicos".

Em um estudo sueco não relacionado, pesquisadores pediram que quarenta participantes avaliassem fotos de rostos de pessoas de acordo com fadiga e tristeza.[15] Algumas das pessoas nas fotos estavam de fato exaustas e tinham ficado 31 horas acordadas antes de ser fotografadas. Os participantes avaliaram as pessoas privadas de sono como pessoas com cílios pesados, olhos vermelhos e inchados, olheiras, mais rugas, baba no canto da boca — nada de bonito. Inclusive, as pessoas fatigadas foram descritas como "tristes" pelos participantes. A tristeza pode ser uma emoção comum, mas, nos rostos dos vendedores, *não* é uma expressão comum, tampouco um aval forte de sua confiabilidade. Não tente vender quando estiver cansado ou durante as horas sonolentas do dia.

Golfinhos: Sinto muito, mas vocês não têm carreiras promissoras em vendas.

Para conseguir vender, é preciso não parecer desesperado para fazer a venda. Em certas horas do dia, seus hormônios deixam você agressivo. Da perspectiva do comprador, a agressividade é um ponto negativo. Um estudo holandês descobriu que níveis mais elevados de testosterona, o hormônio da agressividade, reduziam a confiança interpessoal.[16] Usando um aparelho de ressonância magnética, pesquisadores testaram doze mulheres para ver como elas reagiriam ao avaliar a confiabilidade das pessoas. A única base de julgamento delas era a aparência facial das pessoas avaliadas. As mulheres que haviam tomado uma injeção de testosterona tinham menos chances do que o grupo de controle de julgar um rosto como confiável. Quando o hormônio da agressividade está fluindo, um comprador é menos propenso a ver um vendedor como idôneo. Para o urso comum, a testosterona chega ao ponto alto no começo da manhã e depois do exercício. Ao vender, saiba que seu comprador está propenso a ser desconfiado durante esses períodos.

Um estudo japonês fez uma relação semelhante entre níveis elevados de cortisol e desconfiança.[17] O cortisol tem um ritmo circadiano definido, mas também se eleva em situações de estresse. Se seu comprador se sentir estressado, ele reagirá com desconfiança, e é improvável que feche negócio.

O **ritmo de flexibilidade**, ou quando o cérebro está mais ágil e capaz de ver todos os ângulos, ajuda a efetuar uma venda. Um estudo mexicano com oito indivíduos testou a flexibilidade cognitiva deles a cada cem minutos em um período de 29 horas.[18] A função executiva caiu fortemente nos períodos fora do ápice de alerta e desempenho, o que resultou em redução das habilidades de resolução de problemas e tomada de decisões. Quando você tenta efetuar uma venda e precisa pensar rápido para afastar a hesitação ou as objeções de um potencial comprador, seu cérebro fica mais lento e menos calculista durante os períodos de baixa circadiana do seu cronotipo.

No entanto, é possível remediar facilmente pelo menos um dos períodos diários de baixa. Segundo um estudo belga, um cochilo de meia hora ou o mesmo período de exposição à luz forte possibilitou que os indivíduos transformassem a baixa vespertina deles em flexibilidade cognitiva.[19] Em comparação com os grupos de controle, os indivíduos que cochilaram e ficaram expostos à luz forte pontuaram melhor nos testes que mediam a capacidade de mudar de um assunto para outro e de pensar em mais de uma coisa ao mesmo tempo — exatamente o tipo de capacidade mental de estar dois passos à frente, necessário para efetuar uma venda. Como cochilar não é praticável para a maioria dos trabalhadores, a exposição à luz forte à tarde é uma opção viável para apertar o botão de reset em suas capacidades de venda.

RESUMO RÍTMICO

Ritmo de confiabilidade: Quando você apresenta sua melhor expressão para ganhar a confiança de potenciais compradores.

Ritmo de flexibilidade: Quando você consegue pensar rápido e pensar em mais de uma coisa ao mesmo tempo para estar um passo à frente das objeções de seu comprador.

A PIOR HORA PARA VENDER

Antes das 10h e depois das 22h, quando é mais provável que você pareça cansado, o que afeta a percepção de confiabilidade em relação a você. Além disso, você vai estar fora de seus ápices de flexibilidade cognitiva no início da manhã e no fim da noite.

A MELHOR HORA PARA VENDER

Golfinho: 17h às 21h. O nível de cortisol está fluindo, deixando você desperto e cognitivamente ágil. Aproveite para vender!

Leão: 10h às 15h. Pare antes do nível de cortisol cair à tarde e você começar a se sentir (e parecer) cansado.

Urso: 10h às 18h. Os ursos dão ótimos vendedores e vão atingir seu potencial máximo no meio da manhã e à tardezinha. Faça uma pausa à tarde para restaurar sua flexibilidade cognitiva e você vai estar pronto para voltar com tudo.

Lobo: 16h às 22h. Pegue o turno final, trabalhe com telefone ou agende reuniões para quando seu rosto estiver parecendo desperto, o cortisol estiver bombando e você estiver pronto para deslumbrar.

14. Lazer

ASSISTIR A UMA MARATONA DE TV

Fracasso: Ficar vidrado assistindo hora após hora a seus programas favoritos até tarde da noite, causando culpa, insônia e inércia do sono.

Sucesso: Ficar vidrado assistindo hora após hora a seus programas favoritos mais cedo e desligar a TV em um horário razoável para evitar culpa e sonolência.

CIÊNCIA BÁSICA

A essa altura, você já tem uma noção de como os ritmos circadianos são afetados quando você dorme, come, se exercita, trabalha, pensa e aprende. Como você se diverte e passa seu tempo livre também pode perturbar ou reforçar seus ritmos circadianos.

Assistir à TV é algo tão comum como arroz com feijão. A jornada de trabalho termina, a louça do jantar está lavada e a família se joga no sofá para relaxar diante da tela grande. Minha família também assiste à TV e temos nossos programas favoritos individual e coletivamente. Certas noites, ligamos a TV às oito horas da noite e a deixamos ligada até a "hora de desligar". Três horas diante da tela cintilante — normalmente combinada com celulares e tablets na mão — não é nem de longe o hábito menos saudável. Mas todos sabemos que tudo que é demais faz mal, e isso inclui a TV.

A primeira coisa a se considerar é o **ritmo de insônia**, ou como as emissões de luz azul da TV que entram em seus olhos à noite bagunçam seu ciclo de sono/ vigília. De acordo com seu biotempo evolutivo, a essa hora era para estar escuro feito breu. Sua glândula pineal fica confusa. Era para ser de noite e ela deveria secretar melatonina para fazer você se sentir sonolento, mas toda essa luz azul brilhante que imita a luz do sol deve significar que ainda é de dia e que a melatonina deve ser suprimida. Assistir à TV a três metros de distância em um cômodo escuro não vai perturbar tanto os seus ritmos. Mas qualquer pessoa com insônia crônica ou esporádica será afetada por fazer maratonas de série em dispositivos manuais como tablets ou celulares.

Para os golfinhos, qualquer exposição à luz forte depois que anoitece pode desencadear uma cascata hormonal invertida, deixando-os acordados por horas a fio. Acho interessante que muitos dos meus pacientes golfinhos pensam que precisam da TV para sentir sono. Na realidade, ela os mantém em um ciclo de privação do sono.

O **ritmo de depressão** associado a fazer maratonas de TV compulsivamente é como a história do ovo ou da galinha. Um estudo da Universidade do Texas com 316 jovens relacionou a prática com solidão, depressão, impulsividade e comportamentos viciosos.[1] Grandes usuários de TV não conseguiam parar de assistir a um episódio só a mais, que se transformava em outro e mais outro. Mas o que vinha primeiro? A depressão e a solidão ou as sessões de maratona de *Breaking Bad*? Esse é um fenômeno psicológico tão recente que, enquanto escrevo, a ciência ainda não sabe. Sabemos, porém, que lobos são mais propensos do que os outros cronotipos a sofrer de solidão, depressão e vícios e que é muito fácil para eles ficar acordados até tarde assistindo à TV, causando grande dano ao seu biotempo, já fora de sincronia com as normas sociais.

Um estudo norueguês relacionou o uso de eletroeletrônicos na cama (assistir à TV, computadores, video games, aparelhos portáteis) a insônia e sonolência diurna.[2] A relação foi comprovada diversas vezes.

Os noruegueses também encontraram que, dentre os mais de quinhentos indivíduos estudados, o período de tempo de uso de tela na cama era correlacionado ao cronotipo. Tipos matutinos eram os que menos usavam eletroeletrônicos na cama. Tipos vespertinos eram os que mais os utilizavam, o que fazia os sintomas de insônia e torpor matinal se agravarem.

Para os lobos, assistir a mais de duas horas de TV à noite definitivamente os mantém acordados à noite, deixa-os cansados ao longo do dia e agrava comportamentos pessoais mais nocivos.

O **ritmo de comer demais** também é associado a assistir à TV compulsivamente. Exagerar em um prazer dá margem a outro. A ciência traçou um mapa claro do sofá até a geladeira. Pesquisadores da Bowling Green State University fizeram um estudo com 116 adultos de meia-idade com sobrepeso em um programa de perda de peso e verificaram que comer e assistir à TV em excesso andam de mãos dadas.[3] Se você assiste à TV, vai comer, mesmo se estiver tentando perder peso.

Para ursos e lobos, o excesso de televisão vai resultar em consumo excessivo de calorias. Assistir à TV e comer demais à noite são a pior combinação possível se você estiver tentando perder alguns quilinhos.

Passar muito tempo na frente da TV é sempre ruim? Claro que não! Passar uma tarde de domingo com sua série favorita e um balde de pipoca é uma experiência divertida e faz parte da nossa cultura. Eu não perderia as maratonas de leilão de carros Barrett-Jackson com meu filho por nada neste mundo. O cronotruque é fazer sua maratona de TV durante o dia, quando a luz azul não vai manter você acordado e quando comer demais não vai confundir tanto seu metabolismo. Assistir à TV com os amigos e a família é uma forma de *evitar* a solidão e a depressão. Os lobos fariam bem em assistir programas com alguém que tem o autocontrole de desligar a TV depois de dois ou três episódios, impedindo um círculo vicioso aparentemente inofensivo, mas com graves consequências emocionais.

RESUMO RÍTMICO

Ritmo de insônia: Quando fazer maratonas de TV (na cama ou fora dela) interfere na liberação de melatonina e provoca dificuldades para dormir.

Ritmo de depressão: Quando o excesso de TV resulta em solidão e depressão (ou vice-versa), principalmente em lobos.

Ritmo de comer demais: Quando exagerar em um vício leva a outro.

A PIOR HORA PARA FAZER MARATONAS DE TV

Depois das 22h. Todos os cronotipos que seguem horários de trabalho na norma social devem desligar todos os eletroeletrônicos para começar sua "hora de desligar" à noite (ver p. 208). Isso inclui os aparelhos portáteis.

A MELHOR HORA PARA ASSISTIR À TV

Golfinho: 10h às 14h. Um período da manhã até a tarde durante a inércia do sono. À tarde, sua lucidez chega com tudo e é nessa hora que a TV deve ser desligada.

Leão: 19h às 22h. Quando você estiver relaxando. Leões que têm ataques de insônia ocasionais não devem assistir na cama em aparelhos portáteis.

Urso: 15h às 21h. Aos fins de semana. Não caia na armadilha de ficar acordado a noite toda no sábado. Isso vai arruinar seus padrões de sono durante a próxima semana de trabalho.

Lobo: 17h às 23h. Aos fins de semana. Não caia na armadilha de ficar acordado a noite toda no sábado. Isso vai arruinar seus padrões de sono durante a próxima semana de trabalho. Os lobos não devem assistir à TV sozinhos. Se tiver um amigo ou parente para assistir com você, você conseguirá se controlar e impedir a espiral de "só mais um episódio".

A TRÍADE DO MAL

Um ótimo nome para uma série de TV, não? A tríade do mal na verdade é um termo psicológico. Ela se refere a três características que, presentes numa mesma pessoa, criam um monstro humano.

Psicopatologia: Ausência de remorso, impulsividade, insensibilidade.
Narcisismo: Orgulho, egomania, falta de empatia.
Maquiavelismo: Manipulação, falsidade, exploração, calculismo.

Esta é uma versão muito curta do teste de personalidade da tríade do mal.[4] Indique se você concorda ou discorda com as seguintes afirmações:

1. Não é prudente contar seus segredos.

2. Gosto de usar manipulações ardilosas para conseguir o que quero.

3. Muitas atividades em grupo costumam ser insossas sem mim.

4. Faço de tudo para ter as pessoas importantes ao meu lado.

5. Gosto de me vingar das autoridades.

6. A vingança precisa ser rápida e cruel.

Quanto mais fortemente você concordar, mais sombria é sua personalidade.

A má notícia para os lobos: Pesquisas indicam que, independentemente do gênero, você tem mais chances de possuir essas características.[5]

A boa notícia para todos os cronotipos: Os personagens mais envolventes e fascinantes a que adoramos assistir na TV exibem essas características descaradamente. Se alinharmos as características dos personagens de TV com os respectivos cronotipos, pode ter certeza que os vilões serão criaturas noturnas.

Faça o teste acima novamente, mas, desta vez, finja ser... Walter White de *Breaking Bad*, Don Draper de *Mad Men*, Cersei Lannister de *Game of Thrones* ou Frank Underwood de *House of Cards*.

Sabe o que isso significa? Os personagens da tríade do mal são perversos, egoístas, desonestos, manipuladores e inescrupulosos — e compulsivos por maratonas.

ENTRAR NA INTERNET

Fracasso: Navegar na internet compulsivamente o dia todo e/ ou tarde da noite, causando insônia, torpor no dia seguinte, falta de produtividade e ansiedade.

Sucesso: Navegar na internet em busca de lazer e informações durante os períodos de baixa e sair antes da hora de dormir para evitar insônia.

CIÊNCIA BÁSICA

Antes de entrar nas pesquisas, quero traçar um limite entre o que chamo de uso de internet divertido e funcional e aquele que suga o tempo e a mente.

O uso de internet divertido e funcional é ficar on-line com um propósito vago, fazer compras, mandar mensagens, se informar e ficar a par das redes sociais durante uma ou duas horas por dia.

O uso de internet que suga o tempo e a mente (STM) inclui todo o resto, as pesquisas infinitas no Google sobre coisas com que você nem se importa, os cliques entediados de um link para outro, as checadas constantes e compulsivas nas redes sociais.

Embora você já deva saber que o uso STM de internet atrapalha seu trabalho, talvez não saiba o que ele faz com seu biotempo e sua felicidade geral.

Como você sabe, cada cronotipo tem algumas horas de pico de alerta por dia. O foco e a energia ficam em alta. Toda essa concentração e excitação são desperdiçadas no uso compulsivo de internet. Eu mesmo caio nesse buraco negro de vez em quando. Começa bem, com uma pesquisa objetiva no Google, e depois de três horas ainda não fiz nada de útil. Deixar que os cliques de seus dedos levem você a lugares inesperados tem seu valor. Durante as horas criativas de fácil distração, você pode encontrar um pote de ouro no fim de um arco-íris virtual inesperado. Mas, durante as horas de alerta, deixe o arco-íris de lado para não desperdiçar seu **ritmo de produtividade**.

As redes sociais são o inimigo da dedicação. Adivinha qual cronotipo é mais vulnerável à tentação do Facebook? Segundo um estudo espanhol sobre o grau em que o Facebook interfere na vida das pessoas, os vencedores (perdedores) são os tipos vespertinos.[6] Um estudo japonês confirmou a obsessão dos lobos pelas redes sociais entre os quase duzentos indivíduos estudantes de medicina.[7] Em especial, as mulheres vespertinas não se cansam do Twitter. A questão é toda sobre a impulsividade. Os lobos veem a janelinha de notificação na tela inicial e não conseguem resistir a clicar para ver o que está acontecendo, acabando por ser sugados por ela.

Ao fazer isso, colocam as vias neurais em perigo. O **ritmo de confusão**, ou quando se está zonzo e desnorteado, propenso a cometer erros, tem relação com a frequência do uso de internet. Um estudo britânico com 210 indivíduos em idades entre dezoito e 65 anos relacionou o uso de internet com falha de memória e função motora.[8] Quanto mais tempo os indivíduos passavam em smartphones, mais erros cometiam na logística cotidiana. As "falhas cognitivas" deles eram coisas como esquecer compromissos, não ouvir quando falavam com eles, esquecer objetos e lugares e ler errado as placas de trânsito.

Aparentemente, smartphones podem deixar a pessoa idiota.

Como a maioria de nós carrega celulares no bolso ou na bolsa e os checa constantemente, é meio difícil apontar exatamente quando o uso compulsivo de internet é mais destrutivo. O **ritmo de tráfego**, ou quando mais gente está on-line, é *bem* conhecido e age contra certos cronotipos. A hora do rush da internet — o período do dia em que o tráfego na autoestrada de informações é mais intenso — vai das sete às onze horas da noite. Para leões e ursos, isso acaba sendo relativamente positivo. Os ursos estão fora do ápice nesse período, e, se conseguirem entrar na internet depois do jantar para ler os blogs e sites favoritos e sair às dez horas da noite, o uso de internet não vai afetar seu biotempo. O mesmo vale para os leões.

No entanto, o ritmo de tráfego é uma má notícia para os golfinhos, visto que *qualquer* exposição a atividades que excitem o cérebro — como clicar em um artigo interessante ou comentar um post intrigante de um amigo — vai virar os sistemas hormonais e circulatórios já zonzos deles de ponta-cabeça.

Os lobos enfrentam as maiores dificuldades. Mencionei um estudo norueguês que provou que o uso de aparelhos eletrônicos na cama — uma prática típica dos lobos — causa insônia e torpor no dia seguinte.[9] Eu entendo: é difícil desligar o tablet à noite. Mas, se não fizer isso, ele vai tirar seu biotempo de sincronia por dias. Se você acha difícil sair da internet à noite, imagine para os adolescentes, um subgrupo da população cuja maioria tende a ser lobo. Em um estudo taiwanês com quase 3 mil estudantes que haviam acabado de entrar na universidade, os pesquisadores dividiram os indivíduos por cronotipo e testaram uma variedade de traços de personalidade e comportamentos, que incluíam transtorno obsessivo-compulsivo (TOC), ansiedade e hábitos de sono irregulares.[10] Além de ser mais compulsivos e viciados em internet, os lobos adolescentes do estudo usavam os fins de semana para recuperar o sono perdido (o que não ajudava em nada) e eram mais ansiosos do que os leões e ursos. O lado bom? Quanto mais apoio familiar eles recebiam, especialmente das mães, melhor ficavam em relação a ansiedade, TOC e vício em internet. Não estou defendendo que os pais fiquem em cima dos filhos, mas não há nada de errado em dizer: "Desliga esse troço logo!".

Na verdade, não há nada de errado em dizer isso a você mesmo. A maioria dos cronotipos é capaz de evitar o buraco negro da internet no começo do dia. O **ritmo de força de vontade** foi investigado pelo psicólogo social Roy Baumeister, que, em 1997, descobriu o fenômeno de "esgotamento do ego" ou "esgotamento da força de vontade". Em um estudo famoso, os indivíduos estudados por Baumeister sentaram diante de uma mesa com um prato de cookies assados na hora e uma tigela de rabanetes.[11] Metade dos indivíduos foi instruída a comer os cookies; os rabanetes, bem menos apetitosos, foram oferecidos à outra metade. Em seguida, pedia-se a todos que resolvessem um problema de matemática complexo. Os que comeram rabanete desistiram após oito minutos. Os monstros dos cookies continuaram no problema por dezenove minutos. Os pesquisadores concluíram que, ao esgotar a força de vontade ao resistir aos cookies deliciosos, o grupo de rabanetes esgotou a própria energia para a resolução do problema e, teoricamente, qualquer desafio que pudessem enfrentar depois.

Descrevi esse estudo para uma amiga minha e a resposta dela foi: "Não quer esgotar a força de vontade? Então coma a porcaria do cookie!". O que pode ou não acabar com a ideia de resistir à tentação. Comer o cookie de dia torna mais fácil resistir à noite? Algo a se pensar para um estudo futuro.

O que esse estudo tem a ver com o autocontrole de internet? Tudo gira em torno de resistir aos cookies, sejam eles de chocolate ou os cookies salvos automaticamente no seu navegador que levam você a seus sites favoritos mais rapidamente em um único clique. Como a força de vontade se esgota no decorrer do dia, fica mais difícil sair da internet à noite. Os ritmos de força de vontade e produtividade são perfeitamente compatíveis para leões e ursos. Para golfinhos e lobos, nem tanto. Embora a força de vontade deles seja mais forte de manhã, a produtividade aumenta com o passar do dia.

Ironicamente, a tecnologia já se adiantou para resolver o problema do uso excessivo de tecnologia. Como diz o ditado, "tem um aplicativo para isso". Escrevi este capítulo usando o aplicativo Freedom para bloquear toda a navegação de internet por um período de três horas. Outros aplicativos de bloqueio: Anti-Social, SelfControl e Cold Turkey. Passar meia hora procurando e instalando um aplicativo de restrição de internet é um investimento de tempo que vai valer muito a pena.

RESUMO RÍTMICO

Ritmo de produtividade: Quando você está mais produtivo durante o dia e não deveria perder tempo on-line.

Ritmo de confusão: Quando o uso excessivo de smartphones torna você propenso a cometer erros bestas.

Ritmo de tráfego: Quando a maioria das pessoas está on-line, travando o tráfego na autoestrada de informações.

Ritmo de força de vontade: Quando você tem a capacidade de resistir à sedução da internet.

A PIOR HORA PARA ENTRAR NA INTERNET

Horas de ápice de produtividade, dependendo do cronotipo; na última hora antes de dormir. A essa altura, você já deve saber quais são suas horas de ápice e de dormir. Saia da internet uma hora antes de ir para a cama para não perturbar o fluxo de melatonina noturna.

A MELHOR HORA PARA ENTRAR NA INTERNET

Golfinho: 9h às 15h. Bloqueie a navegação até as **21h.** Saia da internet às **22h30.**

Leão: 6h30 às 18h. Saia das internet às **21h.**

Urso: 8h às 11h. Bloqueie todos os sites não relacionados a trabalho até às **19h.** Saia da internet às **22h.**

Lobo: 9h às 15h. Bloqueie a navegação até as **22h.** Saia da internet às **23h.**

A MELHOR HORA PARA POSTAR NO TWITTER, NO FACEBOOK E PAQUERAR ON-LINE

Twitter: Segundo um estudo de dois anos realizado por sociólogos na Universidade Cornell a partir de 509 milhões de tweets, o Twitter está mais animado e entusiástico das oito às nove horas da manhã nos dias de semana e das 9h30min às 10h30min aos fins de semana.[12] Mas, se você quiser acompanhar a última guerra do Twitter, entre das dez às onze horas da noite, quando os tweets têm mais carga emocional e os usuários estão totalmente envolvidos.

Facebook: A hora de pico é das sete às oito horas da noite (incluindo fins de semana), segundo um estudo de 2015 realizado pela Klout and Lithium Technologies a partir de mais de 100 milhões de posts.[13] Poste nesse horário para conseguir mais compartilhamentos, comentários e curtidas.

Sites de namoro on-line: Segundo dois grandes sites de namoro, a época mais popular do ano para se inscrever é entre o Ano-Novo e o Dia dos Namorados. O horário em que há mais usuários ativos? Às oito horas da noite.

JOGAR

Fracasso: Jogar baralho, jogos de computador ou de tabuleiro quando você está mais propenso a trapacear, perder ou ficar com insônia.

Sucesso: Jogar baralho, jogos de computador ou de tabuleiro quando você está mais propenso a ter espírito esportivo e vencer.

CIÊNCIA BÁSICA

Embora a maioria das pessoas jogue por diversão, para matar o tempo no metrô ou no ônibus ou para passar o tempo com amigos e com a família, algumas pessoas jogam para vencer e fazem de tudo para conseguir.

O **ritmo de trapaça** é a hora do dia em que você está mais propenso a quebrar as regras. Digamos que você esteja jogando Banco Imobiliário nas festas de fim de ano com seu cunhado, um homem que iguala o valor próprio com construir uma casa em um bairro nobre. Você pode prever quando ele vai roubar dinheiro do banco (mais do que já faz normalmente) com base no cronotipo dele. Para um estudo realizado por pesquisadores da Cornell e da Johns Hopkins, os indivíduos jogaram problemas de matriz ou jogos de dados com um incentivo financeiro (quanto melhor eles jogavam, mais dinheiro recebiam por participar), e aí vem o lance: pediu-se que eles registrassem a própria pontuação.[14] Os indivíduos matutinos eram mais honestos sobre a própria pontuação de manhã e a exageravam à noite. Os tipos vespertinos tendiam a ser mais honestos à noite e exageravam a pontuação de manhã. Um tipo não foi mais honesto do que o outro, mas cada um teve seus momentos de ética questionável.

O seu cunhado metido a besta é um leão? Se sim, é provável que ele trapaceie à noite. Se ele for um lobo, vai trapacear de manhã e à tarde.

Se for um urso, é mais provável que trapaceie no fim da tarde, quando estiver cansado.

Sua cunhada golfinho vai estar vagamente fora do ápice desde manhã até a tarde. Mas, como os insones costumam ser menos agressivos e mais cautelosos, é improvável que ela trapaceie. Por outro lado, ela pode ser irritantemente zelosa sobre a conduta dos outros.

O **ritmo de perspicácia** refere-se a quando o cérebro é mais capaz de ser criativo e ligar pontos aparentemente não relacionados para formar uma imagem clara. Exemplos de jogos que exigem perspicácia: charadas, palavras cruzadas ou tudo que exija que você pense e tenha um lampejo súbito para passar para o próximo nível ou resolver o quebra-cabeça. Você vai jogar melhor esses jogos quando estiver um pouco cansado, um tanto desconcentrado e facilmente distraído — em outras palavras, em seus períodos fora do ápice. Mas cuidado! Nesses horários, você também está mais propenso a trapacear.

O **ritmo de estratégia**, o outro lado da moeda do ritmo de perspicácia, se dá quando seu cérebro é mais capaz de analisar e usar a lógica para ficar um passo à frente. Exemplos de jogos que envolvem estratégia: dominó, xadrez, dama, gamão, palavras cruzadas e a maioria dos jogos de baralho (especialmente pôquer e bridge) que exijam que você faça contas — pense com uma lógica fria e calculista. Você se sairá melhor em jogos de estratégia quando estiver alerta, capaz de se concentrar e se focar como ninguém — em outras palavras, em seus períodos ideais.

O **ritmo de azar** é quando seu cérebro está mais capacitado para assumir riscos calculados e você tem mais autocontrole para pegar suas fichas e sair antes de apostar o dinheiro do aluguel. Exemplos de jogos de azar: 21, roleta ou qualquer outro jogo que dependa apenas de sorte. (Alguém poderia argumentar que 21 é um jogo de estratégia, mas a maioria das pessoas se baseia nas regras tradicionais e torce para aparecer um ás.) A maioria dos jogos de azar não é vencida ou perdida em um biotempo. Você pode ser um urso enfrentando um leão feroz fora ou dentro do ápice — não importa. O vencedor é determinado pelo destino, não pelo ritmo circadiano.

No entanto, se você estiver tentando jogos de azar em um cassino com dinheiro de verdade, a melhor estratégia é ficar atento ao relógio. É exatamente por isso que não encontra nenhum relógio de parede nos cassinos: quando está tarde da noite e ursos e leões estão fora do ápice, eles estão mais propensos a brincar com a sorte e deixar rolar. Por quê? Quando você está cansado, fica irresponsável.[15] A privação de sono — assim como ficar até altas horas na mesa de dados — prejudica a tomada de decisões. Quando você está fatigado, o córtex pré-frontal, região do cérebro que controla os processos de ordem mais alta como o discernimento ("Será uma boa ideia?" "Será uma má ideia?"), se desliga. Um estudo realizado pelo Walter Reed Army Institute of Research colocou isso à prova.[16] Trinta e quatro participantes começaram a jogar jogos de azar no computador. À medida que jogavam, descobriam que certos baralhos davam vitórias mais garantidas, enquanto outros garantiam mais derrotas. Por um período, os participantes tomaram decisões inteligentes sobre quais baralhos usar. Mas, com o passar do tempo, os indivíduos começaram a fazer más escolhas — e começaram a perder. A privação de sono aumentou a incerteza, a sensação de que não se sabia como as coisas iriam se desenrolar. Quando você estiver cansado e cheio de incertezas, assumirá riscos maiores que dificilmente valerão a pena.

Os lobos gostam de assumir riscos, especialmente quando eles envolvem apostas. Segundo um estudo da Universidade Duke, 212 indivíduos classificaram o grau em que assumiam riscos em cinco áreas diferentes, inclusive a financeira, e verificou-se que os leões controlavam mais seus riscos financeiros, especialmente os relacionados a apostas, e que os lobos eram mais propensos a apostar.[17] Se você é um lobo e está planejando uma viagem para Las Vegas, vá acompanhado de um leão que possa tirar você de perto das mesas antes que comece a agir de maneira irresponsável.

RESUMO RÍTMICO

Ritmo de trapaça: Quando as linhas éticas estão difusas e você fica propenso a trapacear.

Ritmo de perspicácia: Quando seu cérebro está criativo e é capaz de ligar pontos aleatórios ao resolver problemas e lidar com jogos que exijam sagacidade.

Ritmo de estratégia: Quando seu cérebro está mais analítico e focado e é mais capaz de lidar com jogos que envolvem estratégia.

Ritmo de azar: Quando seu cérebro está mais capacitado para estimar os riscos calculados enquanto lida com jogos que dependem de sorte.

A PIOR HORA PARA JOGAR

2h. Mesmo para os lobos. Quando você está cansado, está propenso a trapacear, se divertir menos, tomar decisões ruins e apostar até a cueca.

A MELHOR HORA PARA JOGAR

Golfinho: Jogos que envolvam perspicácia, **10h às 14h**; jogos de azar e jogos que envolvam estratégia, **16h às 22h**.
Leão: perspicácia, **17h às 21h**; azar/ estratégia, **7h às 15h**.
Urso: perspicácia, **18h às 22h**; azar/ estratégia, **10h às 14h**.
Lobo: perspicácia, **8h às 14h**; azar/ estratégia, **16h às 23h**.

> **VICIADO EM *THE LEGEND OF ZELDA*?**
>
> De acordo com o *Manual diagnóstico e estatístico de transtornos mentais*, quinta edição, o vício em jogos on-line é diagnosticado pelos seguintes critérios:
>
> - Preocupação ou obsessão com jogos de internet.
> - Sintomas de abstinência quando não se está jogando.
> - Aumento de tolerância (é preciso passar mais tempo jogando).
> - A pessoa tentou e não conseguiu parar ou diminuir o tempo que passa jogando.
> - A pessoa perde o interesse em outras atividades da vida.
> - A pessoa continua a jogar excessivamente mesmo sabendo como o jogo afeta sua vida.
> - A pessoa mente sobre o tempo que passa jogando.

- A pessoa usa o jogo como meio de escapar da vida real.
- A pessoa perde ou coloca em risco oportunidades ou relacionamentos em virtude dos jogos on-line.

Você se identificou ou identificou alguém que conhece? O vício em jogos é um transtorno novo, mas que não pode ser subestimado, em parte porque afeta os jovens. Segundo um estudo turco com 741 adolescentes, o vício em jogos on-line é previsível por cronotipo, traços de personalidade e gênero.[18] Resumindo, rapazes lobos desagradáveis e introvertidos são os mais propensos ao vício. Leoas agradáveis e extrovertidas são as menos propensas ao vício.

Para entender por que certos tipos se viciam nesses jogos, é preciso se perguntar sobre o que eles ganham com isso. A resposta é dopamina. Quando você passa de fase no jogo, a liberação do hormônio da felicidade ativa o centro de recompensas no seu cérebro. É quase como usar drogas. Seja viciado em cocaína ou em *Zelda*, você está, na verdade, viciado em dopamina.

A dopamina flui no biotempo. Ela e a melatonina têm um horário de liberação invertido. A glândula pineal libera melatonina à noite, como já se sabe, para deixar você sonolento. Pesquisadores descobriram que a glândula pineal tem receptores de dopamina.[19] Quando a dopamina é liberada e os receptores pineais a apanham, a glândula desliga a melatonina de manhã para que você possa acordar. Existe uma relação multidimensional entre o uso de eletroeletrônicos e insônia, e sabemos agora que a dopamina representa um papel ativo.

A prescrição de desintoxicação típica para o vício em jogos on-line é encontrar maneiras na vida real de conseguir um rompante de dopamina. Um cronotruque para facilitar isso é usar um bloqueador de internet (ver p. 315) para abandonar o vício durante as horas fora de ápice, quando todos os tipos são mais vulneráveis à impulsividade. Sempre que se sentir estressado e sentir uma necessidade psicológica de escapar, em vez de recorrer a um jogo, faça atividades que estimulem a dopamina, como correr (p. 138), praticar ioga (p. 145), meditar (p. 169), tocar um instrumento (p. 275) e ler por prazer (p. 322).

LER POR PRAZER

Fracasso: Só ler contos curtos ou não ler nada.

Sucesso: Abrir um bom livro para estimular a memória e a imaginação, ativando novas vias neurais.

CIÊNCIA BÁSICA

A qualquer hora do dia ou da noite, ler faz bem. A leitura potencializa seu cérebro e ativa vias neurais que estimulam a memória, a criatividade, o vocabulário, a produtividade e a empatia.[20] Ler mantém você informado sobre o que está acontecendo no mundo. Além disso, retarda a deterioração do cérebro causada pelo Alzheimer e pela demência e torna você uma pessoa mais empática e completa.[21,22] A leitura é para a mente o que a ioga é para o corpo: ela mantém você forte, flexível, aberto a novas ideias e perspectivas.

A leitura técnica para o trabalho deve ser feita em horários de ápice de alerta para melhor aquisição. Ler por prazer? Você nunca vai me ouvir dizer que existe uma hora ruim para isso. Como médico e pesquisador, leio o dia todo, e, quando tenho um tempo livre, leio um pouco mais. Ler é um bom vício para se ter, um vício que se alimenta de si próprio. Se você ler um livro e gostar, é provável que leia outro e mais outro.

Golfinhos, tomem nota: ler reduz o nível de cortisol, o que ajuda você a dormir. O neuropsicólogo britânico David Lewis, da Universidade de Sussex, pesquisou o **ritmo calmante** em 2009. Ele pediu que voluntários se exercitassem e realizassem tarefas mentais para aumentar o nível de estresse e, em seguida, testou vários métodos de relaxamento — como ouvir música, tomar chá (afinal, era um estudo britânico), jogar video games, dar uma volta e ler um livro. Todas as estratégias funcionaram para aliviar o estresse, mas de longe a vencedora na redução da frequência cardíaca, da tensão muscular e do estresse foi a leitura. Depois de apenas seis minutos com um livro, o estresse dos indivíduos baixou em 68%. Discutindo os resultados com o *Telegraph*,

Lewis disse: "Não importa qual livro você lê. Ao se perder em um livro completamente envolvente, você pode fugir das preocupações e do estresse do mundo cotidiano, explorando por um tempo o domínio da imaginação do autor. É mais do que uma simples distração; é um envolvimento ativo da imaginação conforme as palavras na página impressa estimulam sua criatividade e fazem você entrar no que é basicamente um estado alterado de consciência".

Incentivo todos a criar uma espécie de **ritmo de ritual**, definindo um horário fixo todos os dias para se banhar dos benefícios da leitura. Você pode decidir ler no transporte público ou na hora do almoço. Se eu tivesse de recomendar o horário mais prático e benéfico para ler, seria a "hora de desligar" (p. 208) antes de dormir. É o que muitos já fazem e pode ser o único momento do dia em que conseguem se sentar com um bom livro. Algumas advertências:

1. **Se você tiver problemas de insônia, não leia na cama.** Leia em uma poltrona confortável perto da cama ou mesmo deitado no sofá. Para vencer a insônia, você precisa associar a cama apenas ao sono (e ao sexo).

2. **Leitores de livros digitais podem ter problemas.** Esse é um tema controverso, uma vez que cada vez mais pessoas usam e adoram livros digitais. Tenho uma amiga próxima que não vai a lugar nenhum sem o Kindle dela e provavelmente vai ser enterrada com ele. Como loba, ela ficou desolada quando contei os achados de um novo estudo da Escola de Medicina de Harvard: ler um livro digital uma hora antes de dormir adia o sono mais do que ler um livro impresso sob a luz de uma lâmpada normal, além de aumentar a inércia do sono no dia seguinte.[23] A culpa era da emissão de luz de ondas curtas dos leitores de livros digitais e da supressão de melatonina causada por ela. Existe tecnologia disponível para bloquear ou filtrar a luz azul — acessórios de proteção para os equipamentos, óculos, lâmpadas de luz branca. Para mais informações e minhas recomendações sobre produtos, acesse <www.thepowerofwhen.com>.

RESUMO RÍTMICO

Ritmo calmante: Quando o nível de cortisol e o estresse podem ser reduzidos naturalmente se você ler um livro por apenas seis minutos.

Ritmo de ritual: Quando você cria um horário fixo para uma atividade positiva e saudável como ler, para garantir que a realize todos os dias.

A PIOR HORA PARA LER POR PRAZER

Não. Existe. Hora. Ruim. Para. Ler.

A MELHOR HORA PARA LER POR PRAZER

Abra sua mente e seus olhos para a palavra escrita todos os dias para ter os benefícios multidimensionais à mente e ao espírito. Recomendo ler durante a "hora de desligar" à noite ao se preparar para dormir.

Golfinho: 22h.
Leão: 21h.
Urso: 22h.
Lobo: 23h.

CONTAR UMA PIADA

Fracasso: Atrapalhar-se no final ou tentar ser engraçado quando o público estiver sério.

Sucesso: Acertar em cheio na piada e ser engraçado quando o público estiver disposto a dar risada.

CIÊNCIA BÁSICA

Já se perguntou por que a comédia é sempre associada com a noite? Os programas de comédia da tv sempre começam tarde da noite — *Saturday Night Live*, *The Tonight Show*, *The Late Show*, *Late Night* etc. Os clubes de comédia só abrem depois que escurece. Os que já frequentei criam um ar artificial de madrugada com luz baixa e poucas janelas ou muitas cortinas. No universo da comédia, tudo é mais engraçado depois da meia-noite. Por quê? O humor também tem seu biotempo.

Em parte, isso se deve ao **ritmo hormonal.** Depois que escurece, o nível de serotonina — o hormônio feliz, ou "engraçadinho" — se eleva para acalmar você enquanto faz a transição para o sono. Enquanto isso, o nível de cortisol, o hormônio de lutar ou fugir, despenca. Durante o dia, as horas de caça, você está acelerado pelo cortisol. O humor fica fora de contexto. Mas, à noite, sob a influência dos hormônios felizes, você está tranquilo e relaxado — no clima certo para dar risada.

O **ritmo de intoxicação** possibilita que você "veja" a graça. Como já expliquei, ocorrem conexões criativas quando sua concentração está dispersa. Nesse momento, seu cérebro faz associações remotas e liga ideias aleatórias de uma forma que talvez não faça sentido em períodos de pico de alerta e excitação. A comédia depende da surpresa — a graça inesperada, a confusão anárquica, pegar uma coisa conhecida e virá-la de pernas para o ar. Monty Python sabia disso e usava o bordão "E agora para algo completamente diferente" no programa de tv. Um bom motivo para a consumação mínima de dois drinques nos clubes de comédia: quando você está ligeiramente debilitado, fica neurologicamente disposto a apreciar e entender a surpresa do humor.

A intoxicação pode ocorrer de diversas formas. Álcool. Maconha. Privação de sono. Tenho certeza que muitos leitores já observaram esse fenômeno na vida. Teste em casa. Assista a *Os três patetas* sóbrio às dez horas da manhã e reveja às dez da noite depois de alguns drinques ou taças de vinho. Grande diferença.

Debilitação demais, porém, não é nada engraçado. Se você já tomou uma garrafa inteira de vinho ou ficou acordado a noite toda, não

325

vai entender a piada. Cientistas do Walter Reed conduziram um estudo com 54 adultos saudáveis, mantendo-os acordados por 49 horas e mostrando-lhes desenhos e manchetes engraçadas para estudar como a privação de sono severa afetava o senso de humor.[24] Não surpreende que *nada* era engraçado para os indivíduos estudados depois de ficarem acordados por dois dias seguidos — mesmo para aqueles que haviam tomado café e medicamentos estimulantes para combater a fadiga. O córtex pré-frontal (a região que controla a tomada de decisões, o discernimento, a classificação — as capacidades cognitivas de que você precisa para entender se uma piada é ou não engraçada) deles estava arruinado.

Os dois ritmos acima giram em torno de entender o humor. A melhor hora para ouvir uma piada é tarde da noite. Mas quando é a melhor hora para contar uma? O **ritmo de fazer piada** explica por que os lobos costumam ter um senso de humor melhor do que os outros cronotipos.[25] Como todos sabem, nada é mais chato do que um bêbado tentando contar uma piada de um jeito desconexo e incoerente. Ele esquece o final, volta e corrige o começo mal descrito, como: "Um rabino, um padre e um macaco entram num bar... Espera, não era um rabino, um padre e um cavalo? Não, não era um bar, acho que era uma cadeia...". O público pega no sono enquanto o humorista confunde as frases. Contar uma piada clara e precisa exige foco e concentração, o que os lobos têm de sobra tarde da noite, quando a maioria das pessoas está fora de seu ápice e, portanto, mais propensa a entender o humor.

Ou talvez os lobos tenham um senso de humor melhor por causa de seus traços de personalidade. Como o famoso humorista lobo Mark Twain dizia: "A fonte secreta do humor não é a alegria, mas a tristeza. Não existe humor no paraíso". Tipos vespertinos são mais propensos a sofrer de ansiedade, depressão, vício, isolamento — coisas hilárias. Se a comédia realmente vem da dor, não é de surpreender que os lobos nos façam rir noite adentro.

RESUMO RÍTMICO

Ritmo hormonal: Quando diversos hormônios aumentam e diminuem, afetando o humor, o grau de alerta e a sonolência — e a capacidade de fazer piadas.

Ritmo de intoxicação: Quando o cérebro está fora do ápice graças à variação circadiana, à privação de sono ou ao uso de substâncias, e as piadas ficam mais engraçadas.

Ritmo de fazer piada: Quando o contador da piada está no ápice de sagacidade e foco para articular e se comunicar bem.

A PIOR HORA PARA CONTAR PIADA

6h às 9h. Mesmo se você estiver alerta e focado e fizer uma piada perfeita, as pessoas não estarão no clima de rir assim que acordarem.

A MELHOR HORA PARA CONTAR PIADA

Golfinho: 19h. Você tem uma concentração próxima ao ápice na hora do jantar, quando ursos e lobos estão fora o bastante de seu ápice para apreciar a piada.

Leão: 14h. Seu foco está afiado o bastante para arrasar durante a queda vespertina, quando todos os outros estão se aquietando e rindo à toa.

Urso: 17h. Você ganha um segundo fôlego ao fim de tarde e consegue arrasar em reuniões com leões, que estão perdendo o ânimo, e lobos, que estão acordando agora.

Lobo: 22h. Quando o sol se põe e os outros cronotipos estão fora do ápice, você atinge o máximo de sagacidade para matar todo mundo de rir.

VIAJAR

Fracasso: Sentir-se péssimo, irritadiço, desajeitado, burro, lerdo e exausto por dias a fio depois de cruzar vários fusos horários.

Sucesso: Sentir os efeitos moderados de cruzar vários fusos horários durante 48 horas ou até menos.

CIÊNCIA BÁSICA

Já falei muito sobre jet lag social — a irritabilidade, a zonzeira e a fadiga associadas ao cronodesajuste crônico. Lembre-se, o cronodesajuste é quando o ritmo circadiano está fora de sincronia com as normas sociais que ditam o "quando" de tudo: quando dormir, comer, trabalhar, se divertir, relaxar. As normas sociais são favoráveis aos ursos, mas mesmo os ursos têm de lidar com o cronodesajuste quando ficam acordados e dormem até tarde nas noites de fim de semana, comem em horários irregulares ou ficam vidrados em telas de eletroeletrônicos à noite. Ter um jet lag social de apenas uma ou duas horas pode causar problemas significativos e impedir que você atinja todo o seu potencial.

Outra expressão sobre dissincronia com o biotempo que você precisa conhecer: "dissincronia circadiana forçada", ou forçar a destruir o cronorritmo em um grau extremo. Uma das causas é trabalhar no turno da noite. Outra muito comum é viajar por fusos horários, ou o **ritmo de dissincronia** do jet lag.

O jet lag afeta cada cronotipo de maneira diferente.

- **Os golfinhos sofrem terrivelmente.** Cerca de metade dos insones no meu consultório não consegue dormir no avião graças à hipersensibilidade ao ambiente — às luzes, ao barulho, aos bancos em posição sentada, às pessoas, à comida. Eles chegam ao destino completamente estressados e exaustos, o que agrava a sonolência mesmo se ficarem em quartos de hotel luxuosos. Se você é um golfinho ou já viajou com um, sabe que os dois ou três primeiros dias em outro fuso horário são um inferno. **As recomendações para os golfinhos no voo: (1) em voos noturnos, pode ser o caso de tomar uma pílula para dormir;**[26] **(2) se possível, agende os voos, mesmo os mais longos, durante o dia, quando você não deveria estar dormindo.** Você vai perder um dia no ar, mas vai se sentir melhor quando aterrissar. É uma troca.

- **Leões sofrem viajando para o oeste, mas se dão bem viajando para o leste.** Um leão que viaja de Los Angeles, por exemplo, vai se beneficiar com um voo para Nova York. Durante os primeiros dias, o horário de despertar dele se assemelha ao horário dos lobos. Mas, leões, tenham cuidado ao viajar para o oeste. Um leão britânico que viaja para Nova York vai acordar às duas horas da manhã.

- **Lobos sofrem viajando ao leste, mas se dão bem viajando para o oeste.** Uma loba nova-iorquina vai se adaptar automaticamente ao fuso horário de Los Angeles, mas, se voar para Paris, só vai conseguir acordar depois do meio-dia e só vai se sentir cansada de madrugada (talvez isso não seja tão mal, considerando a vida noturna parisiense).

- **Ursos sofrem igualmente viajando para o leste ou para o oeste,** mas não tanto forte quanto os outros cronotipos... *a menos que bebam álcool.* O problema é a desidratação. O ar seco e a comida excessivamente salgada do avião já esgotam sua energia. Se você beber, a desidratação se agravará. Afáveis e tranquilos, os ursos podem ficar confortáveis demais nos assentos e esquecer de se movimentar de tanto em tanto tempo. A imobilidade causa trombose venosa profunda e inchaço. Já aconteceu de você tirar os sapatos no começo do voo e achar difícil pegá-los ao final? Previna isso fazendo o sangue correr ao andar a cada hora do voo, pelo corredor, por um minuto ou dois.

Para mim, viajar em família para uma cidade estrangeira ou ilha tropical é a definição de lazer. Também passo muitas horas por semana viajando a trabalho, o que não é tão divertido, mas enfrento isso sem dificuldades porque conheço os truques para me adaptar rapidamente. Já ajudei muitos pacientes que voam muito a se recuperar do jet lag crônico. Um é um homem que viaja de Nova York para a Austrália todo mês e sofre de jet lag há dez anos. Ele está muito melhor agora porque segue o **ritmo de ressincronia**, ou retorno ao biotempo em um novo fuso horário.

Elaborei a maioria dos cronotruques a seguir em meu consultório e aprimorei os dados com as diretrizes da Nasa para pilotos que viajam por múltiplos fusos horários.[27] Se as recomendações são suficientemente boas para os cosmonautas da Nasa que se dirigem à Estação Espacial Internacional, sem dúvida servem para pessoas comuns de qualquer cronotipo.

Nota: As diretrizes abaixo são para viajar por pelo menos três fusos horários. Se você for viajar apenas um ou dois fusos horários, vai precisar seguir as estratégias para o primeiro dia, ou nem isso. O corpo humano precisa de um dia por fuso horário viajado para se adaptar.

Viajar para o leste, ou fase de adiantamento (acordar mais cedo, ir para a cama mais cedo):

- **Dia do voo**: Nada de cafeína. Ajuste seu relógio ao novo fuso horário.

- **Durante o voo**: Depois de duas horas no avião, procure dormir pelo restante do voo. Use a máscara e os tampões de ouvido de cortesia, ou leve os seus. Se não conseguir dormir, evite luz e/ ou use óculos escuros.

- **Ao aterrissar em seu destino**: Coloque óculos escuros se já não estiver com eles.

- **Primeiro dia em seu novo destino**: use óculos escuros até o meio-dia. Depois do meio-dia, tire os óculos e se exponha ao máximo de luz solar direta possível, especialmente entre 13h30min e 16h30min. Se ficar preso em um ambiente a tarde toda, faça pausas de sol de dez minutos a cada hora. Você pode tomar cafeína ao chegar, mas não depois das três horas da tarde. Tome café da manhã, almoce e jante (p. 212) no novo horário, mesmo se não estiver com fome. Exercite-se à tarde, de preferência ao ar livre. Cochilos: não! Um calmante pode ajudar você a dormir mais tarde na primeira noite.[28] A Nasa também recomenda usar um. Não se importe em ajustar o despertador. Durma o máximo que puder.

- **Segundo dia**: Coloque os óculos escuros ao acordar e fique com eles até às dez horas da manhã. Depois das dez, tire os óculos escuros e se exponha ao máximo de luz solar direta possível, especialmente entre 11h30min e 14h30min. Se ficar preso em um ambiente, faça pausas de sol a cada hora. Cafeína: sim, mas não depois das três horas da tarde. Coma ao novo horário, mesmo se não sentir fome. Exercite-se à tarde, de preferência ao ar livre. Cochilos: não!

- **Terceiro dia**: Você se sentirá normal nessa manhã, mas continue usando óculos escuros até às nove horas e a se expor ao máximo de luz solar direta depois das nove, a cada hora.

- **Quarto dia**: Parabéns! Você agora está confortável em um cronorritmo de urso no novo fuso horário.

Viajar para o oeste, ou fase de atraso (acordar mais tarde, ir para a cama mais tarde):

- **Dia do voo**: Nada de cafeína. Ajuste seu relógio ao novo fuso horário. Use óculos escuros o dia todo antes do voo.

- **Durante o voo**: Assim que se acomodar, coloque a máscara e os tampões de ouvido e escute um programa de áudio relaxante (acesse <wwwthepowerofwhen.com> para baixar) e procure dormir. Se o voo for longo o bastante, use um remédio para dormir.[29] Nada de cafeína durante o voo. Use óculos escuros até as duas últimas horas do voo. Tire-os e se exponha ao máximo de luz solar possível pela janela do avião ou à luz artificial, com exposição a uma tela próxima.

- **Primeiro dia em seu novo destino**: Tire os óculos escuros, exponha-se ao máximo de luz solar direta possível, especialmente ao fim da tarde. Use eletroeletrônicos à noite até a hora de dormir. Nada de cafeína depois das seis da tarde e nada de cochilos. Exercite-se antes do meio-dia e coma em seu novo horário, mesmo se não estiver com fome.

- **Segundo dia**: Exponha-se ao máximo de luz solar direta possível, da manhã até o fim de tarde. Nada de cafeína depois das três horas da tarde. Exercite-se de manhã e coma no novo horário. Se não estiver com muita fome, tome alguma coisa leve, como uma vitamina. Lembre-se de que comer em um horário vai ajudar a mudar seu biorritmo.

- **Terceiro dia:** Parabéns! Você já está no cronorritmo de um urso!

RESUMO RÍTMICO

Ritmo de dissincronia: Quando você viaja para um novo fuso horário e sofre os sintomas de jet lag, como irritabilidade, imperícia, nevoeiro mental e exaustão.

Ritmo de ressincronia: Quando você usa estratégias específicas para ressincronizar rapidamente seu biotempo ao seu novo fuso horário.

A PIOR HORA PARA VIAJAR

Quando está bêbado. Uma bebida no ar embriaga mais do que uma bebida em terra (em virtude da desidratação no voo).

A MELHOR HORA PARA VIAJAR

Para voos que levem você a pelo menos três fusos horários de diferença da sua cidade:

Golfinho: De dia, para impedir que você sofra uma noite de insônia no avião.

Leão: À noitinha. Para um voo que dure a noite toda, você vai se dar um pouco melhor se chegar bem cedo de manhã.

Urso: A noite toda, no horário de voo mais conveniente.

Lobo: Meia-noite. Pegue o último avião e você vai conseguir dormir melhor durante o voo.

"CURAR O JET LAG PELO ESTÔMAGO."

"Um dos meus objetivos de vida é viajar a todos os continentes e escalar as montanhas do mundo", disse **Robert, o leão**. "Mas o jet lag arruinou muitas viagens para mim. Levar três ou quatro dias para me recuperar em uma viagem de cinco dias é um desperdício de tempo e dinheiro. Recentemente, fiz uma viagem dos sonhos para o Havaí — uma diferença de cinco horas de Boston, para o oeste. Segui o plano Nasa/ Breus à risca, me senti muito melhor depois de dois dias e estava totalmente funcional no terceiro dia da viagem de uma semana. A exposição à luz do sol não foi um problema, porque fiquei fora o dia todo (não havia sombra). O que fez a diferença para mim foi a obrigação de comer no horário novo, ainda que não estivesse com fome. O relógio do cérebro e o do estômago precisam estar sincronizados para alterar seu ritmo. A luz do sol muda o relógio do cérebro, e comer na primeira meia hora depois de acordar coloca o relógio biológico no biotempo. Meu conselho aos viajantes: a forma mais rápida de curar o jet lag é pelo estômago."

PARTE TRÊS
O PODER DO QUANDO PARA A VIDA

15. Cronossazonalidade

Até agora, já expliquei os altos e baixos, fluxos e refluxos de tudo em você, desde o nível de alerta e humor à criatividade, que muda no decorrer de um período de 24 horas. Afinal, circadiano significa "cerca de um dia". No entanto, seu biotempo muda ligeiramente no decorrer de um mês, uma estação e um ano. A intensidade dessas mudanças depende do seu cronotipo.

Um cronotipo sofre mais profundamente de tensão pré-menstrual?

Existe algum cronotipo que fique mais desorientado no horário de verão?

Qual cronotipo é especialmente suscetível à depressão de inverno?

Neste capítulo, ampliarei o quadro e explicarei como o poder do quando se aplica a mudanças mensais, sazonais e anuais e como você pode ajustar seu cronorritmo de acordo com elas.

RITMO LUNAR

A tração gravitacional da lua exerce uma força sobre o movimento dos oceanos e também afeta o corpo humano. Recentemente, as fases da lua foram associadas a variações hormonais de cada um de nós. Pesquisadores na Universidade de Basileia, na Suíça, conduziram um estudo com 33 homens e mulheres de vinte a 74 anos.[1] Os indivíduos dormiram em laboratório, e a exposição à luz (artificial e natural) e o nível de melatonina deles foram cuidadosamente monitorados. **Nos dias anteriores à lua cheia, a melatonina caía drasticamente, atingindo o nível mais baixo na noite de lua cheia.** A melatonina subiu ao nível mais elevado no décimo quarto ou décimo quinto dia do ciclo lunar de 29 dias.

A duração, a qualidade e a profundidade do sono dos indivíduos, assim como a capacidade de adormecer, chegaram ao ponto mais baixo durante a lua cheia. O sono delta profundo de ondas lentas diminuiu em 30% nessa fase. Por outro lado, no meio do ciclo lunar, os indivíduos dormiram mais profundamente, demoraram menos tempo para pegar no sono e dormiram por mais tempo. A lua cheia faz as pessoas se sentirem agitadas. O folclore notou isso séculos antes de os cientistas suíços conseguirem provar a teoria em laboratório.

O cronotipo mais afetado negativamente pelo ritmo lunar:

Golfinhos. (Os lobos têm uma folga dessa vez.) Os cientistas suíços determinaram que, em média, os indivíduos perdiam vinte minutos de sono nos dias antes e durante a lua cheia. Leões, ursos e lobos conseguem aguentar alguns dias de sono reduzido. Mas, para os golfinhos, algumas noites de menor qualidade e duração do sono podem desencadear uma reação em cadeia de ansiedade e insônia que dura semanas. Minha recomendação para os golfinhos é ter noção do ciclo lunar e usar suplementos de melatonina — meio miligrama noventa minutos antes da hora de dormir calculada — para combater as quedas.

CICLO MENSTRUAL

A menstruação tem o próprio ritmo: Primeiro, a fase folicular, quando um óvulo atinge a maturidade no folículo ovariano; em seguida, a fase de ovulação, quando o óvulo é liberado do folículo; depois, vem a fase lútea, que termina em menstruação. Todo esse processo, da fase folicular à menstruação, leva aproximadamente 28 dias.

A maioria das mulheres que ovulam pode atestar as mudanças de humor e metabolismo no decorrer do ciclo menstrual. Durante a fase folicular, as mulheres tendem a se sentir normais. Durante a ovulação, a qualidade do sono fica comprometida. Durante a fase lútea, todos os indicadores do biotempo — temperatura corporal, secreção de melatonina, liberação de cortisol, quantidade de sono REM — são afetados, e, sinto em dizer, não de maneira positiva.[2] Para a maioria das mulheres, as mudanças hormonais causam aumento de estresse e apetite (a melatonina cai, a fome aumenta), e há redução na qualidade do sono, na flexibilidade e na força. Esses ritmos circadianos alterados também foram associados pelos cientistas ao transtorno disfórico pré-menstrual (TDPM), uma forma severa de tensão pré-menstrual que afeta até 8% de todas as mulheres antes da menopausa. Os sintomas incluem má qualidade de sono, insônia, depressão, tensão, variações intensas de humor e irritabilidade.

Em um estudo canadense, pesquisadores compararam as secreções e a amplitude de melatonina em um ciclo menstrual de um grupo de controle e outro de mulheres com TDPM[3]. Eles verificaram que as secreções de melatonina do grupo de TDPM eram mais baixas em todas as fases menstruais do que as do grupo de controle e que a amplitude era mais baixa durante a fase lútea, indicando que as mulheres com o transtorno têm um núcleo supraquiasmático, o relógio mestre do cérebro, prejudicado. Para as leitoras que enfrentam as variações circadianas pré-menstruais todo mês e são importunadas por pessoas que não acreditam que isso tem fundo biológico, vocês têm a minha solidariedade. Da próxima vez que alguém disser que seus sintomas são coisa da sua cabeça, responda: "Você tem razão. Está *tudo* na minha cabeça mesmo, bem no núcleo supraquiasmático".

O cronotipo mais propenso a sofrer com os sintomas da fase lútea como irritabilidade, variações de humor, depressão, sono de má qualidade e insônia:

Sinto em dizer, mas as **golfinhos** perdem novamente. São as mudanças de secreção e amplitude de melatonina que afetam a capacidade de adormecer e continuar dormindo. Os insones não são maleáveis a nenhum tipo de perturbação do sono. Eu recomendaria suplementos de melatonina durante a fase lútea. Tome de meio a um miligrama noventa minutos antes de apagar as luzes.

RITMO DE INVERNO

O transtorno afetivo sazonal (TAS), conhecido popularmente como depressão do inverno, é causado por diversos fatores, mas sobretudo pela exposição reduzida à luz do sol. Os dias são mais curtos, escurece mais cedo e as pessoas saem menos. Quando ficamos o tempo todo dentro de casa, banhados por luz artificial, o sono, a absorção de vitamina D e os ritmos hormonais (serotonina e melatonina) e metabólicos se redefinem, causando uma miríade de sintomas:[4]

Humor: Raiva, ansiedade, apatia, descontentamento geral, desesperança, incapacidade de sentir prazer, solidão, perda de interesse, variações de humor e tristeza.

Sono: Sonolência excessiva, insônia e privação de sono.

Psicologia: Depressão e repasse de pensamentos repetidamente.

Corpo: Mudanças de apetite, fadiga, nervosismo.

Comportamento: Choro, irritabilidade e isolamento social.

Peso: Ganho ou perda de peso.

Cognição: Falta de concentração.

Milhões de pessoas vão anualmente ao médico para tratar o TAS. Outros milhões sofrem em silêncio sem buscar tratamento. Quem tem mais chances de cair sob a influência da estação? Em um estudo polonês de 101 indivíduos com média de idade de 26 anos, os pesquisadores criaram uma escala de depressão do inverno e pediram que os indivíduos estudados avaliassem, em relação à estação, os níveis de fadiga, apetite, energia, impulso sexual, mal-estar geral, humor e sociabilidade, entre outras áreas.[5] Eles correlacionaram os resultados e os compararam por gênero e traços de personalidade. Comprovou-se que as mulheres eram duas vezes mais propensas a sofrer durante os meses de escuridão. Os indivíduos com alto nível de neurose (propensão a ansiedade e variações de humor) e abertura (ser sensível e receptivo ao novo) também eram significativamente mais suscetíveis ao TAS. Os indivíduos que usavam um "estilo de enfrentamento voltado para a fuga" — o que significa que usavam distrações (por exemplo, abuso de drogas e álcool, alimentação excessiva, escape da realidade com TV ou video games) — dormiam menos, relatavam humores mais sombrios e energia mais baixa durante toda a estação. Os autores do estudo denominaram o enfrentamento de fuga como uma espécie de hibernação humana.

Existem teorias de que a causa do TAS seja o excesso de luz artificial. Não necessariamente. Pesquisadores da Escola de Medicina da Universidade de Maryland estudaram uma população que não utilizava nenhuma luz artificial no período de inverno, os Old Order Amish de Lancaster, na Pensilvânia.[6] Eles testaram os cronotipos e a sazonalidade de humor de quase quinhentos indivíduos e verificaram que os tipos matutinos eram menos propensos a sofrer de depressão do inverno independentemente da falta de eletricidade. Os leões simplesmente não sofrem de TAS com tanta frequência quanto os demais tipos.

Um ritmo dentro do ritmo: algumas palavrinhas sobre o ganho de peso no inverno. Ganhar alguns quilinhos certamente intensifica a depressão, e nossa barriga realmente cresce durante os meses de inverno. Segundo a biologia evolutiva, porém, na verdade deveríamos perder peso nessa estação.

A melatonina tem relação com o apetite e com a liberação da leptina, o hormônio da saciedade, e a grelina, o hormônio da fome. Quanto menor a liberação de melatonina, menor é a saciedade e maior a fome. Esse é um dos principais motivos por que a privação de sono causa ganho de peso.

Na primavera e no verão, a melatonina decai, tornando-nos menos sonolentos e mais famintos. Nos meses quentes, nossos ancestrais primitivos dormiam menos e sentiam mais fome quando a melatonina caía — uma coisa boa, visto que o alimento era abundante. No inverno, quando a melatonina aumentava, eles dormiam mais e comiam menos — uma coisa boa, já que o alimento era escasso. Na nossa cultura moderna, com abundância de alimento, comemos muito o ano todo, especialmente durante o inverno, quando recorremos aos alimentos de conforto com alto teor de carboidrato, produtores de serotonina que afastam a depressão. Macarrão com queijo pode proporcionar um alívio temporário do TAS. Mas ele vira um problema a longo prazo se ganharmos peso quando deveríamos perder, e depois ganharmos mais ainda quando nossos corpos evoluírem para comer sem restrição. Os lobos são especialmente vulneráveis a esse fenômeno. Eles tendem a se viciar em alimentos (e álcool) para atravessar o humor sombrio.

Os cronotipos mais afetados negativamente pela depressão do inverno:

Não se deixe enganar pela expressão "hibernação humana". Os ursos são afetados apenas de maneira branda. Os **golfinhos**, por outro lado, têm uma sensibilidade aguda às mudanças ambientais e um alto nível de neurose, uma característica associada ao TAS.

Os **lobos**, o cronotipo associado à abertura, à estratégia de enfrentamento de fuga e a transtornos de humor como depressão, mesmo nos meses quentes, são mais propensos a sofrer de TAS no inverno. Para combater a depressão do inverno, finja que é verão. Saia na rua para se expor ao máximo de luz solar direta possível (especialmente de manhã), exercite-se ao ar livre (você vai se aquecer rapidamente) e coma frutas, verduras e legumes frescos. Aumente o nível de serotonina naturalmente com ioga e meditação.

RITMO DO HORÁRIO DE VERÃO

Sinceramente, não vejo utilidade em mudar o relógio duas vezes por ano para o horário de verão. O horário de verão é um monstro. E, como qualquer monstro, deixa um rastro de destruição atrás de si.

Um estudo alemão sobre o impacto do horário de verão verificou que, em um período de oito semanas por volta da mudança no nosso horário social (mas não no horário solar), para todos os cronotipos era mais fácil se adaptar ao fim do horário de verão, mas que o início dele era uma mudança difícil para todos os tipos, especialmente para os lobos.[7]

O início do horário de verão causa um miniefeito de jet lag, igual ao de atravessar um fuso horário. Em média, o ser humano precisa de cerca de um dia para se recuperar dele. Como o horário de verão atualmente é alterado no fim de semana, a adaptação fica mais fácil. Mas, quando chega a manhã de segunda, você continua se sentindo um pouco cansado, estabanado e irritadiço. Nos dias depois de adiantarmos o relógio na primavera, existe aumento de lesões, acidentes de trânsito[8] e ataques cardíacos.[9]

Os cronotipos mais afetados negativamente pelo horário de verão:

Os **golfinhos** não lidam bem com o fato de perder uma hora de sono. Eles precisam de todo sono que possam conseguir, e sacrificar uma hora em troca de luz do sol não é uma troca vantajosa.

Ursos e lobos podem adorar o fim do horário de verão, mas adiantar o relógio no início causa inércia de sono no dia seguinte, junto com fadiga, irritabilidade e os possíveis acidentes e erros que a acompanham.

Os **leões** ficam ainda mais isolados pelo horário de verão — eles ganham mais uma hora na madrugada escura e se sentem cansados ainda mais cedo à noite.

Para aliviar o ajuste ao horário de verão, aja como se fosse viajar para um novo fuso horário. Exponha-se ao máximo de luz solar direta possível, siga o seu horário alimentar pontualmente, mesmo se não estiver com muita fome, e se exercite ao anoitecer durante três dias após a mudança.

16. Cronolongevidade

Os cronorritmos mudam com o tempo. Você pode nascer com uma predileção genética de acordar ao amanhecer ou de sofrer com insônia, mas **os parâmetros de seu biotempo são flexíveis, dependendo de sua idade cronológica.**

Este livro é sobre a vida adulta, dos 21 aos 65 anos de idade. Cada um dos quatro grupos é relativamente diverso. Os ursos são a maioria e abrangem cerca de 50% da população geral, enquanto os 50% restantes são divididos entre golfinhos, leões e lobos. O gráfico para as idades antes dos 21 e depois dos 65 anos seria dividido de maneira bem diferente.

Os **bebês** se comportam como lobos e ficam mais ativos e alertas de madrugada, dormindo durante o dia. No entanto, existe uma declaração mais precisa a ser feita sobre os bebês e seu cronotipo: embora nasçam com um núcleo supraquiasmático no cérebro e com o código genético para se tornar um dos quatro tipos, os recém-nascidos só começam a usar os relógios biológicos entre os dois e três meses de idade.

No útero, os bebês vivem em total escuridão. Eles não têm nenhuma exposição à luz solar ou artificial. A câmara uterina e o estilo de vida natal — basicamente só ficar boiando no líquido amniótico — não lhes oferecem nenhum *zeitgeber* como o ciclo solar ou horários de refeição regulares. Mais importante: a glândula pineal do recém-nascido, produtora dos hormônios do biotempo, melatonina e serotonina, não está completamente desenvolvida ao nascimento e só atingirá o tamanho total aos dois anos.[1] Até os três meses de idade, os recém-nascidos não produzem absolutamente nenhuma melatonina.[2] Eles funcionam sem relógio.

Os bebês recebem um pouco de melatonina pelo leite materno.[3] Ela é relaxante e os ajuda a dormir e a se sentir descansados, especialmente à noite, quando as mães produzem mais desse hormônio. Mas isso não é suficiente para fazê-los dormir a noite toda, porque a barriguinha dos bebês se esvazia rapidamente e eles precisam de mais.

A mãe também passa adiante seu estresse. Em um estudo interessantíssimo com 52 mães lactantes, pesquisadores encontraram uma correlação entre altas concentrações de cortisol no leite das mães e "afetividade negativa" — medo, tristeza, desconforto, raiva, frustração e desassossego — em bebês do sexo feminino.[4] Os bebês do sexo masculino eram mais maleáveis. Qual é a relação entre isso e o biotempo? Quando o bebê chora e você acorda no meio da noite com os hormônios ad-renais de fuga em alta, você vai passá-los para o bebê, e nenhum de vocês conseguirá dormir de novo.

Depois de um tempo — aos três meses de idade —, a glândula pineal dos bebês está completamente madura e os relógios biológicos estão começando a funcionar. Os pais que usam o poder dos *zeitgebers* — exposição à luz matinal, horários de refeição regulares — vão estabelecer um ciclo de sono/ vigília saudável para os bebês e ajudá-los a dar uma volta completa — do comportamento de um lobinho recém-nascido ao de um filhote de leão.

Crianças de um a três anos tendem a ser leões, segundo um estudo realizado por pesquisadores na Universidade de Boulder.[5] Eles avaliaram o relógio circadiano de 48 crianças saudáveis de três anos de idade com a ajuda de seus pais. Foi criado um diário de sono para cada criança e, em seguida, foi coletada a melatonina salivar para medir o horário biológico de início do sono delas. Quase 60% foram classificadas como "definitivamente matutinas" ou "predominantemente matutinas". O restante não ficou nem na categoria matutina nem na vespertina, e não houve nenhuma criança classificada como "definitivamente vespertina". Todos que já educaram uma criança dessa idade sabem disso. Ela pula da cama ao raiar do dia, tira um cochilo depois do almoço e capota à noitinha.

À medida que as crianças crescem e perdem a vontade do cochilo, seu cronotipo continua leão e, então, se volta para o de um urso — até à adolescência, quando, aparentemente da noite para o dia, entra de súbito no território dos lobos.

Os **adolescentes** são predominantemente lobos. Eles conseguem dormir até tarde e ficar acordados noite adentro. O renomado cronobiologista Till Roenneberg foi autor de um estudo que sugeriu que a mudança no biotempo do lobo adolescente para o urso adulto marcava o fim da adolescência.[6] Roenneberg e a equipe dele analisaram os cronotipos e idades de 25 mil indivíduos alemães e suíços, traçando o ponto central de sono em dias livres (fins de semana e férias, quando eles não tinham nenhum motivo em particular para acordar). A maioria lobo chegou ao ápice aos vinte anos e despencou até os 25, abrindo caminho para a maioria de ursos, que persistiu durante a fase adulta.

No estudo de Roenneberg, a orientação da maioria dos **idosos** mudou novamente após os 65 anos — em direção à orientação matutina (leão). Os idosos são conhecidos por ter tendências de leão: acordar cedo, jantar cedo e se sentir cansados cedo. A atenção, a função executiva e a cognição seguem um padrão de leões de proficiência matinal, com mais distração e falta de concentração à noite.[7] Todavia, se você olhar para o total de tempo e qualidade do sono dos idosos, surge um padrão de cronotipo diferente. Em um estudo com quase mil idosos com média de idade de 64 anos, os pesquisadores compararam o tempo e os horários de sono dos indivíduos e descobriram que, embora os idosos matutinos fossem para a cama uma hora antes dos idosos lobos, eles na verdade obtinham vinte minutos a menos de sono total.[8] Apesar de ir para a cama cedo para dormir mais, de qualquer maneira acabavam não conseguindo dormir o suficiente. Para mim, isso soa terrivelmente como golfinhos e se encaixa nos padrões de sono dos meus pacientes insones.

Segundo o Instituto Nacional da Saúde, 50% dos idosos sofrem de insônia. É comum para eles ter menos sono profundo de ondas lentas dos estágios 3 e 4. Naturalmente, os idosos produzem menos hormônio do crescimento e melatonina, o que resulta em sono fragmentado com múltiplos despertares no decorrer da noite. Causas secundárias de insônia atacam os idosos: medicamentos que perturbam o sono, dores que os mantêm acordados, imobilidade, ansiedade e problemas médicos. Todos esses fatores e condições contribuem para que eles durmam menos e tenham um sono mais leve e de baixa qualidade.

Todos esperamos continuar ativos e ter alta qualidade de vida na terceira idade. Uma maneira de aumentar as chances de isso acontecer é entrar em um bom biotempo para o seu cronotipo *agora*, a fim de desenvolver uma boa saúde na melhor idade. Se você aplicar as estratégias deste livro, vai dormir mais, perder peso, aumentar a massa muscular e evitar cardiopatias e diabetes, doenças que encurtam a vida e complicam a velhice.

MAIORIA DE CRONOTIPOS POR IDADE

Recém-nascidos: Lobos
Crianças de um a três anos: Leões
Crianças em idade escolar: Leões/ ursos
Adolescentes: Lobos
Adultos: Ursos
Idosos: Leões/ golfinhos

CONCLUSÃO

O poder do quando tem por base as últimas pesquisas em biologia e medicina. Ele está na linha de frente dos cuidados com a saúde.

Sabemos que oferecer quimioterapia em determinadas horas do dia muda a efetividade da terapia. Registros de hora estão começando a aparecer em exames de sangue, porque a hora do dia afeta os resultados. A ideia de não levar em conta a hora do dia ao analisar amostras de sangue e medicamentos já parece ultrapassada, para não dizer perigosa.

Levando as novas pesquisas um passo à frente, acredito que, em um futuro próximo, cronorritmos personalizados vão se tornar outra maneira de tratar e curar doenças.

Estou empolgado com os dados que apresentei aqui e com a oportunidade de abrir seus olhos para o poder do quando. Quero que você descubra seu ritmo de biotempo e seja mais feliz e saudável. Fazer isso vai modificar sua saúde e a felicidade das pessoas ao seu redor. Você é realmente capaz de tornar tudo melhor sem ter que mudar *o que* ou *como* faz.

Estou sempre à procura de novos dados e os postarei regularmente em meu site, <www.thepowerofwhen.com>. Quero agradecer aos pesquisadores a cujos estudos fiz referência neste livro, bem como àqueles que estão preparando o terreno para estudos futuros. Continuarei trabalhando com meus pacientes no meu consultório e estudarei como podemos usar o tempo para ficarmos mais fortes, rápidos, saudáveis, ricos e bem-sucedidos, bem como podemos ter relacionamentos melhores diariamente.

A começar por hoje. Aconselho meus pacientes a iniciar pelas mudanças maiores — horários de dormir e acordar, de refeição e de exercício — e então fazer ajustes contínuos no cronograma com o passar dos dias ou das semanas.

Ou você pode mergulhar de cabeça em um horário inteiramente novo agora mesmo. Dê uma olhada no relógio mestre de seu cronotipo (a partir da p. 348) e veja o que você deveria fazer agora. Tomar café? Sorte a sua! Tome uma xícara. Ir para a cama? Então vista o pijama e vá se deitar. Sair para correr? Então calce o tênis e pé na estrada. O cronograma para a saúde e a felicidade está em suas mãos. Olhe a hora, olhe para seu biotempo e comece a usar o poder do quando agora mesmo!

Relógios mestres

RELÓGIO MESTRE DO GOLFINHO

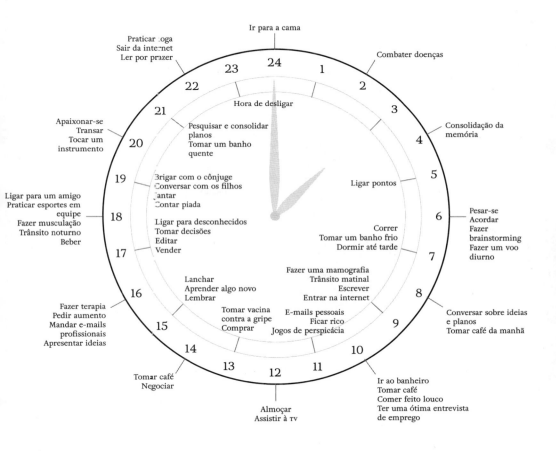

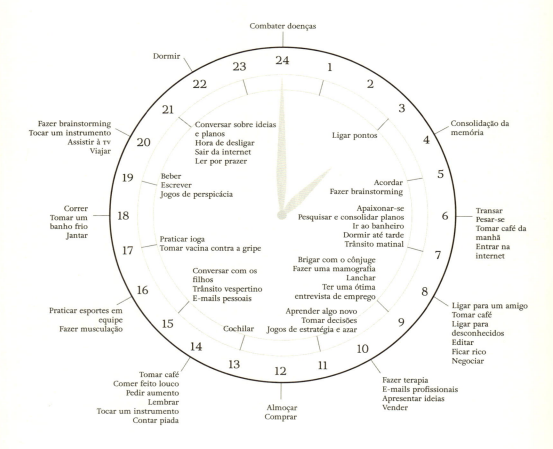

RELÓGIO MESTRE DO URSO

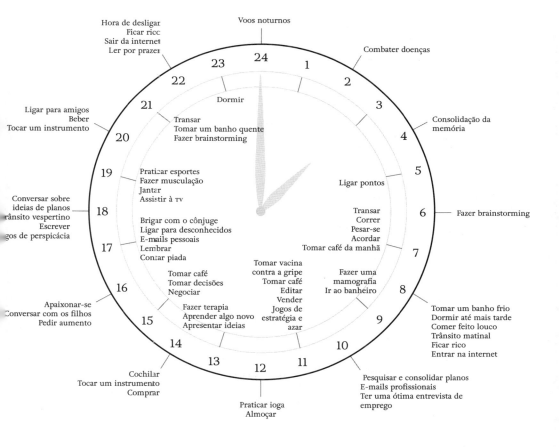

RELÓGIO MESTRE DO LOBO

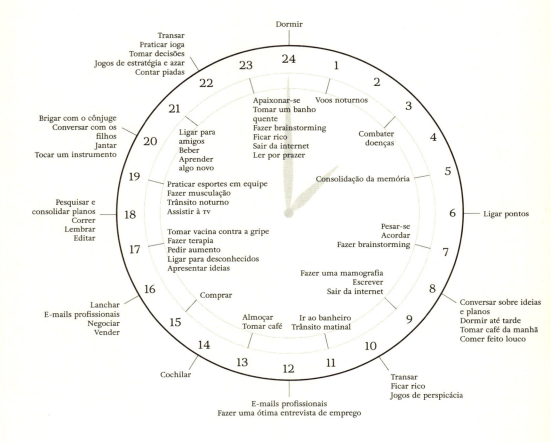

Agradecimentos

Valerie Frankel: não canso de agradecê-la por me ajudar a tirar as ideias da minha cabeça e passá-las para o papel. Seu trabalho incansável, suas pesquisas e seu auxílio não têm preço. Mais importantes ainda, para mim, são a nossa amizade longeva e a amizade que você nutre com a minha família. Você é INCRÍVEL! Este livro é o meu legado; muito obrigado por tudo.

Dr. Mehmet Oz: O que dizer? Mentores vêm e vão, mas você está no topo da lista. Nas horas mais difíceis você me apoiou e me mostrou o caminho. Você é importante em muitos aspectos da minha vida, e seria impossível descrever isso em palavras. Espero, através das minhas conquistas, corresponder à sua dedicação a mim. Vamos em frente, temos muita gente para ajudar ainda.

Tracy Bear: Sua atenção aos detalhes, seu comprometimento e sua paixão me ajudaram a escrever um livro melhor. Sua equipe tão cuidadosa e profissional (Lisa e Zea) me ajudou a transformar as ideias em realidade. Obrigado por acreditar em mim e no meu trabalho. Nós vamos mudar o mundo.

Alex Glass: Ser o primeiro cliente da sua carreira solo tem suas vantagens. Juro, você é um cara fantástico que me "sacou" como poucos conseguiriam. Você me representa perfeitamente e é o "coelhinho da Duracell" dos agentes literários: é incansável, e eu adoro isso. Que tenhamos um longo futuro juntos pela frente.

Sandy Climan: Uma vez me disseram que um bom agente consegue fechar um bom negócio, mas um ótimo agente é capaz de levar luz para onde só há trevas. Obrigado por levar a luz para os problemas de privação de sono. Você vai ajudar a mudar o mundo do sono para melhor. Que conquista fantástica. Sou muito grato pelo nosso trabalho juntos e pela nossa amizade.

Craig Cogut: Sei que é comum um visionário ter uma visão incrível, mas é incomum que ele de fato faça coisas boas para os que estão à sua volta. Você é um desses visionários que se importam com as pessoas. Obrigado por se importar comigo. Um abraço para Deborah e para os meninos.

Pegasus Capital: David, Eric, Rick, Alec e todo mundo da Pegasus, só gostaria de agradecer rapidamente por tudo o que vocês fizeram, por todo o apoio e por acreditarem no poder do sono. Essa jornada incrível vai continuar, e nós *vamos* mudar o futuro.

Arianna Huffington: Obrigado por colocar o sono em evidência. Nós temos trabalhado juntos há algum tempo, e eu continuo encantado pelo seu trabalho como militante do sono. O sono significa muito para você, mas mais ainda para aqueles que cruzam seu caminho e recebem a sua ajuda. Espero seguir caminhando ao seu lado para transformar o sono no próximo sinal vital. Rumo a uma verdadeira revolução do sono!

Dave Lakahni: Muito obrigado a você, meu mais novo amigo e protetor. Agradeço por cuidar de mim neste mundo maluco, e este livro é o primeiro passo do nosso futuro juntos.

Steven Lockly: Steven, obrigado por continuar abrindo meus olhos para os ritmos circadianos. Sua pesquisa é seminal para a ciência; sem ela, livros como este jamais seriam escritos. Agradeço pelos ensinamentos, pelos desafios e pelas cervejas.

David Cloud: Obrigado pelo seu apoio. Nós estamos juntos nesta batalha. Gosto muito das suas conversas inspiradoras. Você é tão bem informado — não só sobre o sono, mas sobre como mostrar ao mundo o que o sono realmente é: o próximo sinal vital. Bravo, meu amigo.

Mickey Beyer Clausen: Nós somos dois lados da mesma moeda; amamos o que fazemos; conhecemos todos os obstáculos; sabemos como apoiar um ao outro. Você tem sido um excelente apoiador do meu trabalho desde o primeiro dia e sempre se atentou a meus interesses. Estamos ligados espiritualmente e através da nossa amizade. Só preciso convencê-lo a se mudar para Los Angeles... Obrigado por tudo.

Joe Polish: Muito, muito obrigado, Joe. Você, mais que um grande amigo para mim e para a minha família, é um amigo para todos os empreendedores mundo afora. Seu trabalho incansável, sua conectividade e sua curiosidade são uma inspiração para muita gente (me incluo nessa). Todos deveriam ouvir a sua história, e não vejo a hora de ajudar a espalhá-la aos quatro ventos.

Erin Corbit: Agradeço muito por essa nova amizade (na verdade, parece que nos conhecemos há muito tempo!). Seu tino para os negócios, sua personalidade alegre e sua energia são contagiantes.

Six Senses: Neil, Anna, Amber e toda a equipe do Six Senses, muito obrigado pela inspiração, pelos desafios e por depositarem sua energia em fazer com que o sono esteja ao alcance para todos. É uma honra trabalhar com vocês, os melhores do mundo!

Princess Cruise: Mario, Jason, Danielle e Trevor, obrigado pela oportunidade de ajudar milhões de passageiros a descansar melhor e a ACORDAR COMO NOVOS! Obrigado por serem líderes em bem-estar e por fazerem isso de forma tão espetacular. É um prazer trabalhar com todos vocês.

Colin, Mick, Jim, Bem e ResMed: O que dizer a todos os meus amigos da ResMed? A empresa de vocês é líder em todos os aspectos. Os insights, a cautela e as decisões objetivas são um ponto de referência para todos. Obrigado por acreditarem em mim e por fazerem um trabalho em equipe tão bom.

Nelly Kim: Nelly, agradeço muito por tudo o que você fez para me ajudar a ver como os negócios funcionam. Seu talento e seu senso de humor são igualmente fantásticos. Gosto muito de trabalhar com você.

Krystyl Baldwin: O que dizer, KB? Você é fera! Obrigado por estar nos bastidores e por não desistir de mim! Sua ajuda teve uma importância tremenda durante todo o processo — e sempre! Você é incrível.

Grace Tobin: Muito obrigado pelas ótimas ilustrações. Elas me ajudaram a expor os dados no livro com estilo.

Little, Brown: Significa muito para mim que vocês tenham entendido as minhas ideias e me dado a oportunidade de compartilhá-las com o mundo.

Todos os incríveis pesquisadores que fazem dos ritmos circadianos seu objeto de interesse: Sem vocês este livro nunca seria escrito. Estou ansioso para que o assunto chegue às massas e ajude as pessoas.

Amigos de uma das melhores empresas do mundo, a USANA: Nós vamos ajudar muita gente.

Todos os jornalistas que me entrevistaram sobre o sono: Agora é a hora de falar sobre despertar e sobre os ritmos circadianos.

Todas as pessoas que toparam palestrar no primeiro Sleep Success Summit: Sean Croxton, Eric Zalenski, John Bailor, Arianna Huffington, Shawn Stevenson, Terry Carelle, Julie Flygare, Thad Gala, David Cloud, Izabella Wentz, Smith Johnston, Jillian Teta, Magdalena Wszelaki, Trevor Cates, Marc Sklar, David Brady, Alan Christiansen, Alan Greene, Carey Chronis, Michael Murray, Dan Kalish, Amy Myers, Ben Lynch, Donna Gates, Emily Fletcher, Shiroko Sokitch, Harry Massey, Avocado Wolfe, Josh Axe, Abel James, Dan Pardi, Dave Woynarowski, Russell Friedman, Tom Morter e Niki Gratix.

Notas

INTRODUÇÃO: TIMING É TUDO [PP. 12-20]

1. "Edison's Home Life". *Scientific American*, Nova York, v. 61, n. 4, jul. 1889. Acesso em: 9 set. 2014.
2. A. Derickson, *Dangerously Sleepy: Overworked Americans and the Cult of Manly Wakefulness*. 11. ed. Filadélfia: University of Pennsylvania Press, 2014.

1. QUAL É SEU CRONOTIPO? [PP. 23-45]

1. G. L. Ottoni; E. Antoniolli; D. R. Lara, "The Circadian Energy Scale (Cirens): Two Simple Questions for a Reliable Chronotype Measurement Based on Energy". *Chronobiology International*, abr. 2011.
2. Konrad S. Jankowski, "The Role of Temperament in the Relationship Between Morning-Eveningness and Mood". *Chronobiology International*, fev. 2014.
3. Jee In Kang et al., "Circadian Preference and Trait Impulsivity, Sensation-Seeking, and Response Inhibition in Healthy Young Adults". *Chronobiology International*, out. 2014.
4. Reka Agnes Haraszti et al., "Morningness-Eveningness Interferes with Perceived Health, Physical Activity, Diet and Stress Levels in Working Women: A Cross-Sectional Study". *Chronobiology International*, ago. 2014.
5. Sirimon Reutrakul et al., "The Relationship Between Breakfast Skipping, Chronotype, and Glycemic Control in Type 2 Diabetes". *Chronobiology International*, fev. 2014.
6. Juan Francisco Diaz-Morales; Cristina Escribano, "Circadian Preference and Thinking Styles: Implications for School Achievement". *Chronobiology International*,

dez. 2013; Juan Manuel Antúnez; José Francisco Navarro; Ana Adan. "Circadian Typology and Emotional Intelligence in Healthy Adults". *Chronobiology International*, out. 2013.

7. Paolo Maria Russo et al., "Circadian Preference and the Big Five: The Role of Impulsivity and Sensation Seeking". *Chronobiology International*, out. 2012.

2. UM DIA PERFEITO NA VIDA DE UM GOLFINHO [PP. 46-63]

1. Nome e detalhes de identificação foram alterados para proteger a privacidade dos pacientes.
2. A. Rodenbeck et al., "Interactions Between Evening and Nocturnal Cortisol Secretion and Sleep Parameters in Patients with Severe Chronic Primary Insomnia". *Neuroscience Letters*, maio 2002.
3. J. Backhaus; K. Junghanns; F. Hohagen, "Sleep Disturbances are Correlated with Decreased Morning Awakening Salivary Cortisol". *Psychoneuroendocrinology*, out. 2004.
4. S. P. Drummond et al., "Neural Correlates of Working Memory Performance in Primary Insomnia". *Sleep*, set. 2013. Aqui e doravante, a afiliação do líder da pesquisa é comentada no texto.

3. UM DIA PERFEITO NA VIDA DE UM LEÃO [PP. 64-78]

1. Nome e detalhes de identificação foram alterados para proteger a privacidade dos pacientes.
2. Jessica Rosenberg et al., "'Early to Bed, Early to Rise': Diffusion Tensor Imaging Identifies Chronotype-Specificity". *NeuroImage*, jan. 2014.
3. Kai-Florian Storch et al., "A Highly Tunable Dopaminergic Oscillator Generates Ultradian Rhythms of Behavioral Arousal". *eLife*, dez. 2014.
4. Christina Schmidt et al., "Homeostatic Sleep Pressure and Responses to Sustained Attention in the Suprachiasmatic Area". *Science*, abr. 2009.

4. UM DIA PERFEITO NA VIDA DE UM URSO [PP. 79-92]

1. Nome e detalhes de identificação foram alterados para proteger a privacidade dos pacientes.

5. UM DIA PERFEITO NA VIDA DE UM LOBO [PP. 93-107]

1. Nome e detalhes de identificação foram alterados para proteger a privacidade dos pacientes.

6. RELACIONAMENTOS [PP. 111-37]

1. Singh D. Bronstad; P. M. Bronstad, "Female Body Odour is a Potential Cue to Ovulation". *P. M. Proceedings Biological Sciences*, abr. 2001.
2. Yan Zhang et al., "Personality Manipulations: Do They Modulate Facial Attractiveness Ratings?". *Personality and Individual Differences*, nov. 2014.
3. Inna Schneiderman et al., "Oxytocin During the Initial Stages of Romantic Attachment: Relations to Couples' Interactive Reciprocity". *Psychoneuroendocrinology*, ago. 2012.
4. Lisa M. Jaremka et al., "Loneliness Promotes Inflammation During Acute Stress". *Psychological Science*, jul. 2013.
5. Melvin C. Washington; Ephraim A. Okoro; Peter W. Cardon, "Perceptions of Civility for Mobile Phone Use in Formal and Informal Meetings". *Business and Professional Communications Quarterly*, out. 2013.
6. T. Aledavood et al., "Daily Rhythms in Mobile Telephone Communication". *PLOS ONE*, set. 2015.
7. Andrew Steptoe et al., "Social Isolation, Loneliness, and All-Cause Mortality in Older Men and Women". *Proceedings of the National Academy of Science*, fev. 2013.
8. Eti Ben Simon et al., "Losing Neutrality: The Neural Basis of Impaired Emotional Control without Sleep". *Journal of Neuroscience*, set. 2015.
9. B. Baran et al., "Processing of Emotional Reactivity and Emotional Memory over Sleep". *Journal of Neuroscience*, jan. 2012.
10. Konrad S. Janowski; W. Ciarkowska, "Diurnal Variation in Energetic Arousal, Tense Arousal, and Hedonic Tone in Extreme Morning and Evening Types". *Chronobiology International*, jul. 2008.
11. Maciej Stolarski; Maria Ledzińska; Gerald Matthews, "Morning is Tomorrow, Evening is Today: Relationships between Chronotype and Time Perspective". *Biological Rhythm Review*, fev. 2012.
12. Roberto Refinetti, "Time for Sex: Nycthemeral Distribution of Human Sexual Behavior". *Journal of Circadian Rhythms*, mar. 2005.
13. C. Piro; F. Fraioli; P. Sciarra; C. Conti, "Circadian Rhythm of Plasma Testosterone, Cortisol and Gonadotropins in Normal Male Subjects". *Journal of Steroidal Biochemistry*, maio 1973.

14. D. Herbenick et al., "Sexual Behavior in the United States: Results from a National Probability Sample of Men and Women Ages 14-94". *Journal of Sexual Medicine*, out. 2010.

15. Konrad S. Jankowski; J. F. Díaz-Morales; C. Randler, "Chronotype, Gender, and Time for Sex". *Chronobiology International*, out. 2014.

16. Mareike B. Wieth; Rose T. Zacks, "Time of Day Effects on Problem Solving: When the Non-optimal is Optimal". *Thinking & Reasoning*, dez. 2011.

17. Resposta: Não faço ideia! Sou psicólogo, não matemático.

18. Essa é antiga e parece terrivelmente datada hoje. A resposta é que a pessoa responsável pela cirurgia é a mãe do menino, obviamente. O cirurgião também pode ser o pai do garoto. Mas já deu para entender.

19. Tania Lara; Juan Antonio Madrid; Ángel Correa, "The Vigilance Decrement in Executive Function is Attenuated when Individual Chronotypes Perform at their Optimal Time of Day". *PlOS One*, fev. 2014.

20. Ming-Te Wang; Sarah Kenny, "Longitudinal Links Between Fathers' and Mothers' Harsh Verbal Discipline and Adolescents' Conduct Problems and Depressive Symptoms". *Child Development*, maio-jun. 2014.

21. Cristina Escribano et al., "Morningness/ eveningness and School Performance Among Spanish Adolescents: Further Evidence". *Learning and Individual Differences*, jun. 2012.

22. Y. H. Lin, "Association Between Morningness-Eveningness and the Severity of Compulsive Internet Use: The Moderating Role of Gender and Parenting Style". *Sleep Medicine*, dez. 2013.

7. ATIVIDADE FÍSICA [PP. 138-50]

1. Elise Facer-Childs; Roland Brandstaetter, "The Impact of Circadian Phenotype and Time Since Awakening on Diurnal Performance in Athletes". *Current Biology*, fev. 2015.

2. Scott R. Collier et al., "Effects of Exercise Timing on Sleep Architecture and Nocturnal Blood Pressure in Prehypertensives". *Vascular Health and Risk Management*, dez. 2014.

3. F. Guillen; S. Laborde, "Higher-Order Structure of Mental Toughness and the Analysis of Latent Mean Differences between Athletes from 34 Disciplines and Non-Athletes". *Personality and Individual Differences*, abr. 2014.

4. J. M. Antúnez; J. F. Navarro; Ana Adan, "Circadian Typology and Emotional Intelligence in Healthy Adults". *Chronobiology International*, out. 2013.

5. A. Shechter; M. P. St-Onge, "Delayed Sleep Timing is Associated with Low Levels of Free-Living Physical Activity in Normal Sleeping Adults". *Sleep Medicine*, dez. 2014.

6. Alessandra di Cagno et al., "Time of Day: Effects on Motor Coordination and Reactive Strength in Elite Athletes and Untrained Adolescents". *Journal of Sports Science and Medicine*, mar. 2013.

7. N. R. Okonta, "Does Yoga Therapy reduce Blood Pressure in Patients with Hypertension? An Integrative Review". *Holistic Nursing Practice*, maio 2012.

8. G. M. Cavallera et al., "Personality, Cognitive Styles, and Morningness-Eveningness Disposition in a Sample of Yoga Trainees". *Medical Science Monitor*, fev. 2014.

9. J. Reed, "Self-Reported Morningness-Eveningness Related to Positive Affect-Change Associated with a Single Session of Hatha Yoga". *International Journal of Yoga Therapy*, set. 2014.

10. M. Sedliak; et al., "Effect of Time-of-Day-Specific Strength Training on Muscular Hypertrophy in Men". *Journal of Strength and Conditional Research*, dez. 2009.

11. L. D. Hayes; G. F. Bickerstaff; J. S. Baker, "Interactions of Cortisol, Testosterone, and Resistance Training: Influence of Circadian Rhythms". *Chronobiology International*, jun. 2010.

12. S. P. Bird; K. M. Tarpenning, "Influence of Circadian Time Structure on Acute Hormonal Responses to a Single Bout of Heavy-Resistance Exercise in Weight-Trained Men". *Chronobiology International*, jan. 2004.

13. Konrad S. Jankowski, "Morning Types are Less Sensitive to Pain Than Evening Types All Day Long". *European Journal of Pain*, ago. 2013.

8. SAÚDE [PP. 151-83]

1. A. M. Curtis et al., "Circadian Control of Innate Immunity in Macrophages by miR-155 Targeting Bmall". *Proceedings of the National Academy of Sciences USA*, maio 2015.

2. Mattia Lauriola et al., "Diurnal Suppression of EGFR Signalling by Glucocorticoids and Implications for Tumour Progression and Treatment". *Nature Communications*, out. 2014.

3. A. A. Prather et al., "Behaviorally Assessed Sleep and Susceptibility to the Common Cold". *Sleep*, set. 2015.

4. David Gozal et al., Fragmented Sleep Accelerates Tumor Growth and Progression Through Recruitment of Tumor-Associated Macrophages and TLR4 Signaling". *Cancer Research*, dez. 2013.

5. J. Aviram; T. Shochat; D. Pud, "Pain Perception in Healthy Young Men Is Modified by Time-of-Day and Is Modality Dependent". *Pain Medicine*, dez. 2014.

6. K. M. Edwards et al., "Eccentric Exercise as an Adjuvant to Influenza Vaccination in Humans". *Brain, Behavior and Immunity*, fev. 2007.

7. L. C. Russell, "Caffeine Restriction as Initial Treatment for Breast Pain". *Nurse Practitioner*, fev. 1989.

8. Diana L. Miglioretti et al., "Accuracy of Screening Mammography Varies by Week of Menstrual Cycle". *Radiology*, fev. 2011.

9. P. C. Konturek; T. Brzozowski; S. J. Konturek, "Gut Clock: Implication of Circadian Rhythms in the Gastrointestinal Tract". *Journal of Physiology and Pharmacology*, abr. 2011.

10. S. R. Brown; P. A. Cann; N. W. Read, "Effect of Coffee on Distal Colon Function". *Gut*, abr. 1990.

11. Kok-Ann Gwee, "Disturbed Sleep and Disrupted Bowel Functions: Implications for Constipation in Healthy Individuals". *Journal of Neurogastroenterology and Motility*, abr. 2011.

12. Francisco Díaz-Morales et al., "Morningness and Life Satisfaction: Further Evidence from Spain". *Chronobiology International*, out. 2013.

13. Bel Bei et al., "Chronotype and Improved Sleep Efficiency Independently Predict Depressive Symptom Reduction After Group Cognitive Behavioral Therapy for Insomnia". *Journal of Clinical Sleep Medicine*, set. 2015.

14. Juan Manuel Antúnez; José Francisco Navarro; Ana Adan, "Circadian Typology and Emotional Intelligence in Healthy Adults". *Chronobiology International*, out. 2013.

15. E. D. Buhr; S. H. Yoo; J. S. Takahashi, "Temperature as a Universal Resetting Cue for Mammalian Circadian Oscillators". *Science*, out. 2010.

16. Simone M. Ritter; Ap Dijksterhuis, "Creativity: The Unconscious Foundations of the Incubation Period". *Frontiers in Human Neuroscience*, abr. 2014.

17. Erhard Haus; Franz Halberg, "24-Hour Rhythm in Susceptibility of C mice to a Toxic Dose of Ethanol". *Journal of Applied Physiology*, nov. 1959.

18. Tobias Bonten et al., "Effect of Aspirin Intake at Bedtime Versus on Awakening on Circadian Rhythm of Platelet Reactivity: A Randomized Cross-Over Trial". *Thrombosis and Haemostasis Journal*, set. 2014.

19. Alan Wallace; David Chinn; Greg Rubin, "Taking Simvastatin in the Morning Compared with in the Evening: Randomised Controlled Trial". *British Medical Journal*, out. 2003.

20. R. C. Hermida et al., "Sleep-Time Blood Pressure: Prognostic Value and Relevance as a Therapeutic Target for Cardiovascular Risk Reduction". *Chronobiology International*, mar. 2013.

21. Carly R. Pacanowski; David A. Levitsky, "Frequent Self-Weighing and Visual Feedback for Weight Loss in Overweight Adults". *Journal of Obesity*, abr. 2015.

22. Rena R. Wing et al., "A Self-Regulation Program for Maintenance of Weight Loss". *New England Journal of Medicine*, out. 2006.

23. E. Culnan; J. D. Kloss; M. Grandner, "A Prospective Study of Weight Gain Associated with Chronotype Among College Freshmen". *Chronobiology International*, jun. 2013.

9. SONO [PP. 184-211]

1. Adam T. Wertz et al., "Effects of Sleep Inertia on Cognition". *JAMA*, fev. 2006.
2. Sara C. Mednick; Sean P. A. Drummond, "Perceptual Deterioration Is Reflected in the Neural Response: fMRI Study Between Nappers and Non-Nappers". *Perception*, jun. 2009.
3. Amber Brooks; Leon Lack, "A Brief Afternoon Nap Following Nocturnal Sleep Restriction: Which Nap Duration Is Most Recuperative?". *Sleep*, nov. 2006.
4. S. Asaoka; H. Masaki; K. Ogawa et al. "Performance Monitoring During Sleep Inertia After a 1-h Daytime Nap". In: *Journal of Sleep Research*, set. 2010.
5. A. Mednick; K. Nakayama; R. Stickgold, "Sleep-Dependent Learning: A Nap Is as Good as a Night". *Natural Neuroscience*, jul. 2003.
6. Para usar a roda do cochilo interativa, acesse <www.saramednick.com>. Acesso em: 11 ago. 2016.
7. J. A. Vitale et al., "Chronotype Influences Activity Circadian Rhythm and Sleep: Differences in Sleep Quality between Weekdays and Weekend". *Chronobiology International*, abr. 2015.
8. T. Roenneberg et al., "Social Jetlag and Obesity". *Current Biology*, maio 2012.
9. Michael Parsons et al., "Social Jet Lag, Obesity and Metabolic Disorder: Investigation in a Cohort Study". *International Journal of Obesity*, jan. 2015.
10. Floor M. Kroese et al., "Bedtime Procrastination: Introducing a New Area of Procrastination". *Frontiers in Psychology*, jun. 2014.
11. Jane E. Ferrie et al., "A Prospective Study of Change in Sleep Duration: Associations with Mortality in the Whitehall II Cohort". *Sleep*, dez. 2007.
12. Wendy M. Toxel, "It's More Than Sex: Exploring the Dyadic Nature of Sleep and Implications for Health". *Psychosomatic Medicine*, jul. 2010.

10. COMER E BEBER [PP. 212-36]

1. Megumi Hatori et al. "Time-Restricted Feeding without Reducing Caloric Intake Prevents Metabolic Diseases in Mice Fed a High-Fat Diet". *Cell Metabolism*, jun. 2012.
2. Amandine Chaix et al., "Time-Restricted Feeding is a Preventative and Therapeutic Intervention against Diverse Nutritional Challenges". *Cell Metabolism*, dez. 2014.
3. Storch and Blum, "A Highly Tunable Dopaminergic Oscillator Generates Ultradian Rhythms of Behavioral Arousal". *eLife*, dez. 2014.
4. M. Garaulet et al., "Timing of Food Intake Predicts Weight Loss Effectiveness". *International Journal of Obesity*, jan. 2013.

5. Leah E. Cahill et al., "Prospective Study of Breakfast Eating and Incident Coronary Heart Disease in a Cohort of Male US Health Professionals". *Circulation*, maio 2013.

6. Tracy L. Rupp; Christine Acebo; Mary A. Carskadon, "Evening Alcohol Suppresses Salivary Melatonin in Young Adults". *Chronobiology International*, jan. 2007.

7. Christopher B. Forsyth et al., "Circadian Rhythms, Alcohol and Gut Interactions". *Alcohol*, nov. 2014.

8. Uduak S. Udoh et al., "The Molecular Circadian Clock and Alcohol-Induced Liver Injury". *Biomolecules*, out. 2015.

9. Roger H. L. Wilson; Edith J. Newman; Henry W. Newman, "Diurnal Variation in Rate of Alcohol Metabolism". *Journal of Applied Physiology*, mar. 1956.

10. C. L. Ruby et al., "Chronic Ethanol Attenuates Circadian Photic Phase Resetting and Alters Nocturnal Activity Patterns in the Hamster". *American Journal of Physiology*, set. 2009.

11. G. Prat; A. Adan, "Influence of Circadian Typology on Drug Consumption, Hazardous Alcohol Use, and Hangover Symptoms". *Chronobiology International*, abr. 2011.

12. William R. Lovallo et al., "Caffeine Stimulation of Cortisol Secretion Across the Waking Hours in Relation to Caffeine Intake Levels". *Psychosomatic Medicine*, fev. 2005.

13. Anjalene Whittier et al., "Eveningness Chronotype, Daytime Sleepiness, Caffeine Consumption, and Use of Other Stimulants Among Peruvian University Students". *Journal of Caffeine Research*, mar. 2014.

14. Tina M. Burke et al., "Effects of Caffeine on the Human Circadian Clock in Vivo and in Vitro". *Science Translational Medicine*, set. 2015.

15. C. Drake et al., "Caffeine Effects on Sleep Taken 0, 3, or 6 Hours Before Going to Bed". *Journal of Clinical Sleep Medicine*, nov. 2013.

16. Roy F. Baumeister et al., "Ego Depletion: Is the Active Self a Limited Resource?". *Personality Processes and Individual Differences*, maio 1998.

17. Frank A. J. L. Scheer; Christopher J. Morris; Steven A. Shea, "The Internal Circadian Clock Increases Hunger and Appetite in the Evening Independent of Food Intake and Other Behaviors". *Obesity*, mar. 2013.

18. Laura K. Fonken et al., "Light at Night Increases Body Mass by Shifting the Time of Food Intake". *PNAS*, out. 2010.

19. Christopher S. Colwell et al., "Misaligned Feeding Impairs Memory". *eLife*, dez. 2015.

20. Angela Kong et al., "Associations Between Snacking and Weight Loss and Nutrient Intake Among Postmenopausal Overweight-to-Obese Women in a Dietary Weight Loss Intervention". *Journal of the American Dietary Association*, dez. 2011.

21. C. A. Crispim et al., "Relationship Between Food Intake and Sleep Pattern in Healthy Individuals". *Journal of Clinical Sleep Medicine*, dez. 2011.

22. A. Harb et al., "Night Eating Patterns and Chronotypes: A Correlation with Binge Eating Behaviors". *Psychiatry Research*, dez. 2012.

11. TRABALHO [PP. 237-71]

1. Boris Egloff; Anja Tausch; Carl-Walter Kohlman, "Relationships Between Time of Day, Day of the Week, and Positive Mood: Exploring the Role of the Mood Measure". *Motivation and Emotion*, jan. 1995.
2. Sunita Sah; Don A. Moore; Robert J. MacCoun, "Cheap Talk and Credibility: The Consequences of Confidence and Accuracy on Advisor Credibility and Persuasiveness". *Organizational Behavior and Human Decision Processes*, jul. 2013.
3. J. M. Antúnez; J. F. Navarro; A. Adan, "Circadian Topography is Related to Resilience and Optimism in Healthy Adults". *Chronobiology International*, maio 2015.
4. Christoph Randler; Lena Salinger, "Relationship Between Morningness-Eveningness and Temperament and Character Dimensions in Adolescents". *Personality and Individual Differences*, jan. 2011.
5. Margo Hilbrecht; Bryan Smale; Steven E. Mock, "Highway to Health? Commute Time and Well-Being Among Canadian Adults". *World Leisure Journal*, abr. 2014.
6. Ángel Correa; Enrique Molina; Daniel Sanabria, "Effect of Chronotype and Time of Day on Vigilance Decrement During Simulated Driving". *Accident Analysis and Prevention*, jun. 2012.
7. Adam Martin; Yevgeniy Goryakin; Marc Suhrcke, "Does Active Commuting Improve Psychological Wellbeing? Longitudinal Evidence from Eighteen Waves of the British Household Panel Survey". *Preventive Medicine*, dez. 2014.
8. Juan Francisco Díaz-Morales; Joseph R. Ferrari; Joseph R. Cohen, "Indecision and Avoidant Procrastination: The Role of Morningness-Eveningness and Time Perspective in Chronic Delay Lifestyles". *Journal of General Psychology*, jul. 2008.
9. Á. Correa; T. Lara; A. Madrid, "The Vigilance Decrement in Executive Function Is Attenuated When Individual Chronotypes Perform at Their Optimal Time of Day". *PLOS One*, fev. 2014.
10. Farshad Kooti et al., "Evolution of Conversation in the Age of Email Overload". *International World Wide Web Conference Committee*, maio 2015.
11. M. A. Miller et al., "Chronotype Predicts Positive Affect Rhythms Measured by Ecological Momentary Assessment". *Chronobiology International*, abr. 2015.
12. R. L. Matchock; J. T. Mordkoff, "Chronotype and Time-of-Day Influences on the Alerting, Orienting, and Executive Components of Attention". *Experimental Brain Research*, jan. 2009.
13. Uri Simonsohn; Francesca Gino, "Daily Horizons: Evidence of Narrow Bracketing in Judgment From 10 Years of M.B.A. Admissions Interviews". *Psychological Science*, maio 2012.
14. L. Carlucci; J. Case, "On the Necessity of U-Shaped Learning". *Topics in Cognitive Science*, jan. 2013.

15. Pablo Valdez; Candelaria Ramírez; Aída García, "Circadian Rhythms in Cognitive Performance: Implications for Neuropsychological Assessment". *ChronoPhysiology and Therapy*, dez. 2012.

16. Christina Schmidt et al., "Pushing the Limits: Chronotype and Time of Day Modulate Working Memory-Dependent Cerebral Activity". *Frontiers in Neuroscience*, set. 2015.

17. Paula Alhola; Päivi Polo-Kantola, "Sleep Deprivation: Impact on Cognitive Performance". *Neuropsychiatric Disease and Treatment*, out. 2007.

18. Todd McElroy; David L. Dickinson, "Thoughtful Days and Valenced Nights: How Much Will You Think About the Problem?". *Judgment and Decision Making*, dez. 2010.

19. M. E. Jewett et al. "Time Course of Sleep Inertia Dissipation in Human Performance and Alertness". *Journal of Sleep Research*, mar. 1999.

20. Díaz-Morales; Ferrari; Cohen, "Indecision and Avoidant Procrastination: The Role of Morningness-Eveningness and Time Perspective in Chronic Delay Lifestyles". *The Journal of General Psychology*, jul. 2008.

21. Seung-Schik Yoo et al., "A Deficit in the Ability to Form New Human Memories Without Sleep". *Nature Neuroscience*, fev. 2007.

22. Guang Yang et al., "Sleep Promotes Branch-Specific Formation of Dendritic Spines After Learning". *Science*, jun. 2014.

23. Alhola; Polo-Kantola; "Sleep Deprivation: Impact on Cognitive Performance". *Neuropsychiatric Disease and Treatment*, 2007.

24. F. F. Barbosa; F. S. Albuquerque, "Effect of the Time-of-Day of Training on Explicit Memory". *Brazilian Journal of Medical and Biological Research*, maio 2008.

25. Keith Harris, "A Statistical Analysis of Suggested and Accepted Times for Meetings and Events", out. 2009. Disponível em: <www.WhenIsGood.net>. Acesso em: 10 ago. 2016.

26. Paul King; Ralph Behnke, "Patterns of State Anxiety in Listening Performance". *Southern Communication Journal*, 2004.

12. CRIATIVIDADE [PP. 272-88]

1. B. J. Shannon et. al., "Morning-Evening Variation in Human Brain Mechanism and Memory Circuits". *Journal of Neurophysiology*, mar. 2013.

2. M. B. Wieth; R. T. Zacks, "Time of Day Effects on Problem Solving: When the Non-Optimal Is Optimal". *Thinking & Reasoning*, dez. 2011.

3. Floris T. Van Vugt et al., "The Influence of Chronotype on Making Music: Circadian Fluctuations in Pianists' Fine Motor Skills". *Frontiers in Human Neuroscience*, jul. 2013.

4. Ruth Wells et al., "Matter Over Mind: A Randomised-Controlled Trial of Single-Session Biofeedback Training on Performance Anxiety and Heart Rate Variability in Musicians". *PLOS One*, out. 2012.
5. Jeffrey M. Ellenbogen et al., "Human Relational Memory Requires Time and Sleep". *PNAS*, mar. 2007.
6. Para uma lista de cem perguntas do RAT e para se autoavaliar, acesse <www.remote--associates-test.com>. Acesso em: 11 ago. 2016.
7. Queijo.
8. Gelo.
9. Dor.
10. Pincel.
11. Acampamento.
12. Papel.
13. Manada.
14. Jogo.
15. Porta.
16. Denise J. Cai et al., "REM, not Incubation, Improves Creativity by Priming Associative Networks". *PNAS*, maio 2009.
17. M. B. Wieth; R. T. Zacks, "Time of Day Effects on Problem Solving: When the Non-Optimal Is Optimal", op. cit.
18. Ele dividiu a corda longitudinalmente e amarrou as pontas.
19. Antigamente não se usava "a.C.".
20. Quinquagésimo nono dia. Como as flores duplicam a cada dia, ele estaria coberto pela metade no dia anterior ao dia em que estivesse totalmente coberto, no sextagésimo dia.
21. Bob tem doze; seu pai, 36. Quatro anos atrás, Bob tinha oito e seu pai, 32.
22. Segunda: Bill, mexicano. Terça: Dave, churrascaria. Quarta: Carl, pizzaria. Quinta: Eric, peixe. Sexta: Andy, tailandês.
23. Anna, Charlie, cravo. Isabel, Tom, narciso. Yvonne, Ken, lírios. Emily, Ron, rosas.
24. Andrew F. Jarosz; Gregory J. H. Colflesh; Jennifer Wiley, "Uncorking the Muse: Alcohol Intoxication Facilitates Creative Problem Solving". *Consciousness and Cognition*, mar. 2012.
25. A maioria desses dados vem do livro fascinante de Mason Curry, *Daily Rituals: How Artists Work* (Nova York: Knopf, 2013).
26. Um link para o vídeo aqui: <http://juliacameronlive.com/basic-tools/morning-pages/>. Acesso em: 11 ago. 2016.

13. DINHEIRO [PP. 289-306]

1. Karen J. Pine; Ben Fletcher, "Women's Spending Behavior is Menstrual-Cycle Sensitive". *Personality and Individual Differences*, jan. 2011.
2. Oliver B. Büttner et al., "Hard to Ignore: Impulsive Buyers Show an Attentional Bias in Shopping Situations". *Social Psychological & Personality Science*, abr. 2014.
3. Benjamin G. Serfas; Oliver B. Büttner; Arnd Florack, "Eyes Wide Shopped: Shopping Situations Trigger Arousal in Impulsive Buyers". *PLOS One*, dez. 2014.
4. K. S. Janowski; W. Ciarkowska, "Diurnal Variation in Energetic Arousal, Tense Arousal, and Hedonic Tone in Extreme Morning and Evening Types". *Chronobiology International*, jul. 2008.
5. Scott I. Rick; Beatriz Pereira; Katherine A. Burson, "The Benefits of Retail Therapy: Making Purchase Decisions Reduces Residual Sadness". *Journal of Consumer Psychology*, jul. 2014.
6. Shaun A. Saunders; Michael W. Allen; Kay Pozzebon, "An Exploratory Look at the Relationship between Materialistic Values and Goals and Type A Behaviour". *Journal of Pacific Rim Psychology*, jun. 2008.
7. Ayalla Ruvio; Eli Somer; Aric Rindfleisch, "When Bad Gets Worse: The Amplifying Effect of Materialism on Traumatic Stress and Maladaptive Consumption". *Journal of the Academy of Marketing Science*, jan. 2014.
8. Alison Jing Xu; Norbert Schwarz; Robert S. Wyer Jr., "Hunger Promotes Acquisition of Nonfood Objects". *Proceedings of the National Academy of Sciences*, jan. 2015.
9. John Kounios; Mark Beeman, "The Aha! Moment: The Cognitive Neuroscience of Insight". *Current Directions in Psychological Science*, ago. 2009.
10. Mary Helen Immordino-Yang; Joanna A. Christodoulous; Vanessa Singh, "Rest Is Not Idleness: Implications of the Brain's Default Mode for Human Development and Education". *Perspectives on Psychological Science*, jul. 2012.
11. Davide Ponzi; M. Claire Wilson; Dario Maestripieri, "Eveningness is Associated with Higher Risk-Taking, Independent of Sex and Personality". *Psychological Reports: Sociocultural Issues in Psychology*, dez. 2014.
12. Brian Gunia; Christopher M. Barnes; Sunita Sah, "Larks and Owls: Unethical Behavior Depends on Chronotype as Well as Time-of-Day". *Psychological Science*, dez. 2014.
13. Shai Danziger; Jonathan Levav; Liora Avnaim-Pesso, "Extraneous Factors in Judicial Decisions". *PNAS*, fev. 2011.
14. Carmel Sofer et al., "What is Typical is Good: The Influence of Face Typicality on Perceived Trustworthiness". *Psychological Science*, dez. 2014.
15. Tina Sundelin et al., "Cues of Fatigue: Effects of Sleep Deprivation on Facial Appearance". *Sleep*, set. 2013.

16. Peter A. Bos et al., "The Neural Mechanisms by Which Testosterone Acts on Interpersonal Trust". *NeuroImage*, jul. 2012.
17. Taiki Takahashi et al., "Interpersonal Trust and Social Stress-induced Cortisol Elevation". *NeuroReport*, fev. 2005.
18. Aída García; Candelaria Ramirez; Benito Martinez; Pablo Valdez. "Circadian Rhythms in Two Components of Executive Functions: Cognitive Inhibition and Flexibility". In: *Biological Rhythm Research*, jan. 2012.
19. Hichem Slama et al., "Afternoon Nap and Bright Light Exposure Improve Cognitive Flexibility Post Lunch". *PLOS One*, maio 2015.

14. LAZER [PP. 307-33]

1. Yoon Hi Sung; Eun Yeon Kang; Wei-Na Lee, "A Bad Habit for Your Health? An Exploration of Psychological Factors for Binge-Watching Behavior". *All Academia Inc*, jan. 2015.
2. I. N. Fossum et al., "The Association Between Use of Electronic Media in Bed Before Going to Sleep and Insomnia Symptoms, Daytime Sleepiness, Morningness, and Chronotype". *Behaviors in Sleep Medicine*, set. 2014.
3. Jacob M. Burmeister; Robert A Carels, "Television Use and Binge Eating in Adults Seeking Weight Loss Treatment". *Eating Behaviors*, jan. 2014.
4. A versão completa está disponível em: <http://personality-testing.info/tests/SD3/>. Acesso em: 10 ago. 2016.
5. Peter K. Jonason; Amy Jones; Minna Lyons, "Creatures of the Night: Chronotypes and the Dark Triad Traits". *Personality and Individual Differences*, set. 2013.
6. Agata Blachnio; Aneta Przepiorka; Juan F. Díaz-Morales, "Facebook Use and Chronotype: Results of a Cross-Sectional Study". *Chronobiology International*, ago. 2015.
7. Masahiro Toda; Nobuhiro Nishio; Satoko Ezoe; Tatsuya Takeshita, "Chronotype and Smartphone Use Among Japanese Medical Students". *International Journal of Cyber Behavior*, dez. 2015.
8. L. J. Hadlington, "Cognitive Failures in Daily Life: Exploring the Link with Internet Addiction and Problematic Mobile Phone Use". *Computers in Human Behavior*, out. 2015.
9. Fossum et al., "The Association between Use of Electronic Media in Bed Before Going to Sleep and Insomnia Symptoms, Daytime Sleepiness, Morningness, and Chronotype". *Behavioral Sleep Medicine*, out. 2013.
10. Y. H. Lin; S. S. Gau, "Association Between Morningness-Eveningness and the Severity of Compulsive Internet Use: The Moderating Role of Gender and Parenting Style". *Sleep Medicine*, dez. 2013.

11. Baumeister; Bratslavsky; Muraven; Tice, "Ego Depletion: Is the Active Self a Limited Resource?". *Journal of Personality and Social Psychology*, 1998.

12. Scott A. Golder; Michael W. Macy, "Diurnal and Seasonal Mood Vary with Work, Sleep, and Daylength Across Diverse Cultures". *Science*, set. 2011.

13. Nemanja Spasojevic et al., "When to Post on Social Networks". *Lithium Technologies/Klout*, jun. 2015.

14. Gunia; Barnes; Sah, "Larks and Owls: Unethical Behavior Depends on Chronotype as Well as Time-of-Day". *Psychological Science*, jul. 2014.

15. Stephanie D. Womack et al., "Sleep Loss and Risk-Taking Behavior: A Review of the Literature". *Behavioral Sleep Medicine*, jan. 2013.

16. W. D. S. Killgore; T. J. Balkin; N. J. Wesensten, "Impaired Decision Making Following 49 h of Sleep Deprivation". *Journal of Sleep Research*, fev. 2006.

17. Lili Wang; Tanya L. Chartrand, "Morningness-Eveningness and Risk Taking". *Journal of Psychology*, abr. 2014.

18. Christian Vollmer et al., "Computer Game Addiction in Adolescents and Its Relationship to Chronotype and Personality". *Sage Open*, jan. 2014.

19. Peter J. McCormick et al., "Circadian-Related Heteromerization of Adrenergic and Dopamine D4 Receptors Modulates Melatonin Synthesis and Release in the Pineal Gland". *PLOS Biology*, jun. 2012.

20. David Comer Kidd; Emanuele Castano, "Reading Literary Fiction Improves Theory of Mind". *Science*, out. 2013.

21. Robert S. Wilson et al., "Life-Span Cognitive Activity, Neuropathologic Burden, and Cognitive Aging". *Neurology*, jul. 2013.

22. Raymond A. Mar; Keith Oatley; Jordan B. Peterson, "Exploring the Link between Reading Fiction and Empathy: Ruling out Individual Differences and Examining Outcomes". *Communications*, jan. 2009.

23. Anne-Maria Chang et al., "Evening Use of Light-Emitting eReaders Negatively Affects Sleep, Circadian Timing, and Next-Morning Alertness". *PNAS*, jan. 2015.

24. W. D. Killgore et al., "The Effects of Caffeine, Dextroamphetamine, and Modafinil on Humor Appreciation During Sleep Deprivation". *Sleep*, jun. 2006.

25. C. Randler, "Evening Types Among German University Students Score Higher on Sense of Humor After Controlling for Big Five Personality factors". *Psychological Reports*, out. 2008.

26. Com a aprovação do seu médico, obviamente.

27. Especificamente, *Multilateral Guidelines for Management of Circadian Desynchrony in ISS Operations SSP 50480-ANX3*, da Nasa, composto pela Multilateral Medical Operations Panel Spaceflight Human Behavior and Performance Working Group Fatigue Management Team.

28. Com a aprovação do seu médico.

29. Com a aprovação do seu médico.

15. CRONOSSAZONALIDADE [PP. 337-43]

1. Christian Cajochen et al., "Evidence that the Lunar Cycle Influences Human Sleep". *Current Biology*, ago. 2013.
2. F. C. Baker; H. S. Driver, "Circadian Rhythms, Sleep, and the Menstrual Cycle". *Sleep Medicine*, set. 2007.
3. Ari Shechter et al., "Pilot Investigation of the Circadian Plasma Melatonin Rhythm Across the Menstrual Cycle in a Small Group of Women with Premenstrual Dysphoric Disorder". *PLOS One*, dez. 2012.
4. Lista de sintomas segundo a Mayo Clinic.
5. H. Oginska; K. Oginska-Bruchal, "Chronotype and Personality Factors of Predisposition to Seasonal Affective Disorder". *Chronobiology International*, maio 2014.
6. Layan Zhang et al., "Chronotype and Seasonality: Morningness Is Associated with Lower Seasonal Mood and Behavior Changes in the Old Order Amish". *Affective Disorders*, mar. 2015.
7. Thomas Kantermann et al., "The Human Circadian Clock's Seasonal Adjustment is Disrupted by Daylight Saving Time". *Current Biology*, nov. 2007.
8. Jason Varughese; Richard P Allen, "Fatal Accidents Following Changes in Daylight Savings Time: The American Experience". *Sleep Medicine*, jan. 2001.
9. Imre Janszky; Rickard Ljung, "Shifts to and from Daylight Saving Time and Incidence of Myocardial Infarction". *New England Journal of Medicine*, out. 2008.

16. CRONOLONGEVIDADE [PP. 344-48]

1. Masayuki Sumida; A. James Barkovich; T. Hans Newton, "Development of the Pineal Gland: Measurement with MR". *American Journal of Neuroradiology*, fev. 1996.
2. J. Kennaway; G. E. Stamp; F. C. Goble, "Development of Melatonin Production in Infants and the Impact of Prematurity". *The Journal of Clinical Endocrinology and Metabolism*, jul. 2013.
3. A. Cohen Engler et al., "Breastfeeding May Improve Nocturnal Sleep and Reduce Infantile Colic: Potential Role of Breast Milk Melatonin". *European Journal of Pediatrics*, abr. 2012.
4. K. R. Grey et al., "Human Milk Cortisol is Associated with Infant Temperament". *Psychoneuroendocrinology*, jul. 2013.
5. C. T. Simpkin et al., "Chronotype is Associated with the Timing of the Circadian Clock and Sleep in Toddlers". *Journal of Sleep Research*, ago. 2014.
6. Till Roenneberg et al., "A Marker for the End of Adolescence". *Current Biology*, dez. 2004.

7. J. A. Anderson et al., "Timing is Everything: Age Differences in the Cognitive Control Network Are Modulated by Time of Day". *Psychology and Aging*, set. 2014.

8. Timothy H. Monk; Daniel J. Buysse, "Chronotype, Bed Timing, and Total Sleep Time in Seniors". *Chronobiology International*, jun. 2014.

Índice remissivo

Entradas em *itálico* indicam ilustrações, gráficos ou tabelas.

acordar, 184-90

acumulação de riqueza, 293, 295-8

adenosina, 188, 206

adolescentes, 135, 137, 202, 314, 346-7

afeto físico, 112-3

afeto positivo, 113-4, 239, 255

alergias, 178

almoço *ver* comer e beber

alto impulso de sono, 24

Amis, Kingsley, 287

amizades, 114-7

amor *ver* relacionamentos

anestesia, 155

Angelou, Maya, 285-6

ansiedade, 113, 146, 276

aprender algo novo, 258-61

apresentar suas ideias no trabalho, 268-9, 270-1

aquisição e memória, 265

artrite, 178

aspirina, 175

assistir a uma maratona de tv, 307-11

ataques cardíacos, 179

ataques de asma, 179

atenção, 256

atividade física: correr, 138-41; esportes em equipe, 141, 143-5; ioga, 145-7; musculação, 148-50; *ver também* exercício

Auden, W. H., 286

Austen, Jane, 286

autoconfiança, 141

azia, 179

baixo impulso de sono, 24

Baumeister, Roy, 314

bebês de até um ano, 134, 202, 344-5

biotempo: benefícios de estar em sincronia com, 17, 19; definição de, 19; efeito de drogas sobre, 16, 177; história de mudanças em, 13-5; para atividade física, 138-50; para criatividade, 272-88; para dinheiro, 289-306; para lazer, 307-33; para relacionamentos, 111-37; para saúde, 151-83; para sono, 184-211; para trabalho, 237-71; variedade de, 25

bondade, 112-3

Bradbury, Ray, 287

brainstorming, 272-3, 275

café, 163, 196

café da manhã *ver* comer e beber

cafeína: e cochilar, 196, 250; e golfinhos, 53-5, 227; e leões, 227; e lobos, 94, 98, 100, 225, 227; e mamografias, 159; e movimentos intestinais, 163; e ritmo ad-renal, 188-9; e sono REM, 186; e ursos, 85, 224, 227, 229; hora de, 223-9; tolerância a, 224-5

caixa luminosa, 188

calores, 179

Cameron, Julia, 288

câncer, 17, 153, 174

Carson, Shelley, 273

casais heterossexuais, tabela de compatibilidade sexual entre os cronotipos, *129*

casal de homens homossexuais, tabela de compatibilidade sexual entre os cronotipos, *129*

casal de mulheres homossexuais, tabela de compatibilidade sexual entre os cronotipos, *129*

cefaleias de tensão, 179

celulares, 313

células de gordura, 213

Centro de Controle e Prevenção de Doenças, 156

cérebro: comprimento e amplitude de onda cerebral durante o sono, *187*; consolidação de memória durante sono profundo, 77, 119, 266; conversas bilaterais entre os hemisférios, 193; córtex pré-frontal, 185, 189, 272, 274, 295, 319, 326; cronossazonalidade, 340; dos golfinhos, 49; dos leões, 65, 67, 76; dos lobos, 93, 99, 104; dos ursos, 83-4; e hipocampo, 279; rede associativa remota do, 281; redes cerebrais geradoras de ideias, 295-6

chá de banana, 234

chocolate, 228

ciclo de sono/ vigília, 219, 226, 308, 345

ciclo menstrual, 338-9

cirurgias, 155

cochilo: dos golfinhos, 54, 195; dos ursos, 82, 87, 193-4, 196; duração dos cochilos, 192, 203, 280; e cafeína, 196, 250; e vendas, 305; hora de, 190-6; pré-balada, 196

colecistoquinina, 162-3

comer demais, 229-30, 232

comer e beber: café da manhã, almoço e jantar, 52-3, 56, 70, 73, 75, 85-6, 88, 98, 100-1, 103, 212-3; comer demais, 229-30, 232; consumo de álcool, 218-23; consumo de cafeína, 223-9; efeito do biotempo sobre, 18; lanchar, 232-6

"competição de caixa de entrada", 253

comprar, 289-91, 293

consciência plena, 146-7

consolidação da memória, 265, 274

constipação, 164

consumo de álcool: contar uma piada, 325-6; e ritmo de embriaguez, 287; e ritmo de intoxicação, 284; e tolerância, 75, 88; e viajar, 332; hora de beber, 218-23

contar piadas, 324-5, 327

convulsões, 179

correr, 138-40

corujas, 23

cotovias, 23

crianças: bebês de até um ano, 134, 202, 344-5; de sete a doze anos, 135, 202; de um a seis anos, 135, 202, 345; e conversar com os filhos, 134-7; *ver também* adolescentes

criatividade: brainstorming, 272-3, 275; escrever um livro, 282-8; ligar os pontos, 278-81; tocar um instrumento, 275-6, 278

cronobiologia, 16, 19, 174

cronodesajuste: definição de, 19; e cafeína, 226; e fadiga ad-renal, 225; e gordura abdominal, 213; e jet lag social, 328; e os quilinhos dos calouros, 183; efeitos de, 15; insônia de domingo como exemplo de, 80, 197

cronogramas: choque de realidade, 51, 69, 83, 97; horários, 12, 16, 19; para cronotipos, 45, 63, 78, 91-2, 106-7; sincronizar os horários sociais com o biológico, 19; cronogramas *ver também* biotempo; horários da sociedade e ritmos sociais

cronolongevidade, 344-8

cronorritmo: definição de, 20; dos golfinhos, 51-61, 205; dos leões, 69-77;

dos lobos, 97-105; dos ursos, 84-90; por cronotipo, 26

cronossazonalidade: ciclo menstrual, 338-9; ritmo de inverno, 340, 342; ritmo do horário de verão, 342; ritmo lunar, 337-8

cronoterapia, 16, 18, 20

cronotipos: base genética de, 25, 35-6; de escritores famosos, 286-7; definição de, 20; determinação de, 24; fatores relacionados à idade, 36; híbridos, 32-6; horários para, 45; impulso de sono, 24-5, 38; mudança, 35-6; pesquisas sobre, 37; preferências de ligação de, 116-7; teste de temperatura para, 44; vantagens e desvantagens de, 35; variações em, 26

cronotruques, definição de, 20

Cumberbatch, Benedict, 278

Darwin, Charles, 287

débito de sono, 198, 211

depressão, 18, 166, 179, 220

deriva mental produtiva, 296

derrames, 179

desidratação, 329, 332

desidrogenase, 221

despertador que simule o nascer do sol, 188, 190

despertares, 60

diários, 73

dias da semana e ritmo de dia da semana, 238

Dickens, Charles, 286

Didion, Joan, 286

dinâmica lado a lado, 135

dinheiro: comprar, 289-91, 293; ficar

rico, 293, 295-8; negociar, 299-302; vender, 303-5

direção sonolenta, 249

discussões, 119-25, *124*

doença fibrocística da mama, 159

doenças e sistema imunológico, 151-5

dormir até tarde: golfinhos, 61, 200; horário de, 197-201; leões, 200; lobos, 99-100, 197, 199-200; ursos, 80-1, 83, 197, 200-1

Dumas, Alexandre, 286

Edison, Thomas, 14, 19, 202

efeito auréola, 112

efeito de moralidade, 299-300

efeito do álcool no processo criativo, estudo da Universidade de Chicago sobre, 284

entrar na internet, 312-6

entrevista de emprego, 254-8

envelhecer, 118, 212, 344-8

enxaqueca, 179

escala de propensão ao risco específico (Epre), 297

escrever um livro, 282-8

esportes em equipe, 141-2, 144-5

estações do ano: cronossazonalidade, 337-42; e correr, 140

estado de alerta: e acordar, 184-5; e aprender algo novo, 259-60; e apresentar ideias, 269-70; e brainstorming, 273; e cafeína, 224; e cochilar, 192, 194, 196; e contar uma piada, 325, 327; e cronotipos, 18-9; e entrevistas de emprego, 256-7; e falar com as crianças, 136; e ficar rico, 295, 298; e golfinhos, 38, 47,

49, 53, 55; e interagir com médicos, 155; e ioga, 146; e ir e voltar do trabalho, 247, 249-50; e lanchar, 232; e leões, 39, 67-9, 72-3, 75, 124; e ler, 322; e ligar os pontos, 281; e ligar para desconhecidos, 245; e ligar para os amigos, 117; e lobos, 43, 95, 100-1; e mandar e-mails, 252; e negociar, 299-301; e planejar algo importante, 130-2; e ritmo de coordenação, 143; e ritmo de criação, 282; e terapia, 167; e tomar banho, 169, 172; e tomar uma decisão, 264; e transar, 126; e ursos, 41, 72, 79, 82, 84-5, 87, 89; e uso de internet, 312; e vender, 305; variação de, *191*

estado de excitação, 120, *122*, 290

estatinas, 175

estratégia de "controle de estímulo", 59-60, 62-3

estresse: e cafeína, 226; e cronolongevidade, 345; e cronossazonalidade, 339; e digestão, 161; e ioga, 145-6; e ir e voltar do trabalho, 247; e ler por prazer, 322; e meditação, 169; e ritmo de comproterapia, 291; e ritmo de desejo, 126

evitar procrastinação, 251, 264

"excitação enérgica", 120, *121*, 122, 290

exercício: e cronossazonalidade, 343; e inércia do sono, 248-9; e lanchar depois, 236; e pesar-se, 180; e ritmo de imunidade, 157; e tomar banho, 170; para golfinhos, 52; para leões, 69, 74; para lobos, 99, 102; para ursos, 80-1, 84, 86, 88; *ver também* atividade física exposição à luz: e bebês de até um ano, 345; e comer, 216; e cronossazonalidade, 338, 340-1; e cronoterapia, 18; e esportes em equipe, 142; e estado de alerta, 73, 84-5; e níveis de melatonina, 125; e ritmo de flexibilidade, 305; e ritmo de insônia, 308; horário de, 36; luz azul, 58, 76, 89, 104, 230, 308, 323; ritmo de luz solar, 187, 189; *ver também* "hora de desligar"

expressões faciais, 112-3

Facebook, 313, 316
fadiga ad-renal, 225
falar em público, 268-71
farmacêuticos, 155, 176
Feldman, Ruth, 113
felicidade, 18, 113, 165
feromônios, 111
ficar rico, 293-8
fígado, 213, 219
Fitzgerald, F. Scott, 287
Franklin, Benjamin, 64, 286, 294

gastrina, 162-3
gene PER3, 25, 202
glândula pineal, 308, 321, 344-5
glicemia, 179, 232
glicocorticoides (GCs), 152
glóbulos brancos, 151
golfinhos: brigar com o parceiro, 122, 124; características dos, 25, 46-51; café da manhã, almoço e jantar, 52-4, 56, 217; como porcentagem da população, 26; cronograma dos, 63; cronorritmos dos, 51-61, 205; e

acordar, 189; e apaixonar-se, 114; e aprender algo novo, 260-1; e apresentar suas ideias, 268-9, 271; e assistir a uma maratona de TV, 308, 310; e brainstorming, 275; e cafeína, 53-5, 227; e cochilar, 54, 195; e combater doenças, 155; e comer demais, 232; e comprar, 290-1, 293; e consumo de álcool, 223; e contar piadas, 327; e conversar com os filhos, 137; e correr, 140; e cronolongevidade, 347; e cronossazonalidade, 338-9, 342-3; e dormir até tarde, 61, 200; e entrevistas de emprego, 255, 258; e escrever um livro, 287; e esportes em equipe, 142, 144; e ficar rico, 295-6, 298; e hora de dormir, 204-6, 210; e ioga, 148; e ir e voltar do trabalho, 247, 249; e jogar, 317, 320; e lanchar, 233, 236; e ler por prazer, 322, 324; e ligar os pontos, 281; e ligar para desconhecidos, 244-5; e ligar para os amigos, 117; e mandar e-mails, 251-2, 254; e meditação, 169; e memorizar, 266-7; e movimentos intestinais, 164; e musculação, 149-50; e negociar, 299-300, 302; e normas sociais, 26; e papéis matinais, 288; e pedir um aumento, 241; e pesar-se, 182; e pico de agradabilidade, 239; e planejar algo importante, 130, 133; e terapia, 166-8; e tocar um instrumento, 276, 278; e tomar banho, 173; e tomar uma decisão, 263, 265; e tomar vacina contra a gripe,

159; e transar, 57, 125-8; e uso de internet, 313, 315-6; e vender, 304, 306; e viajar, 328-9, 332; exemplos de escritores famosos, 286; mudanças semanais para, 62; objetivos para, 50; perfil dos, 37-9; pico de ativação, 240; relógio mestre, 349; sono dos, 60-1, 140, 185, 203, 205, 210

gordura abdominal, 213-4

grelina, 162, 341

Halberg, Franz, 174

harmonia do sono, 210

Hemingway, Ernest, 285

hipotálamo, 13

"hora de desligar": e ler por prazer, 323-4; e ritmo de relaxamento, 146; e telas de eletrônicos, 58-9, 62, 89, 137; e televisão, 308-9; parte dois, 209; parte três, 209; parte um, 208

horários: dos cronogramas, 12, 16, 19; dos relógios internos, 13-9, 23, 213; *ver também* biotempo

horário das refeições, 213-7, 232

horários da sociedade/ ritmos sociais: definição de, 20; dos golfinhos, 81; dos leões, 66, 68, 81-2; dos lobos, 81-2, 95; dos ursos, 80-2, 95; e dormir até mais tarde, 197; normas de, 26; *ver também* relacionamentos

Hugo, Victor, 286

humor: dos golfinhos, 112; dos leões, 66, 112; dos lobos, 112; dos ursos, 112; e atração sexual, 112; e brigar com o parceiro, 120; e esportes em equipe, 144; e ioga, 147; e ritmo de pós-orgasmo, 126; e transar, 128; no trabalho, 238-9; ritmo de variação de humor diária, 244-5; ritmo de variação de humor semanal, 243-5

impulsividade, 96, 123, 146, 207, 298

impulso de sono: base genética de, 202; dos ursos, 25, 80, 90; e cronotipos, 24-5, 38

inércia do sono: e acordar, 184-6, 188-9; e brigar com o parceiro, 122; e cochilos, 193; e conversar com os filhos, 136; e dormir até tarde, 198; e exercício, 248; e ler livros digitais, 323; e tomar banho, 171; e tomar uma decisão, 263

insônia de domingo, 80, 197, 238, 243

insônia e insones: como diferenciação de cronotipos, 24-5, 32-3; e aprender algo novo, 260; e cafeína, 225; e cortinas blecaute, 187; e cronolongevidade, 347; e depressão, 166; e duração do sono, 203; e esportes em equipe, 142; e hora de transar, 125-6; e ler por prazer, 323; e movimentos intestinais, 164; e ritmo de insight, 280; e terapia, 166; e uso de internet, 314; expectativas pouco realistas, 50; insônia de domingo, 80, 197, 238, 243; leituras de, 58; níveis de cortisol, 48; preocupação, 56, 93

inteligência emocional, 141

interação com médicos, 155

interação por voz, 115

interação presencial, 115

ioga, 145-7, 342

ir às lojas, 289
ir e voltar do trabalho, 246-50
ir para a cama, 201-11

jantar *ver* comer e beber
jet lag, 198, 328-31, 333; *ver também* jet lag social
jet lag social: definição de, 20; e cronodesajuste, 328; e dormir até mais tarde, 198-9; e ligar para um desconhecido, 243, 245; e os quilinhos dos calouros, 183; e pedir um aumento, 238; e ritmo de ressaca, 222-3; para golfinhos, 61; para ursos, 80, 243
jogar, 317-21
Joyce, James, 287

Kafka, Franz, 286
King, Stephen, 286
Kingsolver, Barbara, 285
kits de dormir, 228
Kohut, Marian, 157

lâmpada, 14, 17, 58
lanche: dos golfinhos, 233, 236; dos leões, 72, 233, 236; dos lobos, 101, 233-4, 236; dos ursos, 83, 87-8, 233, 236; hora do, 233, 235-6
lazer: assistir a uma maratona de TV, 307-10; contar piadas, 324, 326-7; jogar, 317-21; ler por prazer, 322-4; uso de internet, 312-6; viajar, 328-30, 332-3
lembrar e memorizar, 265
leões: brigar com o parceiro, 124; características dos, 25, 35, 64-9; café

da manhã, almoço e jantar, 70, 72-3, 75, 217; como porcentagem da população, 26; cronograma dos, 78; cronorritmos dos, 69-77; e acordar, 189; e apaixonar-se, 114; e aprender algo novo, 259, 261; e apresentar suas ideias, 268-9, 271; e brainstorming, 275; e cafeína, 227; e cochilar, 193, 196; e combater doenças, 155; e comer demais, 232; e comprar, 290-1, 293; e consumo de álcool, 223; e contar piadas, 327; e conversar com os filhos, 135, 137; e correr, 139-40; e cronolongevidade, 345-7; e cronossazonalidade, 338, 343; e dormir até mais tarde, 200; e entrevistas de emprego, 255-6, 258; e escrever um livro, 287; e esportes em equipe, 142, 144; e ficar rico, 294-8; e hora de dormir, 204, 210; e ioga, 146, 148; e ir e voltar do trabalho, 247, 249; e jogar, 317-20; e lanchar, 72, 233, 236; e ler por prazer, 324; e ligar os pontos, 281; e ligar para desconhecidos, 242, 244-5; e ligar para os amigos, 116-7; e mandar e-mails, 251, 254; e meditação, 169; e memorizar, 267-8; e movimentos intestinais, 164; e musculação, 149-50; e negociar, 299-300, 302; e normas sociais, 26; e os quilinhos dos calouros, 183; e papéis matinais, 288; e pedir um aumento, 241; e pesar-se, 182; e pico de agradabilidade, 239; e planejar algo importante, 130, 132-3; e terapia, 165-6, 168; e tocar um instrumento, 275-6, 278; e tomar banho, 173; e tomar uma decisão, 263-5; e tomar vacina contra a gripe, 159; e transar, 71, 127-8; e uso de internet, 313, 315-6; e vender, 306; e viajar, 329, 332; exemplos de escritores famosos, 286; mudanças semanais para, 77; níveis de melatonina, 65, 67, 76; níveis de serotonina, 67, 75; objetivos para, 68; perfil dos, 39, 41; pico de ativação, 240; relógio mestre, *350*; ritmo do humor dos, 120, *121*, *122*; sono dos, 76-7, 185, 203, 210

leptina, 230

ler por prazer, 322-4

levantamento de peso, 158; *ver também* musculação

Levitsky, David, 181

Lewis, David, 322-3

ligações telefônicas, 114-8

ligar os pontos, 278-81

ligar para desconhecidos, 241-6

ligar para os avós, 118

livros digitais, 323

lobos: brigar com o parceiro, 124; características dos, 25, 93-5, 97; café da manhã, almoço e jantar, 98, 100, 103, 217; como porcentagem da população, 26; cronograma dos, 106-7; cronorritmos dos, 97-105, 206; e acordar, 190; e apaixonar-se, 114; e aprender algo novo, 259, 261; e apresentar suas ideias, 268-9, 271; e assistir a uma maratona de tv, 309-10; e brainstorming, 275; e cafeína, 94, 98, 100, 225-7; e cochilar, 193,

196; e combater doenças, 155; e comer demais, 232; e comprar, 290-1, 293; e consumo de álcool, 222-3; e contar piadas, 326-7; e conversar com os filhos, 134-5, 137; e correr, 140; e cronolongevidade, 344, 346-7; e cronossazonalidade, 338, 342; e dormir até mais tarde, 99-100, 197, 199-200; e entrevistas de emprego, 255-6, 258; e escrever um livro, 287; e esportes em equipe, 142, 145; e ficar rico, 296-8; e hora de dormir, 204-7, 210; e ioga, 146, 148; e ir e voltar do trabalho, 247, 249; e jogar, 317, 319-20; e lanchar, 101, 233-4, 236; e ler por prazer, 324; e ligar os pontos, 281; e ligar para desconhecidos, 242, 244-5; e ligar para os amigos, 116-7; e mandar e-mails, 252, 254; e meditação, 169; e memorizar, 267-8; e movimentos intestinais, 165; e musculação, 149-50; e negociar, 299-300, 302; e normas sociais, 26, 309; e os quilinhos dos calouros, 183; e papéis matinais, 288; e pedir um aumento, 241; e pesar-se, 182; e pico de agradabilidade, 239; e planejar algo importante, 131-3; e terapia, 166, 168; e tocar um instrumento, 275-6, 278; e tomar banho, 173; e tomar uma decisão, 263, 265; e tomar vacina contra a gripe, 159; e transar, 71, 99, 103, 125-8; e uso de internet, 313-6; e vender, 306; e viajar, 329, 332; exemplos de escritores famosos, 287; mudanças semanais para, 105-

6; níveis de melatonina, *94*, 99, 104; níveis de serotonina, *94*; objetivos para, 96; perfil dos, 42-4; pico de ativação, 240; relógio mestre, *352*; ritmo do humor dos, *121-2*; sono dos, 104, 203, 210

luz azul, 58-9, 76, 89, 104, 230, 308, 323

mamografias, 159, 161

mandar e-mails, 250-4

mandar mensagem, 115

Mann, Thomas, 286

manutenção da caixa de entrada, 251-2

marca-passo circadiano, 13

massa muscular, 148

McCartney, Paul, 274

medicina do sono, 16

meditação, 169, 342

Mednick, Sara, 195, 280

Mednick, Sarnoff, 280

Medvedev, Andrei, 193

memória: consolidação durante o sono, 77, 119, 266; e ligar os pontos, 278; e sono, 266-7; e uso de internet, 313

memorizar, no trabalho, 265-6, 268

metabolismo: e consumo de álcool, 221, 223; e horário das refeições, 213, 232; e lanchar, 232; e musculação, 148; efeitos do cronotipo no, 26

Milton, John, 286

mito das oito horas, 202

moléculas do receptor do fator de crescimento epidérmico (EGFR), 152

monitores de sono, 187

Morrison, Toni, 286

motilina, 162

movimentos intestinais, 161, 163-4, 180

mulheres: e transtorno afetivo sazonal (TAS), 340; fase lútea do ciclo menstrual, 290, 292, 338-9

Murakami, Haruki, 285-6

musculação, 148-50

músculos como um órgão metabólico, 213

Nabókov, Vladímir, 287

National Sleep Foundation, 202

negociações, 299-302

negociar, 299-303

níveis de adrenalina, 188, 224

níveis de cortisol: dos golfinhos, 48, 51, 53, 55-6, 58; dos leões, 65, 69, 74-5; dos lobos, 98-100, 102-3; dos ursos, 81; e cafeína, 224, 226; e conversar com os filhos, 136; e cronolongevidade, 345; e esportes em equipe, 144; e hora de dormir, 208; e ioga, 146-7; e ler por prazer, 322; e meditação, 169; e musculação, 149; e níveis de oxitocina, 127; e sono, 188; e vender, 304, 306

níveis de dopamina, 113-4, 273, 321

níveis de endorfina, 138, 160

níveis de energia dos leões, 66

níveis de insulina, 73, 188, 224, 301

níveis de melatonina: dos golfinhos, 58; dos leões, 65, *67*, 76; dos lobos, *94*, 99, 104; dos ursos, 89; e cafeína, 226; e cochilar, 190; e consumo de álcool, 219; e cronolongevidade, 345, 347; e cronossazonalidade, 338-41; e hora de dormir, 208; e ler por prazer, 323; e luzes, 125; e níveis de dopamina,

321; e ritmo de insônia, 308; e terapia contra insônia, 17; e tomar banho, 170; trato gastrintestinal, 162, 164

níveis de oxitocina, 71, 84, 113, 126, 136

níveis de serotonina: dos leões, 67, 75; dos lobos, 94; e contar piadas, 325; e conversar com os filhos, 136; e cronolongevidade, 345; e cronossazonalidade, 340, 342; e mamografias, 160; e ritmo de afeição, 113; e trato gastrintestinal, 162

níveis de testosterona: e atração sexual, 114; e desejo sexual, 71, 84, 99; e esportes em equipe, 144; e musculação, 149; e ritmo de desejo, 126; e vender, 304

núcleo supraquiasmático (NSQ), 13, 219, 339, 344

O'Connor, Flannery, 286

Oldroyd, James, 243, 246

orientação, 256

Orwell, George, 286

otimismo: e esportes em equipe, 141; e ioga, 147; ritmo de resiliência e otimismo, 242, 245

pais: conversar com os filhos, 134-7; ligar para, 118

pâncreas, 213

panorama da vida, 70

papéis matinais, 288

pedir um aumento, 237-41

pensamento ver pensamento analítico; pensamento conceitual; pensamento criativo; insight

pensamento analítico, 18, 131, 167, 282-4

pensamento com a mente distraída, 132, 171-2, 282, 284, 296

pensamento criativo: e cochilar, 194-5; e escrever um livro, 282; e ioga, 147; e meditação, 169; e ritmo de desejo, 126; efeito do biotempo no, 17; estágios do, 171; para golfinhos, 53; para leões, 73; para ursos, 89

performance atlética, 18; ver também atividade física

performance musical, 275-6, 278

perseverança, 141

personalidade com fator do cronotipo, 24, 27

pesar-se, 179, 181-3

planejar algo importante, 130-3

Plath, Sylvia, 286

Poder do quando, O: pesquisas, 347-8

preferências de sono/ vigília como fator do cronotipo, 24, 27

preocupação dos golfinhos, 56

pressão arterial: dos golfinhos, 49, 58-9; dos leões, 74-5; dos lobos, 99; dos ursos, 81; e correr, 139; e hora de dormir, 208; e ioga, 146-7; e meditação, 169; medicação para, 175; pico de pressão alta, 179

privação do sono, 318-9, 325, 341

problema da flor, 283

problema da idade, 283

problema da moeda falsa, 283

problema do prisioneiro, 282

problema dos lírios-d'água, 283

problema dos solteiros, 283

procrastinação, 251, 264

Proust, Marcel, 286

questionário padrão de "matutinidade-vespertinidade" (meq), 23-5, 143

rebeldia dos lobos, 96
recaptação de serotonina (irss), 162
rede de controle, 295
rede de fantasias, 295-6, 298
rede de flexibilidade, 295
rede de imaginação, 295
redes sociais, 313, 316
redução de cafeína, 53, 100
reflexo gastrocólico 163
relacionamentos: apaixonar-se, 111-2, 114; brigar com o parceiro, 118, 120-3, 125; conversar com os filhos, 134-7; ligar para os amigos, 114-7; planejar algo importante, 130-3; transar, 125-9; *ver também* transar
relaxamento muscular progressivo, 59, 207, 277
relógio biológico *ver* biotempo
relógio intestinal, 161, 216
relógios internos: e consumo de álcool, 219-20, 223; e *zeitgebers*, 216; horário dos, 13-9, 23, 213; variação dos, 170; *ver também* biotempo
relógios mestres, 349-52
remédios: e sono rem, 186; horário de, 17, 152, 173-9, 347
resiliência, 141
resolver problemas, 18, 295, 305
restrição de cama, 205-7
ritmo ad-renal, 188-9
ritmo calculado, 204-6, 209
ritmo calmante, 322, 324
ritmo da fome, 292
ritmo da rotina, 284-7

ritmo das grandes ideias, 295-6, 298
ritmo de acionamento da imunidade, 152, 154
ritmo de afeição, 112-3
ritmo de agendamento, 167
ritmo de agradabilidade, 239-40
ritmo de ansiedade/ insônia, 205, 209
ritmo de apetite/ luz artificial, 230-1
ritmo de ápice de negociação, 300, 302
ritmo de aprendizado, 194-5
ritmo de aprendizagem básica, 258, 260
ritmo de aquisição, 266-7
ritmo de assumir riscos, 297-8
ritmo de atenção, 132-3
ritmo de ativação, 239-40
ritmo de atração, 111-3
ritmo de autocontrole, 123
ritmo de azar, 318, 320
ritmo de ciclo do sono, 185-7, 189
ritmo de classificação, 257
ritmo de comer cedo, 215, 217
ritmo de comer demais, 309-10
ritmo de comparecimento, 268-70
ritmo de compatibilidade, 167-8
ritmo de competitividade, 142-4
ritmo de compra impulsiva, 290, 292
ritmo de comprometimento, 113-4
ritmo de comproterapia, 291-2
ritmo de conectividade, 272, 274
ritmo de conexão mente-corpo, 146-7
ritmo de confiabilidade, 303-5
ritmo de conforto, 159-60
ritmo de confusão, 313, 315
ritmo de consolidação, 266-7
ritmo de conveniência, 126, 127, 160
ritmo de coordenação, 143-4
ritmo de cortisol, 224, 227

ritmo de crescimento, 152, 154

ritmo de crescimento muscular, 148, 150

ritmo de criação, 282-3, 287

ritmo de criatividade, 193, 195

ritmo de cronodesajuste, 198-9

ritmo de depressão, 308, 310

ritmo de desejo, 126

ritmo de desempenho, 139-40, 191-2, 195

ritmo de dia da semana, 238, 240

ritmo de disponibilidade, 115, 117

ritmo de dissincronia, 328-9, 332

ritmo de distração, 134, 136, 273-4

ritmo de dosagem, 176-7

ritmo de duração do sono, 153-4

ritmo de embriaguez, 284, 287

ritmo de energia, 269-70

ritmo de envio, 252, 254

ritmo de envolvimento, 269-70

ritmo de escrita, 252, 254

ritmo de espírito esportivo, 144

ritmo de estratégia, 318, 319

ritmo de fazer piada, 326-7

ritmo de flexibilidade, 145, 147, 247-8, 304-5

ritmo de força de vontade, 229-31, 314-5

ritmo de força muscular, 149, 150

ritmo de frio na barriga, 276-7

ritmo de funcionamento executivo, 256-7

ritmo de habituação, 180, 182

ritmo de humor, 120, *121, 122*, 123

ritmo de ideias, 131, 133

ritmo de iluminação, 171-2

ritmo de implacabilidade, 299-300, 302

ritmo de imunidade, 157-8

ritmo de insônia, 308, 310

ritmo de insônia/depressão, 166, 168

ritmo de inteligência emocional, 166, 168

ritmo de intimidade, 116-7

ritmo de intoxicação, 325-7

ritmo de inverno, 340-2

ritmo de insight, 279, 281

ritmo de lanche após o jantar, 233-4

ritmo de lembrança, 266-7

ritmo de ligação do biotempo, 116-7

ritmo de logística, 132-3, 194-5

ritmo de luz solar, 187, 189

ritmo de manutenção, 181-2

ritmo de masturbação, 127

ritmo de meditação, 172

ritmo de melatonina, 226-7

ritmo de memória, 230-1

ritmo de novidade, 273-4

ritmo de obesidade, 199

ritmo de paciência, 136

ritmo de perda de peso, 181-2

ritmo de persistência, 242-5

ritmo de personalidade, 263-4

ritmo de perspicácia, 318-9

ritmo de perturbação do sono, 153

ritmo de ponto baixo, 180, 182

ritmo de potência, 143-4

ritmo de precisão, 160

ritmo de privação de sono, 119, 123, 260, 263-4, 308

ritmo de procrastinação, 207-8, 251-2, 254, 263

ritmo de produtividade, 312-3, 315

ritmo de queima de gordura, 138, 140

ritmo de reflexo, 163

ritmo de região cerebral, 259-60

ritmo de regularidade, 163-4

ritmo de relaxamento, 146-7

ritmo de REM, 273-4, 281

ritmo de repouso, 139

ritmo de resiliência e otimismo, 242, 245

ritmo de resolução, 119-20, 123

ritmo de ressaca, 222-3

ritmo de ressincronia, 330, 332

ritmo de restrição de horário alimentar, 214, 217

ritmo de ritual, 323-4

ritmo de satisfação com a vida, 165, 168

ritmo de sensibilidade à dor, 157-8

ritmo de simpatia, 255, 257

ritmo de temperatura, 170, 172

ritmo de tolerância, 220, 223

ritmo de tráfego, 313, 315

ritmo de transporte ativo, 248

ritmo de trapaça, 317, 319

ritmo de variação de humor diária, 244-5

ritmo de variação de humor semanal, 243, 245

ritmo de vigilância, 247-8

ritmo do *framing effect*, 262, 264

ritmo do horário de verão, 342

ritmo do metabolismo, 226-7

ritmo do pós-orgasmo, 126-7

ritmo do ritual matinal, 294-5, 298

ritmo do tipo A, 291-2

ritmo do virtuoso, 275, 277

ritmo entre o almoço e o jantar, 233

ritmo entre o café da manhã e o almoço, 233

ritmo estimulante, 163-4

ritmo hormonal, 162, 164, 325, 327

ritmo lunar, 337-8

ritmo sazonal, 156, 158

ritmo ultradiano, 215-6

ritmos circadianos: criação do termo por Franz Halberg, 174; definição de, 20; e núcleo supraquiasmático, 13; gráfico de, 14; mudanças em, 16; *ver também* biotempo

roda do cochilo, 195

Roenneberg, Till, 199, 346

rouxinóis, 23

Sandberg, Sheryl, 65

saúde: e benefícios do sono, 139, 153-4; e combater doenças, 151-2, 154-5; e consumo de cafeína, 223-9; e mamografia, 159, 161; e movimentos intestinais, 161-3, 165; e pesar-se, 179, 181-3; e terapia, 165-8; e tomar banho, 169-71, 173; e tomar remédios, 173, 175-7, 179; e vacina contra gripe, 156-7, 159

Shakespeare, William, 286

síndrome alimentar noturna (SAN), 235

síndrome das pernas inquietas, 179

síndrome do intestino permeável, 219

sistema digestivo, 161-2, 164-5, 213-4, 219-20

sistema endócrino, 163

sistema imunológico: e combater doenças, 151-5; e consumo de álcool, 220; e dormir, 139, 152-4; e relacionamentos, 115; e tomar remédios, 174; e transar, 126

sistema nervoso entérico (SNE), 161

sistema nervoso parassimpático, 145

sites de namoro on-line, 316

sonhos: fase REM, 186

sono: acordar, 184-90; conflitos conjugais sobre o sono, 210; consolidação de memória durante o sono profundo, 77, 119, 266; dormir até tarde, 61, 80, 82-3, 99, 197-201; dos golfinhos, 59, 60-1, 140, 185, 203, 205, 210; dos leões, 76-7, 185, 203, 210; dos lobos, 104-5, 203, 210; dos ursos, 80-2, 89-90, 203-5, 210; e brainstorming, 274; e cochilar, 190-6; e consumo de álcool, 220-1; e correr, 139; e cronossazonalidade, 338-9; e ir para a cama, 201-11; e lanchar, 233; e memória, 266-7; e os quilinhos dos calouros, 183; e ritmo de insight, 279; e sistema imunológico, 139, 152-4; estágios de, 185-6, 187, 195, 266; fase dois, 60, 76, 90, 105; fase três, 61, 76, 90, 105; fase um, 59-60, 76, 90, 104; sexo ajuda a dormir, 125; sono REM, 186, 187, 266, 273, 280; Thomas Edison sobre, 15

sono uni-hemisférico, 25, 38

Sontag, Susan, 286

Stein, Gertrude, 287

Styron, William, 287

tabela de compatibilidade sexual entre os cronotipos, 128, 129

técnicas de respiração, 145-6, 169, 276-7

tecnologia da informação, 15; ver também uso de internet

TED, conferências, 270

televisão, 307-11

temperatura interna do corpo: dos golfinhos, 51, 58; dos leões, 74; dos lobos, 98, 103; dos ursos, 81, 84, 170; e cochilar, 190; e dormir, 186; e hora de dormir, 208; e musculação, 149; e ritmo de flexibilidade, 145; e ritmo de potência, 143; e tomar banho, 170

tensão pré-menstrual (TPM), 160

teobromina, 228

terapia, 165-8

terapia cognitivo-comportamental para insônia (TCC-I), 166

terapia contra insônia, 16

teste de biotempo (TB), 27-32

teste de livre associação (RAT), 280, 284

teste de personalidade da tríade do mal, 311

teste de temperatura para cronotipos, 44

Thompson, Hunter S., 287

tipos matutinos: e aprender algo novo, 259; e assistir a uma maratona de TV, 309; e cronotipos, 36; e esportes em equipe, 143; e ir e voltar do trabalho, 247; e ligar para os amigos, 116; e memorizar, 267; e os quilinhos dos calouros, 183; e planejar algo importante, 131; e ritmo de atenção, 132; e ritmo de compra impulsiva, 290; e ritmo de criação, 282; e ritmo de funcionamento executivo, 256; e ritmo de implacabilidade, 300; e ritmo de persistência, 242; e ritmo de resiliência e otimismo, 242; e ritmo de satisfação com a vida, 165; e ritmo de tolerância à dor, 149; e tocar um instrumento, 276; e tomar uma decisão, 264; personalidade dos, 24; ritmo de humor dos, 120

tipos neutros: e memorizar, 267; e os quilinhos dos calouros, 183; e ritmo de criação, 282; e ritmo de lembrança, 267; e ritmo de persistência, 242; e ritmo de resiliência e otimismo, 242

tipos vespertinos: e aprender algo novo, 259; e assistir a uma maratona de TV, 309; e contar piadas, 326; e cronotipos, 36-7; e esportes em equipe, 144-5; e ioga, 147; e ir e voltar do trabalho, 247; e lanchar, 234; e ligar para os amigos, 116; e memorizar, 267; e os quilinhos dos calouros, 183; e planejar algo importante, 131; e ritmo de atenção, 132; e ritmo de compra impulsiva, 290; e ritmo de criação, 282; e ritmo de funcionamento executivo, 256; e ritmo de humor dos, 120, 122-3; e ritmo de implacabilidade, 300; e ritmo de persistência, 242; e ritmo de resiliência e otimismo, 242; e ritmo de ressaca, 222; e ritmo de satisfação com a vida, 165; e ritmo de tolerância à dor, 149; e tocar um instrumento, 276; e tomar uma decisão, 264; e uso de internet, 313; personalidade dos, 24

TLR4 (receptor do tipo Toll 4), 154

tocar um instrumento, 275-6, 278

Tolkien, J. R. R., 287

tom hedônico, 120, 122, 290

tomar banho, 169-73

tomar uma decisão: e jogar, 319; no trabalho, 261

trabalho: aprender algo novo, 258-9, 261; apresentar suas ideias, 268-71; entrevistas de emprego, 254-5, 257-8; ir e voltar do, 246-8, 250; ligar para um desconhecido, 241-2, 244-6; mandar e-mails, 250-2, 254; memorizar, 265-6, 268; pedir por um aumento, 237-9, 241; tomar uma decisão, 261-4

transar: atração sexual, 111-3; biotempo de, 125-6, 128-9; para golfinhos, 57, 125-8; para leões, 70-1, 127-8; para lobos, 71, 99, 103, 125-8; para ursos, 71, 82, 84, 128

transportes, 15

transtorno afetivo sazonal (TAS), 340, 342

transtorno disfórico pré-menstrual (TDPM), 339

trato gastrintestinal (GI), 161-2, 164-5, 213-4, 216, 220

Twain, Mark, 287, 326

Twitter, 313, 316

uma dose para dormir, 221

ursos: brigar com o parceiro, 122, 124; características dos, 25, 34-5, 79-83; café da manhã, almoço e jantar, 84, 86, 88, 216-7; como porcentagem da população, 26; cronograma dos, 91-2; cronorritmos dos, 84-90; e acordar, 190; e apaixonar-se, 114; e aprender algo novo, 258, 261; e apresentar suas ideias, 268-9, 271; e assistir a uma maratona de TV, 309-

10; e brainstorming, 275; e cafeína, 85, 224, 227, 229; e cochilar, 82, 87, 193-4, 196; e combater doenças, 155; e comer demais, 232; e comprar, 290-1, 293; e consumo de álcool, 223; e contar piadas, 327; e conversar com os filhos, 137; e correr, 140; e cronolongevidade, 346-7; e cronossazonalidade, 338, 342-3; e dormir até tarde, 80-1, 83, 197, 200-1; e entrevistas de emprego, 255-6, 258; e escrever um livro, 287; e esportes em equipe, 142, 145; e ficar rico, 295-6, 298; e hora de dormir, 204, 210; e ioga, 146, 148; e ir e voltar do trabalho, 247, 249; e jet lag social, 80, 243; e jogar, 317-8, 320; e lanchar, 83, 87-8, 233, 236; e ler por prazer, 324; e ligar os pontos, 281; e ligar para desconhecidos, 242, 244-5; e ligar para os amigos, 116-7; e mandar e-mails, 251-2, 254; e meditação, 169; e memorizar, 267-8; e movimentos intestinais, 163-4; e musculação, 149-50; e negociar, 299-300, 302; e normas sociais, 27, 205, 328; e os quilinhos dos calouros, 183; e papéis matinais, 288; e pedir por um aumento, 241; e pico de agradabilidade, 239; e pico de ativação, 240; e pesar-se, 182; e planejar algo importante, 131, 133; e temperatura interna do seu corpo, 81, 84, 170; e terapia, 166, 168; e tocar um instrumento, 278; e tomar banho, 173; e tomar uma decisão, 263, 265; e tomar vacina contra a gripe, 159; e transar, 127-8; e uso de internet, 313, 315-6; e vender, 304, 306; e viajar, 329, 332; exemplos de escritores famosos, 286; mudanças semanais para, 91; perfil dos, 41-2; relógio mestre, 351; sono dos, 80-2, 90, 203-5, 210

uso de internet, 312-6

vacina contra a gripe, 156-7, 159
Vanderkam, Laura, 294
vasopressina, 113
vender, 303-4, 306
viajar, 328-30, 332-3
vício em jogos on-line, 320-1
vírus H1N1, 156-7
Vonnegut, Kurt, 286

Wallas, Graham, 171
Wharton, Edith, 286
Wilson, Roger H. L., 221
Wing, Rena, 181
Woolf, Virginia, 287

zeitgebers, 216, 345

TIPOGRAFIA Adriane por Marconi Lima
DIAGRAMAÇÃO Osmane Garcia Filho
PAPEL Pólen Soft, Suzano Papel e Celulose
IMPRESSÃO Gráfica Bartira, fevereiro de 2017

A marca FSC® é a garantia de que a madeira utilizada na fabricação do papel deste livro provém de florestas que foram gerenciadas de maneira ambientalmente correta, socialmente justa e economicamente viável, além de outras fontes de origem controlada.